LE CIRQUE

DU MÊME AUTEUR

Saga LE PETIT MONDE DE SAINT-ANSELME :

Tome I, *Le petit monde de Saint-Anselme, chronique des années 30*, roman, Montréal, Guérin, 2003, format poche, 2011.
Tome II, *L'enracinement, chronique des années 50*, roman, Montréal, Guérin, 2004, format poche, 2011.
Tome III, *Le temps des épreuves, chronique des années 80*, roman, Montréal, Guérin, 2005, format poche, 2011.
Tome IV, *Les héritiers, chronique de l'an 2000*, roman, Montréal, Guérin, 2006, format poche, 2011.

Saga LA POUSSIÈRE DU TEMPS :

Tome I, *Rue de la Glacière*, roman, Montréal, Hurtubise, 2005, format compact, 2008.
Tome II, *Rue Notre-Dame*, roman, Montréal, Hurtubise, 2005, format compact, 2008.
Tome III, *Sur le boulevard*, roman, Montréal, Hurtubise, 2006, format compact, 2008.
Tome IV, *Au bout de la route*, roman, Montréal, Hurtubise, 2006, format compact, 2008.
La poussière du temps, l'intégrale, Montréal, Hurtubise, 2015.

Saga À L'OMBRE DU CLOCHER :

Tome I, *Les années folles*, roman, Montréal, Hurtubise, 2006, format compact, 2010.
Tome II, *Le fils de Gabrielle*, roman, Montréal, Hurtubise, 2007, format compact, 2010.
Tome III, *Les amours interdites*, roman, Montréal, Hurtubise, 2007, format compact, 2010.
Tome IV, *Au rythme des saisons*, roman, Montréal, Hurtubise, 2008, format compact, 2010.

Saga CHÈRE LAURETTE :

Tome I, *Des rêves plein la tête*, roman, Montréal, Hurtubise, 2008, format compact, 2011.
Tome II, *À l'écoute du temps*, roman, Montréal, Hurtubise, 2008, format compact, 2011.
Tome III, *Le retour*, roman, Montréal, Hurtubise, 2009, format compact, 2011.
Tome IV, *La fuite du temps*, roman, Montréal, Hurtubise, 2009, format compact, 2011.

Saga UN BONHEUR SI FRAGILE :

Tome I, *L'engagement*, roman, Montréal, Hurtubise, 2009, format compact, 2012.
Tome II, *Le drame*, roman, Montréal, Hurtubise, 2010, format compact, 2012.
Tome III, *Les épreuves*, roman, Montréal, Hurtubise, 2010, format compact, 2012.
Tome IV, *Les amours*, roman, Montréal, Hurtubise, 2010, format compact, 2012.

Saga AU BORD DE LA RIVIÈRE :

Tome I, *Baptiste*, roman, Montréal, Hurtubise, 2011, format compact, 2014.
Tome II, *Camille*, roman, Montréal, Hurtubise, 2011, format compact, 2014.
Tome III, *Xavier*, roman, Montréal, Hurtubise, 2012, format compact, 2014.
Tome IV, *Constant*, roman, Montréal, Hurtubise, 2012, format compact, 2014.

Saga MENSONGES SUR LE PLATEAU MONT-ROYAL :

Tome I, *Un mariage de raison*, roman, Montréal, Hurtubise, 2013, format compact, 2015.
Tome II, *La biscuiterie*, roman, Montréal, Hurtubise, 2014, format compact, 2015.
Mensonges sur le Plateau Mont-Royal, l'intégrale, Montréal, Hurtubise, format compact, 2015.

MICHEL DAVID

LE CIRQUE

Hurtubise

Catalogage avant publication de Bibliothèque et Archives nationales du Québec et Bibliothèque et Archives Canada

David, Michel, 1944-2010

Le cirque

ISBN 978-2-89723-702-8

I. Titre.

PS8557.A797C57 2015 C843'.6 C2015-941356-7
PS9557.A797C57 2015

Les Éditions Hurtubise bénéficient du soutien financier du gouvernement du Québec par l'entremise du programme de crédit d'impôt pour l'édition de livres et de la Société de développement des entreprises culturelles du Québec (SODEC). L'éditeur remercie également le Conseil des arts du Canada de l'aide accordée à son programme de publication.

Financé par le gouvernement du Canada
Funded by the Government of Canada | Canada

Maquette de la couverture : René St-Amand
Mise en pages : Folio infographie
Révision : Michel Rudel-Tessier

ISBN : 978-2-89723-702-8 (version imprimée)
ISBN : 978-2-89723-703-5 (version numérique PDF)
ISBN : 978-2-89723-704-2 (version numérique ePub)

Dépôt légal : 4e trimestre 2015
Bibliothèque et Archives nationales du Québec
Bibliothèque et Archives Canada

Diffusion-distribution au Canada :
Distribution HMH
1815, avenue de Lorimier
Montréal (Québec) H2K 3W6
www.distributionhmh.com

Diffusion-distribution en Europe :
Librairie du Québec/DNM
30, rue Gay-Lussac
75005 Paris FRANCE
www.librairieduquebec.fr

Imprimé au Canada
www.editionshurtubise.com

Qu'a-t-on fait à nos écoles pour qu'elles deviennent
des boîtes sans âme, fréquentées à contrecœur
par tant d'enseignants et d'élèves ?

Note de l'éditeur

Disparu prématurément en 2010, Michel David a laissé à ses nombreux lecteurs une œuvre littéraire imposante, jusqu'alors entièrement consacrée au genre historique, comme en font foi les vingt-six romans qui composent ses sept sagas, toutes publiées entre 2003 et 2014. Avec ses personnages plus grands que nature – que l'on pense à Maurice Dionne, à Laurette Brûlé ou encore à Gonzague Boisvert, pour ne nommer que ceux-là –, ce grand conteur nous a fait revivre le Québec d'autrefois.

Avant de créer des sagas, Michel David a travaillé dans le domaine de l'éducation et a écrit, pendant plus de trente ans, des ouvrages pédagogiques destinés à un tout autre lectorat. Le métier d'enseignant l'a tranquillement conduit vers la fiction qui, elle, l'a révélé au grand public.

Le livre que vous tenez en main est la première œuvre de fiction rédigée par Michel David au tournant du millénaire, avant ses romans historiques. On sent ici, pour la toute première fois, le talent de l'écrivain, qui aimait tant raconter des anecdotes, mais dans un contexte tout autre, celui du milieu de l'enseignement à la fin des années 1970.

Si le roman se distingue de ceux auxquels nous a habitués Michel David, il n'en demeure pas moins qu'on y voit émerger le style qui le fera connaître au fil des années suivantes: un univers pittoresque, des dialogues qui font sourire et des personnages attachants. Ce livre présente également un auteur différent: amoureux de l'enseignement, certes, mais aussi critique quant aux relations qu'entretiennent entre eux les professeurs et aux rapports qu'ils cultivent avec la direction ou avec les élèves. On découvre rapidement que la première année d'un enseignant dans une polyvalente, c'est un peu « le cirque » !

Le roman a demandé quelques retouches qui ont été apportées cette année par l'équipe éditoriale d'Hurtubise. Pour ce travail, l'éditeur a été accompagné par l'épouse de l'auteur, Louise David, qui se joint à nous pour vous souhaiter une excellente lecture.

L'éditeur
Octobre 2015

Les principaux personnages (par ordre d'apparition)

Gilles Provost: professeur de français, marié à Mylène et père de deux enfants, France et Karine, respectivement âgées de huit et cinq ans.
Charles Roy: professeur d'éducation physique.
Micheline Durand: professeure d'économie familiale.
Raymond Garand: directeur de la polyvalente Montaigne.
Jacqueline Saint-Onge: professeure de religion.
Denis Casavant: professeur de mathématiques et directeur de niveau par intérim.
Prosper Desjean: professeur de sciences et directeur de niveau par intérim.
Anne Leduc: professeure de mathématiques.
Sylvain Brisset: professeur de religion et délégué syndical.
Georges Martin: professeur de géographie.
Andrée Jutras: professeure d'arts plastiques et membre du comité de révision du régime pédagogique.
Jérôme Rivest: professeur de français et membre du CPE (comité pédagogique de l'école).
Claudette Labonté: secrétaire de niveau.

Claude Loiselle : professeur d'anglais et membre du comité social de la polyvalente.
Gaétane Rioux : professeure de français.
Gisèle Tremblay : professeure de français et chef de groupe.
Carlos Pereira : professeur de sciences.
Karl Dussault : professeur de musique.
Jean-Paul Rousseau : professeur de mathématiques.
Pascal Foligni : imprimeur.
Michel Tondreau : professeur de mathématiques.
René Martel : agent de sécurité.
Germain Coulombe : professeur de religion.
Étienne Marquis : professeur d'anglais.
Mary Bello : professeure d'anglais anglophone.
Florent Rioux : professeur de mathématiques et époux de Gaétane Rioux.
Joseph Comtois : professeur d'arts plastiques.
Louise Kelly : professeure d'anglais.
Hélène Vallée : directrice de niveau.
Henri-Paul Dubois : adjoint administratif.

1
Un nouveau départ

— Vous pouvez entrer, monsieur Provost, annonça la jeune femme souriante en indiquant la porte d'Adrien Pomerleau, le directeur de l'école secondaire René-Goupil.

Gilles Provost remercia la secrétaire d'un bref signe de tête et poussa la porte du bureau de celui qui était son supérieur depuis maintenant douze ans.

C'était une de ces journées glorieuses de fin d'été, avec un ciel radieux et une chaleur caniculaire. Le soleil inondait la pièce et la timide brise entrant par les deux petites fenêtres situées au bas de la grande baie vitrée ne parvenait pas à rafraîchir les lieux.

— Assieds-toi, Gilles, et viens profiter de l'air frais de mon bureau, l'invita, pince-sans-rire, l'homme retranché derrière sa table de travail surchargée de documents. On crève de chaleur ici ! Je suis content que tu aies pu venir me voir, même si tu es encore en vacances. Merci.

— Vous devriez installer un ventilateur, monsieur Pomerleau. Tout le monde vous le dira : le soleil fait plisser la peau des personnes âgées, plaisanta l'enseignant.

— Laisse faire ma vieille peau, répliqua le directeur en feignant d'être vexé.

L'enseignant de trente-cinq ans prit place sur l'une des deux chaises placées devant le bureau. Il remonta ses lunettes à fine monture d'acier sur son nez et croisa les jambes en souriant. Les deux hommes se connaissaient depuis longtemps et éprouvaient l'un envers l'autre sympathie et respect.

— Vous ne trouvez pas ça trop difficile d'être à l'école en plein mois d'août ? demanda Gilles en retrouvant son sérieux.

— Ça fait partie du travail. Il faut bien que quelqu'un organise la rentrée. Mais je t'avoue qu'avec la chaleur qu'on a depuis une dizaine de jours, j'aurais préféré rester au chalet, comme toi, précisa-t-il en s'essuyant le front avec un mouchoir. J'ai parlé à ta femme hier après-midi. Elle m'a dit que vous veniez juste d'arriver de la campagne.

— L'école reprend dans quatre jours et Mylène voulait acheter des vêtements et des articles scolaires pour nos deux filles avant le début des classes. J'en ai une qui commence sa troisième année et ma plus jeune entre à la maternelle.

— Déjà ? Mon Dieu que le temps passe vite !

— Eh oui, on ne rajeunit pas !

Puis, Gilles revint immédiatement à ce qui le préoccupait :

— J'ai été surpris quand Mylène m'a annoncé que vous vouliez me voir cet après-midi.

La veille, il avait passé la soirée à s'interroger sur les raisons qui avaient poussé son directeur à demander à souhaiter le rencontrer avant le début des classes, alors qu'il lui restait encore trois jours de vacances. Il avait beau être le président du comité pédagogique de l'école et le responsable des professeurs de français de René-Goupil, ce rendez-vous l'intriguait au plus haut point.

— Vous vouliez me voir ? s'enquit Gilles, bien décidé à tirer cette affaire au clair.

— Oui, et ça pressait, affirma le directeur, soudainement un peu mal à l'aise.

— Qu'est-ce qui se passe ?

— Euh… On a eu les chiffres finaux des inscriptions pour l'année. C'est pas joli, joli...

— J'espère qu'on n'a pas moins d'inscriptions qu'en juin. On avait déjà vingt élèves de moins que l'année dernière.

Gilles se souvenait encore de l'harassante tournée des écoles primaires de la municipalité qu'il avait effectuée à la fin du printemps avec le directeur. Ils avaient consacré plusieurs soirées à rencontrer les parents des élèves de sixième année afin de les convaincre d'inscrire leurs enfants à René-Goupil, cette petite école publique de la commission scolaire Des Érables qui n'accueillait que des jeunes de première année du secondaire.

C'était le combat annuel – et livré à armes inégales – que cette école secondaire devait mener contre les grands collèges privés qui ne se gênaient pas pour écrémer leur clientèle scolaire. Pour René-Goupil, c'était devenu carrément une question de survie : chaque année, le nombre d'élèves s'amenuisait. L'engouement des parents pour les établissements privés était alimenté par certains professeurs de sixième année qui mettaient ouvertement en doute la valeur de l'enseignement donné dans les écoles secondaires publiques. Ils prenaient un malin plaisir à exagérer les dangers et les lacunes des polyvalentes que les jeunes fréquenteraient dès leur deuxième année du secondaire.

— Tu te souviens, nous attendions quatre cent trente élèves à la fin juin ? rappela le directeur en mettant fin au bref silence qui s'était établi dans la pièce surchauffée.

— Oui. Et, normalement, il aurait dû s'en ajouter une trentaine cet été, comme chaque année, non ?

— Pas cette année. Je n'arrive pas à m'expliquer pourquoi, mais c'est très exactement le contraire qui est arrivé. On en a perdu une trentaine. Il faut croire que des parents inscrivent leurs enfants chez nous en même temps que dans des collèges privés. Puis, quand les enfants sont acceptés dans les collèges privés qui offrent toutes les années du secondaire, ils nous laissent tomber. Encore heureux qu'ils nous préviennent !

— On ne peut pas en avoir perdu tant que ça ! s'exclama Gilles, stupéfait. C'est pas possible !

— Hé oui ! Et tu sais ce que ça veut dire ?

Le professeur de français fit un calcul rapide : il manquait cinquante élèves. Il n'osa pas penser aux conséquences.

Devant l'air médusé et le silence de son interlocuteur, Adrien Pomerleau poursuivit sans attendre sa réponse.

— Ça veut dire que j'ai appris hier matin que je perdais trois professeurs. J'ai essayé de m'arranger avec le comité de direction ; il n'y a rien à faire. Au bureau du personnel, ils ne pensent qu'en fonction des chiffres. Les règles ne changent pas. C'est toujours le même ratio : un professeur pour dix-sept élèves.

Gilles sentit subitement son front se couvrir de sueur, et ce n'était pas à cause de la chaleur suffocante qui régnait dans la pièce. Trop abasourdi pour réagir, il laissa son supérieur continuer.

— Tu te doutes bien que j'ai tout fait pour te garder avec nous. Tu es mon meilleur professeur de français. Les parents et les élèves t'apprécient. Et tes collègues aussi. Sauf qu'il n'y a rien à faire, la direction applique la convention collective et ce sont les plus jeunes qui partent.

— J'en reviens pas ! Avec douze ans d'ancienneté, je suis le plus jeune professeur de français de l'école ! parvint à articuler l'enseignant, la bouche sèche.

Il regarda Pomerleau droit dans les yeux et lui demanda d'une voix lugubre, se préparant au pire :

— Où est-ce qu'on m'envoie ?

— On t'a trouvé une place à Montaigne, à Anjou.

— Une polyvalente ? Oh non ! En plus, il n'y a même pas de classes de secondaire 1 dans cette polyvalente-là, non ? voulut savoir Gilles, incrédule.

— C'est vrai, ça commence avec les classes de secondaire 2. Raymond Garand, le directeur de Montaigne à qui j'ai parlé au téléphone, m'a dit que tu pourrais avoir quatre groupes de secondaire 3.

— Quoi ? Mais je n'ai jamais enseigné à des élèves aussi âgés !

— Ça, ça ne sera pas un problème, tenta de le rassurer le directeur. Avec ton expérience, ça va être facile.

— J'ai passé l'été à préparer du matériel pour mes élèves, plaida Gilles, comme si cet argument pouvait lui éviter cette mutation. Ça n'a pas d'allure de me faire ça ! Juste au moment où l'école recommence. Et, en plus, on me change de niveau ! Autant dire que j'ai perdu mon été à travailler pour rien. Puis, là, il faut que je monte un cours pour des secondaire 3 !

— Ne te tracasse pas avec ça. Je pense qu'à Montaigne, ils vont te donner deux ou trois jours pour te préparer.

— Deux jours ?

— Je sais que c'est peu, reconnut Adrien Pomerleau, de plus en plus embarrassé. Mais comme je te disais : avec ton expérience, tu vas t'en tirer, j'en suis convaincu.

Le professeur de français s'appuya au dossier de sa chaise et laissa tomber ses épaules. Il retira ses lunettes, se pinça le haut du nez, puis secoua lentement la tête.

— Gilles, tu..., bredouilla son supérieur.

L'enseignant lui coupa la parole.

— Est-ce que je dois aller voir le directeur avant mardi matin ? se renseigna-t-il avec une voix de condamné.

— Je ne pense pas. Quand le directeur du personnel m'a dit qu'il t'avait envoyé seulement hier une lettre pour t'informer de ta nouvelle affectation, je lui ai signifié que j'essaierais de te rencontrer aujourd'hui pour t'expliquer. Il m'a répondu que tu n'aurais qu'à te présenter au directeur de Montaigne un peu avant neuf heures, mardi matin, en même temps que les autres professeurs.

— Bon, très bien.

Gilles faisait d'immenses efforts pour sauver la face alors qu'en réalité, il était anéanti par la nouvelle. Son pire cauchemar venait de se réaliser à quatre jours du début de l'année scolaire. Non seulement il allait devoir travailler dans une de ces énormes polyvalentes sans âme, mais pire encore, il lui faudrait enseigner à des adolescents plus âgés et, surtout, commencer ses cours sans avoir eu le temps de préparer son matériel pédagogique. Ce dernier point le déstabilisait complètement. Il se sentait désarmé devant la nouvelle tâche qui l'attendait. Il ignorait tout du programme de français enseigné en troisième année du secondaire. Et, surtout, la polyvalente était située à Anjou, encore plus à l'est de l'île de Montréal que l'école René-Goupil, alors qu'il habitait la Rive-Sud : des heures de plaisir en perspective dans la circulation, matin et soir.

— C'est où, exactement ? finit-il par demander, maussade, à son supérieur. Je ne connais pas bien Anjou.

— Oh ! C'est facile à trouver, lui assura le directeur d'un ton exagérément enthousiaste. La polyvalente est au bout du boulevard Provencher. Tu ne peux pas la manquer.

Dans un sursaut de dignité, Gilles se leva et déclara :

— Je suppose qu'il est inutile de me lamenter jusqu'à demain. Ça ne changera rien. Je vais aller vider mon armoire et ramasser mes affaires, si vous permettez.

— Bon, fais donc ça, approuva Pomerleau en lui adressant un sourire d'encouragement. Ah, et n'oublie surtout pas de venir me serrer la main avant de partir !

— Bien sûr. À tout à l'heure.

Comme l'enseignant allait quitter la pièce, son directeur l'arrêta.

— J'allais oublier : la grossesse de ta femme se passe bien ?

— Elle en est presque à sept mois et il n'y a pas de problème, signifia Gilles sans chaleur.

— Tant mieux ! Tant mieux ! Euh... Pour ton changement d'école, essaye de ne pas trop t'en faire, Gilles. Tu vas voir ; tu vas finir par aimer la polyvalente.

— J'en serais bien surpris, rétorqua ce dernier en quittant le bureau de son supérieur sans se retourner.

En ouvrant la porte du local 106, une bouffée de chaleur fit presque reculer Gilles, qui s'empressa d'aller ouvrir deux fenêtres de ce qui avait été sa classe durant les six dernières années.

Cette grande pièce lumineuse, pourvue de cinq larges fenêtres et qui donnait sur un parc, lui était plus chère que son propre bureau chez lui. Elle contenait tant de souvenirs ! Le plancher parfaitement ciré, les chaises placées sur chaque pupitre par le concierge, les tableaux verts bien propres et les affiches colorées qui ornaient les murs l'émurent. Il ne parvenait pas à croire que, quatre jours plus tard, quelqu'un d'autre s'installerait dans cette salle pour enseigner à des jeunes qui auraient dû être ses élèves à lui.

Il prit quelques boîtes de carton vides, abandonnées dans le couloir par le concierge, et les déposa près de son bureau avant de se laisser tomber lourdement sur sa chaise. Lorsqu'il appuya ses coudes sur la table, le siège se mit à branler dangereusement. Par automatisme, Gilles se pencha pour vérifier si la cale de carton glissée sous l'une des pattes du meuble bancal était encore bien en place. Elle n'y était plus. Le concierge avait dû déplacer le bureau pour laver le sol. Il allait se lever pour la remettre en place quand il interrompit son geste. Il s'appuya plutôt au dossier et croisa les mains derrière sa tête. Son successeur s'en chargerait lui-même.

L'enseignant dut se faire violence pour commencer à récupérer ses affaires. Il ne procéda à aucun tri, se contentant de transférer le contenu des quatre tiroirs dans une boîte. Puis, comme un automate, il se dirigea vers la grande armoire beige dressée dans un coin de la classe. Il déposa dans une seconde boîte le matériel et les documents qui lui appartenaient. Pendant un instant, il eut la tentation de prendre aussi les quatre affiches qu'il avait apportées de chez lui pour décorer les murs. Il y renonça, se disant que leur contemplation dans son nouveau local ne pourrait que lui rappeler René-Goupil.

Après avoir refermé l'armoire et poussé un long soupir, Gilles marcha lentement le long de chacune des six rangées de pupitres, essayant de graver dans sa mémoire chaque détail des lieux. Il jeta un dernier regard au parc voisin en fermant les fenêtres, puis alla déposer ses deux boîtes pleines dans le couloir. La gorge nouée, il verrouilla pour la dernière fois la porte de sa classe.

Il alla porter ses affaires dans le coffre de sa voiture stationnée dans la cour de l'école, puis se rendit à la salle des professeurs. Là, il remplit une dernière boîte avec son matériel de bureau.

Tout cela allait lui manquer. Comment oublier tous les bons moments vécus dans cette salle avec les enseignants de René-Goupil ? Durant douze ans, il avait appartenu à cette grande famille. Il avait partagé les joies et les peines de celles et ceux qui étaient si fiers de leur petite école. Entre les quatre murs de cette grande pièce encombrée de classeurs et de bureaux, il y avait eu des disputes et des réconciliations, des gestes mesquins et des actes généreux. On y avait travaillé, mais on s'y était aussi beaucoup amusé. Tout cela était bel et bien terminé.

Gilles, chargé de sa dernière boîte, alla comme promis saluer son directeur.

— Je te souhaite la meilleure des chances, lui dit son supérieur en lui tendant la main.

— Merci pour tout, répondit Gilles, profondément ému.

— J'espère que tu vas venir nous voir souvent.

— Vous pouvez en être sûr.

La sonnerie du téléphone abrégea une scène qui risquait de devenir pénible pour les deux hommes. Pomerleau s'apprêtant à décrocher le téléphone, Gilles lui fit un dernier signe de la main et sortit du bureau où, de toute façon, il n'avait pas eu l'intention de s'éterniser.

Lorsque la porte de René-Goupil claqua derrière lui, il ressentit la même peine et le même désarroi que s'il venait d'être chassé de son foyer. Il n'aurait jamais cru que sa vie professionnelle représentait autant pour lui, du moins, pas de façon aussi émotive. Il se sentait rejeté et malheureux, comme s'il vivait un chagrin d'amour. « Dieu merci, il me reste Mylène et les enfants : ma vraie famille ! » se rassura-t-il avant de monter, sans se presser, dans sa Chevrolet. Il regarda une dernière fois le petit édifice blanc à un étage où il avait été si heureux. Comment oublier toutes les belles années passées entre ces murs ?

Gilles allait regretter ces rencontres matinales auxquelles un bon nombre d'enseignants de René-Goupil se plaisaient à participer. Que d'échanges animés autour d'une tasse de café ! Il se rappelait encore les discussions passionnées suscitées par l'élection surprise du gouvernement péquiste en 1976, et encore plus par l'adoption de la loi 101. Les performances de certains ministres fraîchement arrivés en politique avaient soulevé autant la controverse que la nouvelle loi de l'assurance automobile qui ne tenait pas compte de la responsabilité. Les jeunes professeurs, pour la plupart des péquistes militants, formaient un front commun pour mieux s'opposer à leurs aînés qui éprouvaient un malin plaisir à critiquer tout ce que le nouveau gouvernement proposait. On se provoquait gentiment dans une bonne humeur qui se démentait rarement.

Comme il ne se sentait pas la force de rentrer immédiatement chez lui et d'expliquer à sa femme ce qui lui arrivait, Gilles décida, sans aucun enthousiasme, de se rendre à la polyvalente où il devrait se présenter le mardi suivant, le lendemain de la fête du Travail. Il emprunta la voie de desserte du boulevard Métropolitain en direction est et descendit la rue Gentilly vers le sud. Comme il ne connaissait pas très bien Anjou, il s'égara rapidement dans les petites rues. Après une dizaine de minutes de vaines recherches, il allait déclarer forfait quand il se retrouva brusquement sur le boulevard Provencher, juste devant le stationnement de la polyvalente Montaigne.

L'enseignant découvrit un immense terrain occupé par une demi-douzaine de voitures regroupées à faible distance de ce qui semblait être l'entrée principale de l'établissement. Il gara sa voiture et en descendit. Le soleil tapait si durement sur le bitume que l'air paraissait frémir au contact de l'asphalte.

Gilles examina longuement l'immense boîte aux formes irrégulières érigée devant lui. Une chose le frappa d'emblée : la façade de l'édifice de deux étages en brique brune était totalement dépourvue de fenêtres. La construction ressemblait à un gros bloc Lego. Le visiteur s'avança lentement vers les trois larges marches qui conduisaient aux cinq portes d'entrée accolées les unes aux autres et situées au fond d'un renfoncement. La seule tache de couleur venait de deux petits carrés de pelouse jaunie et pelée qui flanquaient ces escaliers de ciment. Tout autour, il n'y avait que de l'asphalte et quelques bancs couverts de graffitis. Si les mots

Polyvalente Montaigne n'avaient pas été inscrits en hautes lettres blanches sur le mur de brique, l'enseignant n'aurait jamais cru se trouver devant une école tant le bâtiment ressemblait à une usine.

Pendant un moment, il fut tenté de faire le tour de la polyvalente pour avoir un aperçu de son étendue et se familiariser avec le voisinage, mais il y renonça en se disant qu'il faisait vraiment trop chaud et qu'il ferait mieux de rentrer chez lui pour annoncer la triste nouvelle à sa femme, Mylène. Il se demandait comment lui présenter la situation. Il ne voulait surtout pas qu'elle s'inquiète. Avec sa grossesse, il fallait la ménager. Gilles allait trouver une façon de tourner les choses de la bonne façon.

Il retourna à sa voiture, regarda encore une fois cet affreux bloc de béton sans âme, soupira, tourna la clé dans le contact et démarra.

Après avoir stationné sa voiture dans l'entrée de sa maison, Gilles s'arrêta un instant pour regarder France et Karine, ses filles de huit et cinq ans, qui jouaient dans la cour avec des amis. Après leur avoir soufflé un baiser, il se décida, le cœur gros, à pénétrer chez lui. Il entendit Mylène, dans la cuisine, qui s'affairait sans doute à préparer le souper. Comme si son courage l'avait brusquement abandonné, il se laissa tomber sur une chaise, sans un mot, vidé de toute énergie.

Sa femme, qui l'avait entendu rentrer, s'étonnait qu'il tarde à la rejoindre et sortit la tête de la cuisine.

— Tu as l'air bien dépité ! Qu'est-ce que Pomerleau te voulait ?

Gilles se rendit d'un pas traînant vers Mylène et entreprit de tout lui raconter, en essayant de taire le plus possible la révolte qu'il sentait gronder en lui.

— Même si j'ai enseigné là douze ans, conclut-il, il paraît que ça n'a aucune importance. Pomerleau m'a dit que je m'habituerais à la polyvalente, mais moi, je sais que je ne pourrai pas. Et puis, j'ai travaillé tout l'été pour rien. Tout mon nouveau matériel est bon pour la poubelle, parce qu'on me donne des classes de secondaire 3 !

Il frappa du poing sur la table. Sa résolution n'avait pas tenu bien longtemps. La colère et le dépit avaient pris le dessus. Son épouse, patiente, le laissa s'épancher de longues minutes avant de lui confier :

— C'est sûr que c'est pas la meilleure nouvelle, mais au moins, tu as encore de l'ouvrage. Tu as toujours aimé enseigner.

— Oui, sauf qu'être prof à la polyvalente, c'est pas pareil.

— Moi, je pense comme Pomerleau : tu vas t'habituer. Prends-le comme un nouveau défi, mon amour. Je suis certaine que tu vas être capable de t'en sortir. Tu es un des meilleurs professeurs, on te le dit chaque année.

— Un nouveau défi, mon œil ! maugréa Gilles en ouvrant la porte du réfrigérateur pour en sortir une bière.

Sans rien ajouter, il alla ensuite s'enfermer dans son bureau, au sous-sol. Mylène le laissa faire. Elle le connaissait assez pour savoir qu'il avait besoin de réfléchir à ce qui venait de lui arriver. Il était comme un animal blessé : il voulait lécher ses plaies tout seul.

En effet, Gilles passa le plus clair de la fin de semaine de la fête du Travail en solitaire dans son bureau, à tourner en rond comme un lion en cage, à ressasser les événements, à cultiver sa rancune, à angoisser et à s'interroger sur son avenir. Il était tellement furieux et amer que, s'il s'était écouté – et s'il n'avait pas eu ses deux filles et un troisième enfant en route –, il aurait probablement démissionné. Jamais jusque-là il n'avait remis en question sa passion pour l'enseignement. Comment allait-il surmonter cette épreuve ?

Puis, petit à petit, comme le soleil de l'aurore point lentement à l'horizon, la paix se fit dans son esprit. Le lundi, en fin d'après-midi, il se sentit beaucoup plus serein. Il monta les marches du sous-sol et alla retrouver Mylène dans la cuisine. Elle était en train de commencer à préparer le repas en chantonnant. Elle ne le vit pas tout de suite. Lui la regarda longtemps. Son cœur se remplit d'amour et ses yeux de larmes : comme elle était belle !

Gilles s'approcha en silence. Quand elle sentit sa présence, sa femme se retourna et lui sourit. Il la prit par la taille et l'embrassa. Mylène fut étonnée de la fougue de son baiser. Lorsqu'il desserra son étreinte, elle leva les yeux vers lui pour demander simplement :

— Ça va mieux ?

— Ça va mieux, affirma-t-il.

2
La rentrée

Lorsque Gilles prit la route un peu avant sept heures, le mardi matin, il faisait un temps superbe. Une légère brise bienfaisante avait dissipé l'humidité et chassé les nuages qui s'étaient accumulés la veille, à la fin de la journée.

L'enseignant avait noué sa cravate rouge, revêtu son veston bleu marine et vérifié le pli de son pantalon gris avant de quitter la maison sans grand enthousiasme. Il avait embrassé sa femme qui lui avait prodigué quelques paroles encourageantes. Reconnaissant devant les efforts de celle-ci, il avait tenté vaillamment de faire bonne figure.

Or, l'excitation habituelle de la rentrée, la joie de revoir les collègues et le plaisir de recevoir ses listes d'élèves avaient été remplacés par une sourde inquiétude. La peur de l'inconnu l'étreignait. Quel accueil Montaigne allait-elle lui réserver ? Quelle tâche précise l'attendait ? Allait-il hériter de classes d'élèves en difficulté d'apprentissage, de classes régulières ou enrichies ?

Il traversa le pont-tunnel Louis-Hippolyte-La Fontaine dans un état second. Fort heureusement, à une heure aussi matinale, la circulation était encore relativement fluide et Gilles retrouva sans trop de difficulté le chemin de la polyvalente. À son arrivée, seules quelques voitures étaient alignées dans le stationnement. Rien d'étonnant à cela puisqu'il était à peine sept heures quarante-cinq.

— Cette école-là est aussi attirante qu'une prison, se dit-il à mi-voix en regardant sa façade aveugle, assis dans sa voiture.

Peu à peu, l'immense stationnement prit vie. Beaucoup de claquements de portières, de cris joyeux et d'appels suivaient l'arrivée des voitures. Gilles assista en étranger à de nombreuses embrassades et à de chaudes poignées de main. Il ne put s'empêcher de songer avec nostalgie que les mêmes scènes devaient se produire au même instant à René-Goupil. S'il avait été là, il aurait vécu les mêmes émotions. Lui aussi, il aurait éprouvé du plaisir à retrouver ses confrères perdus de vue durant leurs deux mois de vacances.

Quand il revint à la réalité, tous ces gens, ses futurs collègues, s'étaient mis en marche et s'engouffraient dans la polyvalente en se taquinant et en riant. Gilles jeta un coup d'œil à sa montre ; il patientait dans sa voiture depuis une demi-heure déjà. Il s'empara de son porte-documents et descendit de sa Chevrolet. Il ne servait à rien d'attendre plus longtemps en se rongeant les sangs.

Il franchit le seuil de l'édifice pour être immédiatement dépaysé. Il se trouvait debout devant une agora à l'extrémité de laquelle s'étendait ce qui semblait être une vaste cafétéria.

— Excusez-moi, pourriez-vous me dire où se trouve le bureau du directeur ? demanda-t-il à une jeune femme qui venait elle aussi d'entrer dans l'immeuble.

— La première porte à votre droite, indiqua-t-elle sans prendre la peine de s'arrêter.

Le nouveau venu frappa donc à la porte désignée. Comme personne ne répondait, il se résolut à l'ouvrir. Il pénétra alors dans une grande pièce au fond de laquelle une demi-douzaine de portes étaient ouvertes sur des bureaux. Le secrétariat général de la polyvalente était partagé en deux sections de dimensions inégales par un comptoir derrière lequel une jeune réceptionniste au visage ingrat faisait office de cerbère. Derrière elle, cinq ou six personnes, debout au centre de la pièce, bavardaient.

— Bonjour ! Est-ce que je peux voir le directeur ?

La jeune femme fit comme si elle n'avait rien entendu et Gilles, mal à l'aise, dut répéter sa question d'une voix plus forte. Elle leva les yeux sur lui, visiblement contrariée.

— Demandez à sa secrétaire, finit-elle par lui lancer, sur un ton qui trahissait son exaspération.

— C'est qui, sa secrétaire ? s'enquit sèchement le nouveau professeur, peu habitué à être traité de façon aussi cavalière.

— Elle, désigna la réceptionniste en pointant une grande femme maigre assise derrière un bureau, au fond de la pièce, comme si c'était évident.

— Je peux y aller ? questionna-t-il en lui montrant la barrière à l'extrémité du comptoir qui l'empêchait de passer.

— Ben oui, répliqua la jeune femme d'un air excédé qui laissait présager que sa première journée ici allait être bien longue.

Gilles ne prit pas la peine de la remercier. Il poussa la barrière et se rendit au fond de la pièce en contournant le groupe de personnes toujours en grande discussion. Il s'arrêta devant la secrétaire – qui s'appelait Michelle Larose, si l'on se fiait à ce qui était écrit sur la plaque de bois posée sur son bureau.

— Bonjour, madame Larose. Je m'appelle Gilles Provost. Est-ce que je peux parler au directeur ?

La femme, occupée à empiler des chemises cartonnées dans deux grandes boîtes posées sur un chariot, cessa un instant son travail pour regarder son interlocuteur.

— C'est à quel sujet ? s'informa-t-elle.

— Je suis le nouvel enseignant et on m'a demandé de me présenter ici ce matin.

— Ah, j'y suis ! l'interrompit-elle. Vous êtes le nouveau professeur de français.

— De secondaire 3, compléta Gilles.

L'assistante du directeur lui adressa une sorte de grimace qu'il pouvait interpréter, avec beaucoup de bonne volonté, comme un sourire de bienvenue. Elle jeta un coup d'œil à une feuille posée à l'autre bout de son bureau.

— Vous êtes monsieur Provost ?

— Oui, madame.

— Monsieur Garand n'a pas le temps de vous rencontrer tout de suite, il est en réunion de gestion. Je vais lui dire que vous êtes arrivé. S'il a le temps de vous voir aujourd'hui, il va vous faire appeler par l'interphone.

— Ah ! Euh... Très bien, merci. Qu'est-ce que je dois faire ? Où est-ce que je dois aller ? se renseigna le nouveau venu, dérouté par un accueil aussi froid.

— Je pense que le mieux pour vous est d'attendre neuf heures et de suivre les autres professeurs à la réunion générale qui va avoir lieu à la bibliothèque. Là, on va vous donner le programme de la journée.

— Vous pouvez m'indiquer où se trouve la bibliothèque ?

— Au premier étage, au bout du couloir. Prenez l'escalier à votre droite en sortant du secrétariat.

Gilles la remercia et quitta les lieux sans un regard pour la réceptionniste qui ne leva même pas la tête lorsqu'il passa à côté elle. Il gravit l'escalier jusqu'à l'étage. L'air était lourd de la chaleur et de l'humidité accumulées durant les derniers jours. Mais le pire était le manque de lumière naturelle. L'absence de fenêtres aurait rendu claustrophobe n'importe qui.

L'endroit n'était éclairé que par des néons dissimulés dans les plafonds dont les carreaux d'insonorisation laissaient voir de larges taches d'humidité. Lorsqu'il parvint dans le couloir du premier étage, Gilles découvrit avec stupéfaction que ce corridor faisait le tour du bâtiment et qu'il était vitré du sol au plafond sur le côté interne, offrant ainsi une vue plongeante sur l'agora et la cafétéria du rez-de-chaussée.

Par ailleurs, toutes les portes qui s'ouvraient sur le couloir étaient verrouillées et dépourvues de lucarne. Elles ne portaient qu'un chiffre comme indication.

Le nouvel enseignant traversa tout le corridor pour se rendre devant la porte de la bibliothèque. Elle était fermée, elle aussi. Au moment même où il tentait d'ouvrir, il entendit des pas à l'autre extrémité du couloir. Désireux d'obtenir des renseignements, il alla à la rencontre de ses nouveaux collègues. Le temps de parcourir les quelques mètres qui le séparaient d'eux, ces derniers avaient été happés par une porte anonyme.

En désespoir de cause, Gilles revint vers la bibliothèque et décida d'attendre le début de la réunion en observant par la large baie vitrée les personnes qui traversaient la cafétéria à l'étage inférieur.

Quelques minutes plus tard, une sonnerie stridente le fit sursauter. Des portes claquèrent et des bruits provenant d'une cage d'escalier située près de la bibliothèque retentirent. Puis, des enseignants envahirent peu à peu le couloir. Quelqu'un déverrouilla la porte de la bibliothèque et les professeurs y entrèrent sans se presser.

Appuyé nonchalamment contre un mur du couloir, Gilles se garda bien de se précipiter à la suite des premiers arrivants. Il attendit qu'un bon nombre d'entre eux soient entrés avant de s'avancer lentement vers la porte, non sans avoir pris soin de retirer sa cravate et son veston. Étant donné que tous les membres du corps enseignant qu'il avait aperçus jusque-là ne portaient que des chemises à manches courtes ou des polos, il n'était pas question de se faire remarquer en portant des vêtements trop chics.

« Une tenue aussi négligée n'aurait jamais été tolérée à René-Goupil », pensa-t-il. Sans être obligatoires, la cravate et la veste étaient de mise à l'école, et Pomerleau n'aurait pas tardé à rappeler à l'ordre celui qui aurait omis de les porter.

En ouvrant la porte de la bibliothèque, Gilles eut un choc. La vaste pièce était inondée de soleil. Enfin, il découvrait les premières fenêtres de Montaigne. Si des rayons remplis de livres couvraient trois murs, le quatrième était constitué de larges baies vitrées donnant sur un espace vert. Un grand comptoir derrière lequel devaient se tenir les bibliothécaires était placé près de l'entrée et faisait face au mur vitré. Le centre de la pièce était occupé par une vingtaine de longues tables disposées sur quatre rangées. L'une d'entre elles avait été placée en retrait et un technicien s'affairait à y installer un micro. Gilles contourna discrètement quelques groupes de professeurs en grande conversation et s'assit à une table encore inoccupée, près des fenêtres.

Puisque la bibliothèque se remplissait rapidement de nouveaux arrivants, le niveau sonore s'élevait graduellement. Si certains enseignants avaient déjà pris d'assaut les tables du fond, d'autres, moins pressés, discutaient debout ou allaient saluer des collègues.

Un homme dans la cinquantaine à la mise un peu débraillée se laissa tomber sur la chaise voisine de celle occupée par Gilles. Il fut bientôt suivi par une grosse femme frisottée et essoufflée. Leur nouveau confrère leur jeta un rapide coup d'œil.

— C'est ton premier jour ? lui demanda l'homme.

Gilles leva la tête des papiers qu'il avait tirés de son porte-documents pour se donner une contenance.

— Oui. Gilles Provost, professeur de français, répondit-il, heureux que quelqu'un s'aperçoive enfin de son existence.

— Charles Roy, éducation physique, répliqua l'autre en lui serrant brièvement la main. D'où est-ce que tu viens ?

— De René-Goupil.

— À Saint-Léonard ?

— C'est ça.

— Eh bien, mon vieux, tu vas trouver que ça bouge pas mal plus ici ! Bienvenue dans le cirque.

— Le cirque ?

— C'est comme ça qu'on appelle Montaigne entre nous, intervint la femme qui se présenta : Micheline Durand, prof d'économie familiale. En fait, tu vas vite découvrir que c'est plutôt une vraie maison de fous.

Gilles interrogea son voisin du regard, se demandant si l'enseignante ne se moquait pas de lui, mais l'homme ne broncha pas.

— Ça fait longtemps que vous enseignez ici ?

— Cinq ans, annoncèrent-ils tous deux à l'unisson.

— Depuis son ouverture, poursuivit Roy. Et je peux te garantir que travailler ici, ça fait vieillir son homme. Pas vrai, Micheline ?

— Ça, tu peux le dire ! confirma-t-elle. Et sa femme aussi !

— En tout cas, reprit le professeur d'éducation physique, j'ai le bonheur de vous annoncer à tous les deux qu'il me reste exactement cent neuf jours à faire. Dans exactement cent neuf jours, salut la compagnie, je pars à la retraite, ajouta-t-il, triomphant.

— Chanceux ! s'écria Micheline Durand. Moi, il me reste encore dix ans à faire.

— J'ai dit cent neuf jours, mais ça, c'est dans le pire des cas, précisa Charles Roy, tout guilleret. Normalement, je m'arrête le 31 janvier, mais j'ai déjà demandé au bureau du personnel de me libérer pour les fêtes. Avec un peu de chance, le 22 décembre, je viendrai vous faire mes adieux.

La professeure d'économie familiale ne l'écoutait déjà plus. Elle avait levé la tête vers la porte :

— Bon, les voilà ! s'exclama-t-elle en désignant du menton quatre hommes accompagnés d'une femme que Gilles reconnut comme étant le secrétaire du directeur.

Un grand quinquagénaire au visage ascétique (« Un vrai jésuite ! » pensa Gilles), entouré de trois hommes un peu plus jeunes et de Michelle Larose, son assistante, se glissa derrière la longue table au centre de laquelle on avait installé un micro.

— Mesdames, messieurs, si vous voulez bien rejoindre vos places, nous allons commencer la réunion, annonça l'homme à l'allure austère en se penchant vers le micro.

— Tiens ! Parlant de cirque, révéla Roy à Gilles en désignant celui qui venait de s'adresser aux enseignants, voilà notre bouffon en chef.

— Qui est-ce ? voulut savoir Gilles.

— Raymond Garand, notre bien-aimé directeur, précisa Roy d'un ton moqueur. Si on avait le choix entre lui et rien, on choisirait rien, ce serait moins nuisible. Regarde-le bien, il va tout simplement attendre que les gens se décident à arrêter de parler entre eux. Faire preuve d'autorité est au-dessus de ses forces. Il est aussi comme ça avec les élèves et, tu peux me croire, ils ne se gênent pas pour en profiter. Moi, je l'ai connu quand il était prof à Pointe-aux-Trembles. Ses élèves lançaient des chaises par les fenêtres pendant qu'il avait le dos tourné.

— Ben, voyons donc ! commenta Gilles, stupéfait.

— Attends, tu vas sûrement avoir d'autres surprises avant la fin de la journée, le prévint le professeur d'éducation physique, sarcastique.

Micheline Durand, tournée vers la table voisine, salua deux collègues qu'elle venait d'apercevoir.

— As-tu eu le temps de visiter Montaigne, au moins ? demanda Charles Roy à son nouveau confrère.

— Non. J'ai su seulement vendredi après-midi que je commençais ici.

— Comme ça, tu n'as même pas une idée du local où tu vas enseigner ?

Gilles se contenta de secouer la tête.

— Tu sais au moins comment la polyvalente est divisée ?

Il fit encore non de la tête. Le professeur d'éducation physique jeta un coup d'œil vers l'avant, pour voir si la réunion risquait de commencer bientôt. Comme rien ne l'annonçait, il se lança :

— Bon, alors, laisse-moi te faire un petit topo. Montaigne, d'après moi, c'est d'abord une expérience qu'un architecte un peu fou a voulu tenter. Et à la commission scolaire, il y a eu du monde assez bête pour le laisser faire à sa tête.

— Celui-là, si je le tenais, je le crucifierais sur un mur, maugréa Micheline Durand qui avait cessé de parler à ses voisines pour reporter son attention vers Charles Roy et Gilles.

— Tu vas t'apercevoir qu'il n'y a que deux classes à l'extrémité de chaque couloir qui ont une fenêtre, continua Roy. Partout ailleurs, il n'y a que des murs pleins. Pas besoin de te dire que ces classes-là appartiennent aux profs les plus anciens… ou aux plus téteux. Notre architecte a été tellement brillant qu'il est parti du principe que l'élève ne pouvait qu'être distrait par la vue de l'extérieur.

— Comment on aère notre classe ?

— Ça, c'est le plus génial. Tiens-toi bien ! Il y a un grand pédagogue, quelque part au ministère de l'Éducation, qui a accepté l'idée, il y a cinq ans, qu'on expérimenterait des grandes aires à Montaigne. Il paraît que ça marchait aux États-Unis. On les a essayées pendant deux ans et Garand y croyait dur comme fer. Tu sais ce que c'est que les grandes aires ?

— Aucune idée.

— Un grand local où on recevait en même temps jusqu'à cent quarante élèves, quatre groupes, en fait.

— Comment ça fonctionnait ? s'informa Gilles.

— C'est simple. Un prof enseignait au grand groupe pendant que trois autres faisaient la police. Ensuite, chacun s'occupait de son groupe et donnait les explications nécessaires.

— Ça devait être difficile à contrôler.

— Tu peux le dire ! Le bruit était assourdissant. Les élèves venaient en cours quand ils le voulaient et les profs ne se gênaient pas pour manquer, eux aussi. C'était le bordel intégral.

— Une chance que c'est fini.

— Oui, sauf que tu vas vite te rendre compte qu'on a hérité de quelque chose de désagréable.

Gilles haussa les sourcils et son voisin ajouta, un petit sourire en coin :

— La commission scolaire a fini par se décider, il y a deux ans, à séparer chaque grande aire en quatre locaux avec des murs de liège recouverts de tissu.

— Ça doit bien isoler, non ?

— Le problème n'est pas là. Chaque grande aire avait quatre bouches d'aération au plafond. Deux qui poussaient l'air frais et deux qui aspiraient l'air vicié. Quand on a séparé les aires, on n'a pas tenu compte de ça. Le résultat est... intéressant. On gèle comme des rats dans deux classes parce que c'est là que se trouvent les bouches d'air pulsé. Et on crève de chaleur dans les deux autres parce qu'on n'a pas d'air frais. C'est brillant, non ? On a beau se plaindre chaque année, la direction ne fait rien pour régler le problème.

Pour la troisième ou quatrième fois depuis quelques minutes, quelqu'un tapota le micro pour attirer l'attention de la vingtaine d'enseignants encore debout entre les tables qui se comportaient comme s'ils assistaient à un cocktail.

— Mesdames, messieurs, si vous voulez bien regagner vos places, fit une voix excédée.

Cette fois-ci, il y eut un vague mouvement vers les chaises encore libres. Charles Roy calcula qu'il pouvait encore parler avant que tous soient assis.

— À part ça, ce n'est pas trop difficile de s'orienter dans la polyvalente, même si c'est grand. À droite, en entrant, près de la cafétéria, tu as le secrétariat général et les classes du cours professionnel. En plus, il y a le magasin et les ateliers de coiffure, de soudure, d'esthétique et d'électricité. À gauche, au bout du petit couloir, tu as les vestiaires qui s'ouvrent sur le bloc sportif où on trouve la piscine et les deux gymnases. Au premier étage, tu as la bibliothèque, l'imprimerie, les classes de secondaire 2 et 3, ainsi que deux laboratoires. Au deuxième étage, ce sont les classes de 4 et 5 avec des laboratoires.

— On est combien de professeurs ? voulut savoir Gilles.

— Je pense que cette année, on est cent six ou cent huit profs, pour un peu plus de mille neuf cents élèves.

Il se tourna vers Micheline Durand pour recevoir son approbation, mais celle-ci posa un doigt sur ses lèvres.

— Chut ! émit-elle, les sourcils froncés.

Le directeur venait de s'emparer du micro et, debout derrière la table, il commença son discours.

— Mesdames, messieurs, la direction de Montaigne est heureuse de vous souhaiter la bienvenue en ce début d'année scolaire. Cette année encore, je serai votre capitaine et je dirigerai cet énorme navire qu'est notre polyvalente. J'aurai besoin du dévouement et de la collaboration de tout mon équipage pour mener notre vaisseau à bon port. Je ne vous apprendrai rien en vous disant que de très grands défis nous attendent. La mer sera souvent houleuse et nous traverserons aussi des tempêtes...

— Tiens ! Le capitaine Bonhomme ! s'écria une voix irrévérencieuse dans le dos de Gilles.

— Pas encore le même maudit discours, se plaignit Micheline Durand en se penchant vers Charles Roy. Ça fait cinq ans qu'il le radote.

D'autres enseignants devaient penser la même chose puisque les conversations reprirent peu à peu autour des tables pendant que le directeur discourait. Gilles eut toutes les misères du monde à entendre ce qu'il avait à dire. Le plus déroutant fut qu'à aucun moment l'homme n'esquissa un geste ni n'éleva la voix pour rétablir un semblant d'ordre dans l'assemblée.

Gilles n'en revenait tout simplement pas. Cette situation était si éloignée de ce qu'il avait connu à René-Goupil ! L'indiscipline, l'absence de respect, sans parler du manque d'autorité du directeur… Il sourit en pensant à ce qu'aurait été la réaction de son ancien patron devant une telle insubordination.

Pendant que l'homme achevait vaille que vaille son discours, deux secrétaires se mirent à distribuer des feuilles sur chacune des tables. C'était l'emploi du temps des trois prochains jours.

— Nous allons faire une courte pause-café d'une dizaine de minutes, conclut Raymond Garand. Ensuite, je vous demande de vous rendre dans le local indiqué sur votre feuille pour une réunion avec votre directeur de niveau. Je vous souhaite encore une fois une excellente année scolaire.

Quelques applaudissements peu enthousiastes saluèrent la fin de la courte allocution. Les membres du corps professoral se levèrent précipitamment et se dirigèrent tout droit vers les deux grosses cafetières que des agents de sécurité de la polyvalente avaient transportées sur des chariots et placées à l'entrée de la bibliothèque.

Le directeur ne chercha nullement à se mêler à ses enseignants. Gilles le vit quitter discrètement les lieux, suivi de près par son assistante.

Gilles n'avait aucune envie de boire une tasse de café ni de converser avec ses nouveaux collègues. Il se contenta de saluer Micheline Durand et Charles Roy, puis se fraya difficilement un chemin vers la porte de la bibliothèque. Il voulait se rendre à la salle de réunion dont le numéro était inscrit sur sa feuille.

Il la trouva sans mal. Il s'agissait d'une salle de classe dont la porte était ouverte. Le nouvel enseignant entra dans la pièce et déposa son porte-documents sur un pupitre d'élève, au centre du local. Ensuite, il dut attendre de longues minutes que les enseignants de troisième année du secondaire veuillent bien se présenter.

Lorsqu'ils arrivèrent, Gilles, assis à son pupitre, se contenta de les regarder prendre place. Par groupes de deux ou trois, une vingtaine de professeurs envahirent les lieux sans se presser et en parlant fort. Tels des élèves un peu chahuteurs, les premiers évitèrent soigneusement de s'installer à l'avant. Ils choisirent de s'asseoir au fond de la pièce.

— Est-ce que quelqu'un a vu Pilon ? demanda un homme au début de la trentaine en se laissant tomber sur une chaise.

— C'est vrai, ça, on ne lui a pas vu la face à la réunion générale, nota une forte femme d'une voix de stentor. Est-ce que notre directeur de niveau préféré aurait oublié de se lever ce matin ?

— Pourquoi il se lèverait ? répliqua un enseignant au collier de barbe poivre et sel. Il est aussi bien de rester couché dans son lit plutôt que de venir dormir dans son bureau...

Quelques rires saluèrent la saillie.

Gilles en déduisit que le Pilon en question était le directeur de secondaire 3, donc son supérieur immédiat.

— S'il n'est pas là, je ne vois pas ce qu'on fait ici à l'attendre, déclara un homme un peu maniéré, portant une longue moustache aux pointes recourbées et doté d'une épaisse chevelure, toutes les deux visiblement teintes en noir.

Alors que certains professeurs s'apprêtaient à se lever pour partir, Raymond Garand pénétra dans la pièce et referma la porte derrière lui. Tous les regards se tournèrent immédiatement vers lui et les conversations cessèrent progressivement. Sa présence semblait plus intimidante en petit groupe qu'en assemblée générale.

Le directeur attendit patiemment avant de prendre la parole pour s'assurer de capter l'attention de tous les enseignants.

— Vous avez remarqué, je suppose, que votre directeur de niveau est absent.

Il y eut quelques murmures.

— Malheureusement, monsieur Pilon ne pourra pas être avec nous avant plusieurs semaines.

— Qu'est-ce qu'il a ? demanda une femme.

— Il a été victime d'un anévrisme cérébral la semaine dernière et il est encore trop tôt, selon ses médecins, pour savoir exactement quand il sera en mesure de reprendre le travail.

— Qui a été nommé à sa place ? s'enquit l'homme aux cheveux noirs.

— La commission scolaire n'ouvrira pas le poste tant qu'on ne sera pas fixés sur la durée de sa convalescence, répondit Garand.

— Et on est supposés se débrouiller comment sans directeur de niveau, monsieur Garand ? l'apostropha une petite femme nerveuse.

— Le directeur général m'a permis de libérer temporairement un enseignant pour remplir les fonctions d'Aimé Pilon, madame Saint-Onge.

— Ah bon ! s'exclama-t-elle, apparemment soulagée d'apprendre la nouvelle.

Gilles constata que ses nouveaux collègues devenaient tout à coup beaucoup plus attentifs. Ils avaient l'air très curieux de connaître l'identité de celui ou celle que le directeur de Montaigne avait choisi pour remplacer Aimé Pilon. Il fut néanmoins surpris par l'apparent manque d'empathie de tous ces gens qui avaient côtoyé l'homme durant des années. Pas un seul n'avait exprimé le moindre signe d'inquiétude ou de compassion ! Il ne put s'empêcher de penser, encore une fois, à ce qu'aurait été la réaction de ses ex-collègues dans une telle situation. Il y avait là-bas une solidarité, un esprit d'équipe, totalement absents de cette polyvalente où le chacun-pour-soi et l'indifférence paraissaient régner au sein du corps enseignant.

— J'aurais préféré confier la tâche à un seul professeur de votre niveau, poursuivit le directeur, mais il aurait fallu quelqu'un capable de prendre en charge tous ses groupes, peut-être pour une assez longue période, sans pénaliser les élèves ou l'enseignant libéré. Je n'en ai pas trouvé. Après avoir étudié l'emploi du temps de tous les professeurs de secondaire 3, j'en ai trouvé deux dont les horaires se complétaient et qui pourraient être remplacés par des suppléants qu'ils superviseraient. Par conséquent, je vous annonce que la direction de votre niveau sera assurée dans les semaines à venir par Denis Casavant et Prosper Desjean. Denis assumera cette fonction tous les matins et Prosper remplira le même rôle l'après-midi. Tous les deux ont accepté ce surplus de tâches pour nous rendre service.

Dans l'assemblée, on semblait surpris.

— Je vous laisse entre les mains de vos deux directeurs de niveau par intérim qui vous expliqueront votre travail pour la rentrée administrative. Je vous souhaite une bonne journée.

À ces mots, Raymond Garand tourna les talons et repartit, cédant la place aux deux hommes qui venaient de se lever.

— Eh bien ! On dirait qu'on a de beaux téteux parmi nous, lança quelqu'un.

— Il y en a qui ont dû venir souvent à la polyvalente cet été pour lécher les bottes du directeur, persifla à mi-voix un autre professeur assis près de Gilles.

— Ils vont faire ça “pour nous rendre service”, ironisa encore quelqu’un, à l’autre bout du local. C’est la meilleure de la journée, celle-là !

Pendant que les remarques désobligeantes pleuvaient, Gilles vit passer près de lui un homme de taille moyenne, âgé d’une quarantaine d’années. Derrière lui, un Noir un peu plus grand, et sensiblement du même âge, lui emboîta le pas. Les deux hommes se campèrent devant leurs confrères.

— Ça va, les jaloux, répliqua Denis Casavant, un petit sourire aux lèvres. Ce n’est pas pour nous vanter, mais Prosper et moi, nous sommes sûrs que la direction a fait le bon choix. Elle a pris les meilleurs.

Des huées fusèrent de tous les coins de la pièce.

— Bon, bon... Maintenant que vous vous êtes défoulés, on peut peut-être passer aux choses importantes ? proposa Prosper Desjean en affichant un air plus sérieux. Avant d’expliquer le travail que chacun aura à accomplir, les deux nouveaux enseignants du niveau pourraient se lever et se présenter, suggéra-t-il.

Gilles vit se lever une jolie jeune femme au visage rougissant.

— Je m’appelle Anne Leduc, indiqua-t-elle en adressant son plus beau sourire à l’assemblée. C’est ma première année et j’enseigne les mathématiques.

Gilles l’imita et se présenta à son tour.

— Gilles Provost, professeur de français, annonça-t-il aussitôt après que sa consœur se fut rassise.

Denis Casavant rappela ensuite les horaires et toutes sortes de détails administratifs d’une voix monocorde.

La plupart des professeurs écoutèrent son allocution assez distraitement.

— Avant de mettre fin à la réunion, intervint à son tour Prosper Desjean, on a besoin de trois volontaires. Il nous faut un représentant au CPE, un membre au comité de révision du régime pédagogique et un autre au comité social.

— Je propose Brisset pour nous représenter au CPE, avança un roux au visage rond.

— Merci, Georges, mais je suis déjà le délégué syndical de la polyvalente ; j'en ai assez comme ça.

— Je propose Andrée Jutras, suggéra un petit homme à la tenue négligée.

— Je ne veux pas aller au CPE, mais j'accepte de faire partie du comité de révision du régime pédagogique, répondit une femme d'une trentaine d'années à l'allure un peu bohème.

— Jérôme, pourquoi tu ne serais pas notre représentant sur le CPE ? demanda l'Haïtien en s'adressant à l'homme à la moustache et aux cheveux noirs.

Ce dernier se fit un peu prier avant d'accepter finalement la tâche d'assez mauvaise grâce. Une fois de plus, Gilles fut frappé par le manque d'enthousiasme de ses collègues. Il se sentait au milieu d'une bande de fonctionnaires blasés qui comptaient les jours avant leur retraite. De toute évidence, personne ici n'était heureux.

— Il ne nous reste plus qu'à trouver quelqu'un pour le comité social, enchaîna Denis Casavant en regardant ses collègues qui manifestaient déjà leur impatience de quitter les lieux.

— D'accord, je vais y aller, se porta volontaire un jeune homme du nom de Claude Loiselle.

— Parfait ! conclut Prosper Desjean avec un large sourire. On nous laisse le reste de la journée pour nous installer et pour planifier notre première étape. N'oubliez pas que cette année, nous allons expérimenter l'horaire sur huit jours.

— Vous prendrez sur le bureau le dossier gris qui contient les règlements de la polyvalente et les procédures administratives avant de sortir, rappela Casavant. N'oubliez pas les feuilles de tâche qui devront être remplies, signées et remises, avant la fin de l'après-midi, à Claudette, notre secrétaire de niveau. Vos listes d'élèves et votre horaire de cours sont dans la chemise identifiée à votre nom.

— Un conseil, relisez les règlements, suggéra Desjean. N'oubliez pas non plus que les membres du CPE et la direction vous ont fait approuver certains changements au mois de juin passé.

On entendit des raclements de pieds de chaises suivis par une bousculade autour du bureau occupé par les deux directeurs par intérim. Chacun voulait s'emparer de ses documents avant les autres.

Gilles allait se saisir de la chemise qui portait son nom quand il sentit une main se poser sur son bras.

— Si tu veux savoir où t'installer dans la salle des profs, t'as juste à me suivre, lui dit une quadragénaire bien en chair pas très jolie, mais au sourire engageant. On enseigne la même matière. Comment t'appelles-tu, déjà ?

— Gilles Provost.

— Gaétane Rioux.

La femme l'entraîna deux portes plus loin.

— As-tu une 122 ? lui demanda-t-elle en déverrouillant une porte qui donnait sur un couloir bordé de vieilles armoires métalliques beiges.

Ce corridor, long de quelques mètres, débouchait sur une pièce éclairée par trois larges baies vitrées.

— C'est quoi, une 122 ?

— C'est la clé qui te permet d'entrer dans toutes les salles de classe et dans ce local. En plus, tu as besoin d'une petite clé spéciale pour allumer et éteindre les lumières dans les locaux.

— Non, on ne m'a pas donné de clés.

— Moi, je les ai en double. Je vais te les prêter, si tu veux.

Gilles la remercia en songeant que la vie d'enseignant dans une polyvalente paraissait compliquée. Il pensa furtivement à son ancienne école. Il n'eut guère le temps de s'apitoyer sur son sort puisqu'ils arrivaient déjà à la salle des professeurs.

Il régnait dans la pièce un désordre indescriptible. En plus d'une vingtaine de bureaux regroupés en quelques îlots, des étagères étaient alignées le long de chaque mur de la pièce. Toutes croulaient sous des piles de feuilles plus ou moins jaunies. Des boîtes de documents et des livres poussiéreux étaient déposés près des bureaux et sur le rebord des fenêtres. Au fond, il y avait même une vieille polycopieuse à alcool posée sur un pupitre d'élève, dans un coin.

— Sur quoi donne cette porte ? s'informa Gilles en indiquant une porte vitrée à l'autre bout de la grande pièce.

— C'est une petite salle pour les profs de sciences. Elle est située derrière les laboratoires.

— Ils ne sont pas avec nous ?

— C'est tout comme ; la porte est toujours ouverte.

Gaétane Rioux déposa ses documents sur l'un des quatre bureaux d'un îlot situé près de la fenêtre.

— C'est ici qu'on est installés. Moi, j'ai ce bureau-là, lui apprit-elle en désignant le meuble situé le plus près de la fenêtre. Celui qui est à côté est libre ; tu peux le prendre. En face du mien, c'est le bureau de Jérôme Rivest. Jérôme, c'est le gars avec la grosse moustache noire que tu as dû voir tout à l'heure à la réunion. En face du tien, c'est celui de Gisèle Tremblay, notre chef de groupe. C'est notre équipe de quatre profs de français de 3. On s'entend assez bien d'habitude, ajouta-t-elle sans grande conviction.

— Où est-ce qu'on dîne ? s'enquit Gilles en regardant de tous les côtés, ne voyant ni réfrigérateur ni cuisinière, contrairement à son ancienne école.

— N'importe où, enchaîna-t-elle en ouvrant un tiroir de son bureau pour en retirer un sous-main et différents articles qui y avaient été rangés probablement au mois de juin précédent.

— N'importe où ?

— Ben oui, où tu veux. La plupart vont se chercher quelque chose à la cafétéria, ou alors ils dînent dans la salle à manger des profs, au bout de la cafétéria, en bas. Mais ce sont surtout les profs des métiers qui se rejoignent là tous les midis. Il y a un petit groupe d'enseignants de notre niveau qui dînent dans la salle à côté, derrière les laboratoires. D'autres mangent à leur bureau, ici.

Elle baissa les yeux sur son tiroir et ajouta:

— Tiens, les voilà, fit-elle en sortant deux clés qu'elle tendit à son nouveau confrère. La clé normale, c'est la 122. La petite en forme de fourchette sert à allumer et à éteindre les lumières. Prends-les, et demande à Claudette de t'en faire des doubles. Quand tu les auras, tu me remettras les miens.

— Merci.

La porte de la salle des professeurs s'ouvrit sur un groupe d'enseignants tenant à la main des tasses de café qu'ils rapportaient probablement de la bibliothèque. Jérôme Rivest déposa un porte-documents sur son bureau après avoir pris soin d'essuyer méticuleusement le meuble et sa chaise avec un chiffon. Ensuite, il s'assit en face de Gaétane Rioux sans ouvrir la bouche. Il se contenta de jeter un coup d'œil à sa consœur et au nouveau professeur de français avant de se plonger dans la lecture des documents contenus dans la chemise qu'il venait de prendre.

Dans l'îlot voisin, les trois professeurs de mathématiques s'efforçaient de rivaliser de galanterie pour que la jolie nouvelle, Anne Leduc, s'installe à côté d'eux. Finalement, leurs efforts se révélèrent vains: elle choisit le bureau voisin de celui de Denis Casavant. La jeune femme semblait un peu mal à l'aise d'être l'objet de tant d'attentions de la part de ces trois hommes d'âge mûr.

Un peu plus loin, à la gauche de Gilles, l'îlot était occupé par trois enseignants, francophones, qui discutaient, en anglais, avec une anglophone, tout en débarrassant leur bureau de caisses de livres que les concierges avaient sûrement déposées là dans le courant de l'été pour dégager le sol qu'ils avaient dû laver.

Par la porte ouverte au fond de la salle, on entendait des éclats de voix venant de la pièce voisine.

— Qu'est-ce qui se passe ? demanda discrètement Gilles à sa voisine en désignant l'endroit du pouce.

— Desjean doit être en train de discuter avec Georges Martin, Michel Auger et Carlos Pereira. Ces quatre-là passent leur temps à parler de politique. Ici, tu vas t'apercevoir que les profs de sciences et de géographie font pas mal de bruit, expliqua Gaétane Rioux. Une chance qu'ils se tiennent surtout dans l'autre salle !

— Et on ne se gêne pas pour aller fermer leur porte quand ils s'énervent trop, ajouta une femme en prenant place dans la chaise près de celle de Jérôme Rivest, en face de Gilles.

— Gisèle Tremblay, notre chef de groupe de français, la présenta Gaétane Rioux.

Selon l'estimation de Gilles, la femme devait être au début de la quarantaine. Elle affichait des airs de religieuse défroquée et semblait de mauvaise humeur.

— On va être équipés en directeurs de niveau ! laissa-t-elle tomber à mi-voix en désignant les professeurs de mathématiques qui semblaient bien s'amuser.

— Pourquoi tu dis ça ? l'interrogea Gaétane Rioux.

— Casavant et Desjean… Tu parles d'une idée ! grommela-t-elle. Ils sont paresseux comme des ânes, tous les deux. Vous allez voir, ils vont prendre ça pour des vacances, et nous, on va être obligés de se débrouiller avec nos problèmes.

— Garand aurait pu penser à nous deux pour remplacer Pilon, murmura Jérôme Rivest d'un air supérieur, en triturant nerveusement du bout des doigts les pointes cirées de sa moustache.

Un ange passa. Gilles en profita pour changer de sujet :

— À qui est-ce que je dois m'adresser pour avoir le programme de français de secondaire 3 et le matériel dont je vais avoir besoin ?

— À moi, lui apprit Gisèle Tremblay qui manifestait enfin un peu d'attention à son nouveau collègue.

À ces mots, elle se leva et ouvrit les portes d'une armoire métallique d'où elle tira un programme officiel du ministère qu'elle tendit à Gilles.

— Voilà le programme. Pour le matériel didactique, tu vas le trouver dans ton armoire de classe.

— Merci. Tu peux m'expliquer l'horaire sur huit jours ? Qu'est-ce que c'est ? Je viens de consulter le mien et je n'y comprends rien.

— Oui, bon, je vais faire ça vite, parce que je dois aller rencontrer les profs de français de secondaire 2, l'informa-t-elle en se rasseyant. Cette année, on n'enseigne pas selon les jours de la semaine, mais selon les jours 1 à 8.

— Ah ? Et pourquoi ?

— Parce que cet horaire permet de ne pas toujours pénaliser les mêmes profs quand il y a des congés. S'il y a un congé un lundi ou un vendredi, par exemple, on saute cette journée et le lendemain de ce qui aurait été le jour 1 ou le jour 5 est repris. En d'autres mots, tu oublies les jours de la semaine. Il n'existe que les jours 1 à 8.

Gilles s'efforçait tant bien que mal de comprendre ce que sa collègue venait de lui expliquer, mais il n'en eut pas le temps.

— Ce que Gisèle ne te dit pas, l'interrompit Gaétane Rioux en souriant, c'est qu'il n'y a jamais de cours les après-midi des jours 4 et 8.

— Pourquoi ? C'est congé ?

— Non, répliqua Gisèle Tremblay avec une certaine impatience dans la voix en se levant de nouveau. Ce sont des demi-journées consacrées à la récupération des élèves en difficulté et aux reprises d'examens.

— Et... ça fonctionne ?

— Ça, on ne le sait pas encore, intervint Jérôme Rivest d'un ton suffisant. C'est un nouveau régime pédagogique, une expérience. Moi, j'ai des doutes. Il y a trop de profs qui vont prendre ces après-midi-là pour des congés.

— Bon, j'y vais, déclara brusquement la chef de groupe en repoussant sa chaise. Gaétane et Jérôme sont capables de répondre à tes questions si tu en as d'autres.

Gilles se leva à son tour.

— Je vais en profiter pour aller voir mon local. Est-ce que je vais le trouver facilement ?

Gaétane Rioux lui expliqua gentiment comment s'y rendre et Gilles, après l'avoir remerciée et avoir salué ses collègues, prit son porte-documents et quitta la salle des professeurs pendant qu'une demi-douzaine d'autres enseignants entraient dans la pièce.

Il ne lui fallut pas longtemps pour découvrir sa salle de cours. Lorsqu'il ouvrit la porte, une bouffée d'air chaud s'échappa de la pièce. Il tâta pour allumer les plafonniers avec sa petite clé spéciale. Les néons s'éclairèrent dans un bourdonnement agaçant. Gilles referma la porte derrière lui.

Le local 208 était dépourvu de fenêtres. Seul le tableau vert derrière la table servant de bureau à l'enseignant se détachait des murs gris. À l'avant, dans un coin, on avait installé une armoire beige aux portes abondamment éraflées.

Gilles ressentit immédiatement une impression d'étouffement dont il rendit les trente-cinq pupitres en partie responsables. Il entreprit d'abord d'aller examiner de plus près le contenu de son armoire. Il eut un choc: elle ne contenait qu'une quinzaine de vieux *Larousse* délabrés, dont la plupart étaient dépourvus de couverture, et une trentaine de *Narration* de Geslin, dans un tout aussi piteux état.

Était-ce tout ce dont il disposerait pour enseigner? Il devait sûrement y avoir des grammaires et des cahiers d'exercices ailleurs. Peut-être avaient-ils été placés dans une pièce spéciale durant l'été, comme on le faisait à René-Goupil. Sa sensation de malaise s'accrut.

Sans perdre un instant, il retourna à la salle des professeurs. Il ne restait que trois ou quatre personnes, dont Gaétane Rioux qui, cigarette au bec, conversait avec un enseignant entre deux âges arborant un mince collier de barbe. La femme le lui présenta:

— Jean-Paul Rousseau, prof de maths.

— Bonjour, se contenta de lui dire sèchement le petit homme avant de retourner immédiatement s'asseoir à son bureau de l'îlot voisin.

— J'espère que je n'interromps pas votre conversation, s'excusa Gilles, embarrassé.

— Non, le rassura sa collègue. On se donnait des nouvelles de notre été. Quelque chose ne va pas ?

— Je voulais seulement te demander où était le matériel qui me manque.

Gaétane Rioux haussa les épaules.

— Tu vas faire comme nous autres : tu vas te débrouiller avec ce que tu as.

— Voyons donc, ça n'a pas de bon sens ! protesta le nouvel enseignant en élevant involontairement la voix. J'ai juste une quinzaine de vieux dictionnaires déchirés et pas une grammaire !

— On n'a rien d'autre.

— Qui fait les commandes de livres ?

— Le chef de groupe. Cette année, la plus grosse partie du budget est allée aux sciences. Il paraît que c'était leur tour.

Gilles, incrédule, ne put que secouer la tête. Il finit par ajouter, après un long silence :

— J'ai oublié de le demander tout à l'heure : vous avez certainement une banque de matériel, non ?

— Une banque de matériel ? C'est quoi, ça ?

Gilles regarda sa consœur comme si elle se moquait de lui. Puis, constatant qu'elle paraissait sincèrement ignorante de la question, il se mit à la lui expliquer patiemment.

— Je veux dire qu'avec les années, vous avez dû mettre en commun du matériel comme des exercices, des travaux, des examens... Moi, j'arrive. Je n'ai jamais enseigné en secondaire 3. Je n'ai rien pour commencer l'année. J'ai appris vendredi que je venais travailler ici. À René-Goupil, on mettait en commun ce qu'on faisait et, quand un prof avait besoin de matériel, il allait se servir dans la banque commune…

— Oublie ça, le coupa Gaétane Rioux. Ici, personne ne prête de matériel. Moi, je t'en passerais bien, mais je n'ai encore rien d'imprimé. Pour Jérôme et Gisèle, ils marchent tous les deux avec du vieux matériel jauni et tu as le temps de sécher sur place avant qu'ils te prêtent une seule feuille. Ici, c'est chacun pour soi. On se débrouille comme on peut.

— Et je suppose que Gisèle n'organise pas non plus d'équipe pour fabriquer du matériel ?

— Non.

— J'étais chef de groupe à René-Goupil et c'est ce que je faisais, ne put s'empêcher de préciser Gilles.

— À Montaigne, chuchota sa collègue après avoir regardé autour d'elle pour vérifier qu'il n'y avait pas d'oreilles indiscrètes, un chef de groupe est là parce que ça le libère d'un groupe d'élèves ainsi que de la surveillance des examens à la fin de l'année. En plus, ça lui donne mille deux cents dollars supplémentaires sur sa paye.

— J'en reviens pas ! s'offusqua Gilles.

— Tu n'es peut-être pas au bout de tes surprises, commenta-t-elle en affichant un air compatissant.

Gilles se perdit dans ses pensées avant de reprendre la parole.

— Ah ! Pendant que j'y pense, j'ai pris connaissance de la feuille des tâches et je n'ai vu mon nom à aucun poste de l'entrée administrative des élèves de secondaire 3, demain après-midi. Est-ce que ça veut dire qu'on m'a oublié ?

— Attends, je vais vérifier avec toi, proposa Gaétane Rioux en se penchant sur la feuille qu'il venait de tirer de son porte-documents. Tu as raison ; ils t'ont vraisemblablement oublié. Tu es chanceux. Profites-en pour préparer tes cours. Après ce que tu viens de me raconter, tu ne manqueras pas d'ouvrage.

Gilles hocha la tête, retira ses lunettes et se frotta les yeux. Décidément, il ne se sentait pas à sa place dans cette école. L'enseignante, qui perçut le malaise de son nouveau collègue, s'empressa de l'encourager, d'un ton guilleret :

— Tu vois, tu n'es pas obligé de revenir à la polyvalente avant vendredi matin pour la rentrée des élèves. Tu peux rester à la maison et préparer tes affaires.

— Personne ne va contrôler ma présence à la polyvalente ? l'interrogea Gilles, déconcerté.

— Pourquoi la direction ferait-elle ça ? Si tu n'as pas de poste, tu n'as pas à venir.

— Je ne sais pas encore ce que je vais faire, soupira-t-il, de plus en plus en proie au doute. De toute façon, ça va dépendre de ma rencontre avec le directeur.

— Avec Garand ?

— Oui. J'ai essayé de le voir en arrivant ce matin. Sa secrétaire m'a dit qu'il me ferait appeler quand il aurait le temps de me voir.

— Avec lui, tu risques d'attendre longtemps...

Après avoir discuté encore quelques minutes avec Gaétane Rioux, Gilles retourna dans sa classe, passablement déprimé. Même dans ses pires cauchemars, il n'aurait jamais imaginé de telles conditions d'enseignement et une pareille atmosphère. Tout ce qu'on lui avait raconté au sujet des polyvalentes se révélait exact. Non, bien pire, en fait! Direction laxiste, entraide entre professeurs inexistante: le règne de l'insouciance et du n'importe quoi. Et dire qu'il aurait pu être tranquillement en train de préparer sa rentrée à René-Goupil!

Il resta enfermé dans sa classe surchauffée le reste de la journée à planifier ses cours et à préparer du travail pour ses élèves. Quand il quitta Montaigne peu après trois heures, le nouvel enseignant n'avait encore reçu aucun signe de vie du directeur. À sa sortie de l'école, il découvrit avec surprise qu'il ne restait plus que quelques voitures dans le stationnement.

— Où est-ce qu'ils sont tous passés? se demanda-t-il en déverrouillant la portière de sa Chevrolet. On dirait qu'à peu près tout le monde s'est payé une demi-journée de vacances de plus. Une vraie maison de fous!

De retour chez lui, Gilles s'aperçut que le long trajet – même si la circulation avait été assez fluide – lui avait fait du bien. Il fut content de retrouver Mylène et les enfants. Il prit sa femme dans ses bras et caressa son ventre arrondi. La venue de ce bébé l'aidait à se calmer et à retrouver un brin d'optimisme. Tant qu'il y a de la vie, il y a de l'espoir! Et bientôt, une nouvelle vie partagerait la leur, alors il valait mieux chasser les idées noires et avoir foi en l'avenir.

Animé de ces bonnes résolutions, Gilles s'astreignit à un labeur intensif durant les deux journées suivantes. Il travailla très tard le soir et, quand il voulut imprimer son matériel pédagogique avec l'antique polycopieuse à alcool mise à la disposition des enseignants au fond de la salle des professeurs de secon-daire 3, il découvrit un autre aspect insoupçonné de Montaigne.

Le mercredi matin, il fut le premier à entrer dans la salle des professeurs. Il brancha la polycopieuse et se mit à la recherche de l'alcool et du papier dont il avait besoin. Il n'en trouva nulle part. Il eut beau fouiller partout : rien. Contrarié par ce fâcheux contretemps, il finit par se résoudre à aller voir Claudette Labonté, la secrétaire du niveau, qu'il avait entendue arriver quelques minutes après lui.

— Je voudrais imprimer, mais je ne trouve ni l'alcool, ni les feuilles, ni les stencils non plus. Qu'est-ce que je dois faire ?

— Il n'y en a pas parce que la plupart des professeurs font faire le travail à l'imprimerie. Monsieur… ?

— Gilles Provost.

— Monsieur Provost, vous n'avez qu'à apporter vos feuilles à Pascal Foligni, l'imprimeur. L'imprimerie est à côté de la bibliothèque, au bout du couloir.

— Je le sais bien, madame, répondit Gilles avec une certaine impatience, mais je n'ai pas le temps d'attendre plus d'une semaine pour l'avoir.

— Dans ce cas-là, si c'est si pressé, vous devez commander les feuilles et l'alcool au magasin, en bas.

La secrétaire consulta brièvement une feuille collée au coin de son bureau avant de continuer :

— Composez le 137 pour avoir le magasin. Mais je vous préviens, ça peut prendre deux ou trois jours avant que le magasinier vous fasse apporter tout ça ; il est débordé par la rentrée administrative.

— Merci. Je vais essayer de me débrouiller autrement.

Gilles, dont la nouvelle bonne volonté était maintenant ébranlée, retourna dans la salle des professeurs et téléphona au magasinier qui promit d'apporter les feuilles et l'alcool le lendemain matin. Il raccrocha, incapable de se décider quant à la suite des événements. Devait-il rentrer chez lui sans avoir rien imprimé ou poursuivre ses recherches ? Peut-être mettrait-il la main sur ce qui lui manquait dans une autre salle des professeurs.

Avant d'aller voir ailleurs, il grimpa sur une chaise pour examiner le haut des armoires métalliques au cas où on y aurait entreposé ce dont il avait besoin, quand un enseignant entra.

— Qu'est-ce que tu cherches ? l'interrogea Michel Tondreau, le professeur de mathématiques que Gilles avait à peine remarqué la veille.

— Du papier et de l'alcool pour imprimer, répliqua-t-il, de plus en plus contrarié par la perte de temps.

— Mon pauvre vieux ! Il faut que tu en commandes en bas, au magasin, ou alors à Henri-Paul Dubois, l'adjoint administratif. À ta place, je ne compterais pas trop sur lui. Il n'est pas parlable d'habitude. Imagine-toi comment il est quand c'est la rentrée administrative : il est sur les nerfs.

— Je peux toujours aller chercher moi-même ce qu'il me faut, suggéra Gilles en feignant de ne pas avoir déjà contacté le magasinier.

— Oublie ça. Personne au magasin ne va te servir si tu n'as pas un bon de commande de Dubois.

— Dans ces conditions, comment je fais pour imprimer ? s'enquit Gilles, découragé. J'ai besoin de matériel pour mes élèves. Je n'ai rien pour la rentrée, après-demain.

Tondreau s'approcha de lui en affichant une mine de conspirateur, même s'ils étaient seuls dans la pièce. Gilles remarqua alors que l'homme était minuscule – « Un farfadet ! » pensa-t-il, amusé – et que son haleine dégageait un vague relent d'alcool.

— Si tu es capable de monter sur un bureau, commença-t-il à voix basse, tu pourrais essayer de soulever ces tuiles-là au plafond, continua-t-il en pointant du doigt quelques carreaux.

— Pourquoi ?

— J'ai vu des profs, l'an passé, cacher des feuilles et des gallons d'alcool dans le plafond, pour leur petite provision personnelle. On ne sait jamais ; ça se pourrait qu'il en reste encore.

Gilles ne se fit pas prier. Il grimpa sur un bureau et souleva deux grands carreaux sans trop y croire. Il découvrit pourtant sept ou huit paquets de feuilles et trois gallons d'alcool couverts d'une bonne couche de poussière.

— Il y en a ! s'écria-t-il, triomphant.

— Ben, prends ce qu'il te faut, mais ne va jamais dire à Claude Loiselle ou à Louise Kelly qui t'a montré leur cachette. Ils m'en voudraient à mort.

— Est-ce qu'ils ont le droit de faire ça ? Je veux dire, ce n'est pas à eux ; c'est à la polyvalente, voulut se justifier Gilles qui avait déjà sorti un gallon d'alcool et trois paquets de feuilles.

— Laisse faire, répliqua son confrère avec impatience en regagnant son bureau. Dépêche-toi de replacer les tuiles avant que quelqu'un arrive. Et cache tout ça sous ton bureau ou dans ton armoire. Ici, c'est chacun pour soi et on se débrouille avec les moyens du bord. Par exemple, si tu oublies de cadenasser les portes de ton armoire ou de fermer à clé ton bureau, il y a de bonnes chances que pas mal de tes affaires aient disparu le lendemain matin.

— Merci de l'avertissement.

Gilles se mit à approvisionner la polycopieuse en feuilles blanches après l'avoir mise en marche. Quelques minutes plus tard, Michel Tondreau, qui s'était absenté, revint, une tasse de café à la main.

— T'es pas mal de bonne heure pour la rentrée administrative des élèves. Ça ne commence qu'à une heure, lui fit remarquer le petit homme.

— Je ne suis pas venu pour la rentrée. On ne m'a pas donné de poste cet après-midi. Je suis venu seulement pour imprimer.

— À ta place, je ne traînerais pas trop ici, lui conseilla le professeur de mathématiques. Chaque année, des profs ne se présentent pas pour la rentrée administrative. La direction oblige alors tous les enseignants du niveau sur place à remplacer les absents.

— Dans ces conditions, tu peux être certain que je ne resterai pas plus longtemps qu'il le faut, promit Gilles avant de se remettre à imprimer.

Il occupa le reste de la matinée à préparer du matériel qu'il alla déposer dans l'armoire de sa classe. Un peu avant midi, il s'empressa de retourner chez lui, n'ayant aucune envie de remplacer qui que ce soit lors de la rentrée administrative des élèves.

Tout au long des trente-six heures suivantes, Gilles ne chôma pas. Il élabora de nombreux questionnaires d'évaluation et structura ses premiers cours de l'année. Il prit même la peine de composer un discours de bienvenue adressé à ses élèves, dans lequel il se présentait brièvement et indiquait clairement ses attentes, tant du point de vue scolaire que disciplinaire. Il alla jusqu'à l'apprendre par cœur pour se sentir plus à l'aise. S'il avait été un jeune professeur à sa première journée d'enseignement, il ne se serait pas préparé avec un plus grand soin.

Comme le lui avait expliqué Gaétane Rioux, il aurait pu rester chez lui pour y travailler plus à son aise durant ces deux jours pendant lesquels les élèves de chaque niveau intégraient progressivement la polyvalente. Pourtant, il en fut incapable. Il était trop anxieux pour demeurer enfermé dans son bureau, à la maison. La tension était trop forte. Il avait besoin de se familiariser avec son nouvel environnement et d'y établir ses repères. Mis à part le mercredi après-midi, il travailla la plupart du temps dans sa classe ou dans la salle des professeurs, de sept heures trente du matin à quatre heures de l'après-midi, afin de compléter sa préparation.

Cent fois par jour, il ressentait une envie aussi irrésistible que pénible d'aller passer une heure ou deux à René-Goupil pour revoir ses anciens collègues et discuter avec eux. Il tenta de se raisonner en se disant qu'en réalité, il voulait surtout évaluer jusqu'à quel point il était regretté et comment on se débrouillait sans lui. Il sut néanmoins résister à la tentation, craignant peut-être, au fond de lui-même, d'être déçu de découvrir qu'on pouvait aisément se passer de lui.

Gilles était si angoissé par tout ce qu'il vivait qu'il n'eut pas une seule pensée pour sa petite Karine de cinq ans qui faisait son entrée à la maternelle. Il ne se soucia pas plus de son aînée, France, sa grande fille raisonnable, comme il se plaisait à l'appeler, qui commençait sa troisième année. Sa femme eut beau lui reprocher son manque d'intérêt pour les siens, il fut incapable de faire abstraction, ne fût-ce qu'une heure, de ses problèmes professionnels pour consacrer un peu d'attention à sa vie familiale. Si bien que Mylène lui fit la tête, ce qui exacerba le repli sur soi dans lequel Gilles s'était enfermé. Le reste de la journée se déroula telle une métaphore parfaite des deux solitudes canadiennes, même s'ils parlaient tous deux la même langue *a priori*.

3
Premier contact

Il pleuvait légèrement lorsque Gilles entra à Montaigne le vendredi 6 septembre au matin. La météo annonçait une journée maussade ponctuée de faibles averses. Il était à peine sept heures trente quand le nouveau professeur de français franchit les portes de la polyvalente, suivi de près par un agent de sécurité, un grand homme à la mine peu avenante. Gilles savait déjà qu'il se nommait René Martel et qu'il était l'un des trois agents de sécurité qui assuraient l'ordre à Montaigne.

L'enseignant accrocha son imperméable dans le vestiaire à l'entrée de la salle des professeurs. Il vérifia par automatisme que sa cravate était bien en place et boutonna son veston. Ce matin-là, après maintes tergiversations, et encouragé par Mylène, il avait décidé de se vêtir comme il l'avait toujours fait depuis qu'il enseignait. Il s'était réconcilié avec sa femme, après une explication assez houleuse. Il avait reconnu ses torts, elle lui avait dit qu'elle le comprenait, et ils s'étaient embrassés.

Le nouveau professeur de Montaigne se dirigea vers sa classe et plaça soigneusement sur son bureau tout ce dont il aurait besoin pour ce premier contact avec chacun de ses quatre groupes. Il s'estimait chanceux, parce qu'à la fin de cette première journée de cours, il aurait rencontré tous ses élèves. Il avait connu des années où, par un caprice de son emploi du temps, il lui avait fallu attendre deux ou trois jours pour voir tous ses groupes, un suspense qu'il supportait difficilement.

Gilles consacra près d'une heure à répéter son discours de bienvenue et à vérifier si tout était bien en place. Il n'avait jamais été aussi nerveux de toute sa carrière et avait même noté dans l'ordre ce qu'il devait faire durant ce premier cours :

1. *Prendre les présences.*
2. *Faire remplir leur grille horaire par les élèves.*
3. *Prononcer le discours de bienvenue.*
4. *Attribuer des places fixes à chacun dans le local.*
5. *Expliquer aux élèves les évaluations auxquelles ils seront soumis durant les prochains jours.*
6. *Répondre aux questions.*

Quand il ne resta qu'une demi-heure avant la sonnerie fatidique, la nervosité et l'anxiété de Gilles montèrent encore d'un cran. Subitement, il étouffait littéralement dans cette classe sans fenêtre. Le bruit des néons auquel s'ajoutait celui de la ventilation l'horripilait.

Qu'était donc devenue la belle assurance dont il avait toujours fait preuve au début de chaque année quand il recevait pour la première fois ses élèves ? Il était alors en pleine maîtrise de la situation et se savait capable de faire face à tous les imprévus. Il ressentait même une excitation agréable dans ces moments. Rien à voir avec ce qu'il vivait ce matin-là. En vérité, il avait peur. Il craignait de rater ce premier contact dont il connaissait l'importance. Il ne savait même pas de quoi avait l'air un élève de secondaire 3 ! À dire vrai, il se sentait profondément humilié de ressentir la même angoisse que celle qui l'avait étreint lors de son premier jour en tant qu'enseignant, douze ans auparavant.

Finalement, Gilles sortit de sa classe et décida d'aller s'asseoir quelques minutes dans la salle des professeurs. Il avait un besoin aussi soudain qu'irrépressible de se sentir entouré. Il ne rencontra aucun élève dans le couloir. Tout était encore silencieux à l'étage, malgré les éclats de voix d'une foule nombreuse et excitée qui lui parvenaient. Un coup d'œil à travers les baies vitrées lui apprit que des centaines d'adolescents étaient entassés dans la cafétéria.

Lorsqu'il referma derrière lui la porte de la salle des professeurs, il se sentit soulagé par l'atmosphère feutrée qui contrastait nettement avec l'agitation du rez-de-chaussée.

— Bonjour ! lança-t-il joyeusement à Gaétane Rioux en s'asseyant près d'elle.

Il salua ensuite ses autres collègues. Quelques enseignants lui répondirent mollement.

— L'heure des braves approche, laissa tomber la chef de groupe en faisant claquer son tiroir de bureau.

Si Gisèle Tremblay et Gaétane Rioux ne semblaient pas s'en faire outre mesure avec la rentrée des élèves, le teint blafard et les tics qui agitaient le visage de Jérôme

Rivest trahissaient l'intensité de l'angoisse qu'il vivait. Curieusement, cette constatation réconforta Gilles.

— Tondreau a l'air d'avoir pas mal bu, commenta Gaétane Rioux à voix basse en s'adressant à sa chef de groupe. Une chance que c'est un vieux garçon ! S'il était marié, je suis certaine que sa femme lui sonnerait les cloches.

Gisèle Tremblay lui adressa un clin d'œil complice et déclara :

— De toute façon, qui en voudrait pour époux ?

— On dirait qu'il boit de plus en plus. Il y a juste à voir son teint rougeaud, continua tout bas Gaétane Rioux en jetant un coup d'œil à la dérobée au professeur de mathématiques assis à son bureau.

— S'il n'arrête pas, il va falloir le porter jusqu'à sa classe, ricana à son tour sa consœur.

— Inquiète-toi pas avec ça, je pense qu'il est capable d'en prendre pas mal, notre Michel, avant de ne plus pouvoir se tenir debout, ironisa Gaétane Rioux.

Gilles regarda brièvement le petit homme assis à son bureau de l'îlot voisin. Michel Tondreau se tenait le corps raide, soucieux de ne pas perdre un centimètre de sa petite taille. Denis Casavant et Jean-Paul Rousseau, qui l'entouraient, s'intéressaient plus à la jeune Anne Leduc qu'à ce que racontait leur confrère d'une voix légèrement pâteuse.

— Il paraît qu'on va hériter d'une belle *gang* de morons, s'écria quelqu'un derrière Gilles.

La voix forte trahissait une évidente jubilation. Gilles se retourna pour découvrir qui venait de parler. Il s'agissait d'un enseignant d'une trentaine d'années dont la tête était couverte de cheveux bruns raides et indisciplinés.

— Eille, Brisset! Ne te sens pas obligé d'essayer de faire peur aux jeunes profs avant qu'ils mettent les pieds dans leur classe, l'interpella Casavant, preux chevalier volant au secours de sa belle Anne.

— De quel jeune prof tu parles? Pas de Germain, j'espère! plaisanta Sylvain Brisset.

Un homme grand et mince à l'épaisse chevelure blanche, assis au bureau voisin de celui de Brisset, leva lentement la tête d'un document qu'il consultait.

— Hein? Qu'est-ce que vous dites? demanda-t-il, comme s'il émergeait d'une sieste.

— Laisse tomber, Germain, lui conseilla son voisin. Casavant fait de l'esprit aux dépens des profs de religion. Tu peux te rendormir.

— Ah bon! se contenta de répondre Germain Coulombe en replongeant dans sa lecture.

— De qui tu parles, Denis?

— D'Anne, innocent! Je n'essaye pas de lui faire peur. Elle doit bien avoir une petite idée du genre d'élèves qu'elle va avoir dans une polyvalente. Pas vrai, Anne?

La jeune femme eut un sourire embarrassée et se contenta de hocher la tête.

— C'est sûr qu'on n'a pas toujours des anges dans nos classes, concéda Casavant. Nous autres, on ne choisit pas notre clientèle comme dans les collèges privés. On prend ce qu'on nous envoie.

— Oui, et puis, il ne faut pas trop s'en faire avec ce que les profs des années précédentes nous disent sur leurs anciens élèves, intervint une petite femme sèche assise en face de Brisset. À les entendre, ils n'ont jamais eu des élèves aussi difficiles que ceux qu'ils nous envoient. On dirait que ça les valorise.

— Tu as bien raison, Jacqueline, approuva Casavant.

Claude Loiselle, l'homme aux manières précieuses qui représentait ses collègues au comité social de la polyvalente, quitta l'îlot occupé par les professeurs d'anglais pour se rapprocher des enseignants de mathématiques. Il portait un pantalon en cuir ultraserré et une chemise à jabot.

— Moi, je les connais bien, ces élèves-là, prétendit-il en affichant un air supérieur. Je donnais des cours d'anglais à des groupes de secondaire 2, l'an dernier. Ils ne sont pas si épouvantables que ça.

La cloche sonna et la plupart des enseignants consultèrent d'un même geste leur montre, comme s'ils ne parvenaient pas à croire que l'heure fatale était déjà arrivée. Des chaises furent repoussées et on se leva bruyamment.

— Allez, chrétiens, c'est le temps de descendre dans la fosse aux lions! annonça la petite enseignante de religion du nom de Jacqueline Saint-Onge.

— Vaut mieux ne pas laisser les élèves s'entasser devant notre porte de classe, expliqua charitablement Gaétane Rioux à Gilles en se dirigeant déjà vers la sortie.

Dans le couloir, il y eut soudainement un grondement sourd, suivi par des bruits de galopade et par des cris de plus en plus forts, émaillés de sacres variés.

— Attention aux sauvages! prévint Louise Kelly d'une grosse voix. Ils sont capables de vous piétiner ou de vous arracher un bras en passant.

— C'est pas à toi que ça risque d'arriver, ça, commenta peu aimablement Jean-Paul Rousseau que la professeure d'anglais à la carrure imposante dépassait d'une bonne tête.

— Qu'est-ce que tu veux dire, mon Jean-Paul ? questionna l'impressionnante femme d'une voix profonde où perçait une certaine menace.

— Rien, rien... Je sous-entendais juste que tu étais capable, toi, de te défendre.

— Oui, puis pas juste des élèves à part ça, si tu veux le savoir.

Sur ces entrefaites, elle empoigna son porte-documents et quitta la salle des professeurs derrière Gisèle Tremblay. Rousseau vérifia la position de son nœud papillon à pois bleus avant de se diriger à son tour vers la sortie, à la suite de ses collègues.

Le nouveau professeur de français fut témoin dans le couloir d'un spectacle qui le sidéra. Des élèves couraient dans tous les sens et se poursuivaient au milieu d'un charivari indescriptible. Un peu partout, certains avaient décidé de s'asseoir par terre, le long des murs, au risque de se faire piétiner ou de provoquer la chute de camarades ou d'enseignants.

Gilles sentit ses genoux trembler légèrement tandis qu'il se frayait un chemin dans la cohue en se protégeant du mieux qu'il pouvait. Il aurait bien aimé longer un mur, mais c'était impossible.

— Sers-toi de tes coudes, lui conseilla Gaétane Rioux qui se tenait à sa hauteur.

Il fit ce qu'elle lui suggérait et, tant bien que mal, il parvint à progresser parmi le troupeau en folie.

Les deux enseignants arrivèrent enfin au petit couloir où se trouvaient leurs locaux. Comme aucun des élèves agglutinés devant la porte ne faisait mine de reculer pour que Gilles puisse la déverrouiller, il dut en repousser doucement quelques-uns. Une fois la porte ouverte, une trentaine d'adolescents se précipitèrent vers le fond de la pièce en hurlant. La plupart ne cherchaient qu'à prendre place le plus loin possible de l'enseignant. Sans un mot, Gilles les laissa s'installer où ils le désiraient et feignit de ranger des documents sur son bureau pour se donner une contenance.

Lorsque la seconde cloche retentit, il alla fermer la porte. Il n'en revenait pas. Il n'aurait jamais cru qu'il y avait une pareille différence entre ses élèves de secondaire 1 et ceux-là. Un bon nombre d'entre eux étaient aussi grands, voire plus grands que lui.

Gilles faisait face au groupe 11. Il attendit quelques secondes que les conversations prennent fin. Puisque rien ne laissait présager que le silence s'établirait, il frappa trois fois sur son bureau avec son porte-clés en métal pour attirer l'attention des adolescents.

— C'est sonné !

Un silence relatif tomba progressivement sur le groupe et le nouvel enseignant tenta de s'imposer avec la seule force de son regard. Il ne mit que quelques secondes pour remarquer trois élèves qui discutaient entre eux à mi-voix, au fond de la classe, comme s'il n'était pas là.

— Les trois en arrière, je vous répète que la cloche a sonné ! cria-t-il, cette fois.

Les trois interpellés firent comme s'ils n'avaient rien entendu et il fallut que quelques camarades les somment de se taire pour qu'ils cessent leur petit jeu en émettant des ricanements provocateurs.

Gilles se promit de les mettre au pas avant la fin de ce premier cours. Il se présenta rapidement avant de demander à chacun de se nommer et de donner le nom de son professeur de français de l'année précédente. Non que l'information l'intéressât le moins du monde, seulement il voulait se donner le temps d'identifier sur sa liste d'élèves ceux qui lui semblaient les plus agités. Quand il arriva aux trois insolents, il s'empressa de souligner leur nom. Ensuite, il consacra plusieurs minutes à expliquer les caractéristiques de l'horaire de huit jours et à faire remplir leur grille à chacun de ses élèves. Puis, il passa à son discours de bienvenue dans lequel il précisait ses attentes pour l'année à venir. Il en espérait beaucoup.

— Il est rare que je fasse des discours, leur dit-il d'entrée de jeu. Vous allez vite vous rendre compte que je ne suis pas particulièrement bavard. Aujourd'hui, vous allez profiter de mon unique discours de l'année parce que je veux vous expliquer ce que j'attends de vous sur les plans disciplinaire et scolaire. En même temps, vous allez savoir ce que vous êtes en droit d'attendre de moi.

Les élèves arrêtèrent peu à peu de s'agiter pour écouter attentivement leur enseignant.

— Pour la discipline, enchaîna Gilles, c'est très simple. Rien de compliqué. On va s'en tenir aux règlements de la polyvalente. Vous êtes trente-deux dans ce groupe. Il est donc évident qu'on ne parle pas inutilement et qu'on ne se déplace pas sans raison pour ne pas déranger les autres durant les cours. Toutes les absences et tous les retards devront être justifiés, et il n'est pas question de quitter le local au beau milieu d'un cours parce qu'on a oublié son matériel dans son casier ou parce qu'on a un besoin soudain d'aller aux toilettes. Bien sûr, je vous laisserai sortir si c'est vraiment nécessaire, mais uniquement quand vous aurez le laissez-passer vert que je dois vous donner dans ce cas-là... Bref, je vais vous respecter, vous allez me respecter, et vous vous respecterez les uns les autres.

Les adolescents échangèrent des regards interrogateurs, se demandant probablement de quel genre de professeur ils venaient d'hériter. De toute évidence, ce qu'ils venaient d'entendre ne les rassurait pas.

— Pour le scolaire, je vais vous donner tout ce que je peux et je vous demande la même chose, poursuivit-il sur le même ton. Nous allons partir de deux principes auxquels je crois beaucoup. Le premier : un devoir donné est un devoir qui doit être remis, et à temps. Le second principe est le suivant : organise-toi, sinon, moi, je vais t'organiser. L'échéancier sur votre pupitre sera renouvelé chaque mois. Là-dessus, il y aura ce que vous aurez à étudier chaque semaine, les dates de remise des travaux et les dates des examens. En d'autres mots, vous ne pourrez jamais dire que vous ne saviez pas que tel travail était à remettre tel jour. Il va de soi que si vous êtes absent le jour de la remise d'un devoir ou d'un travail, vous aurez à me le donner dès votre retour en classe.

Pendant quelques minutes encore, l'enseignant indiqua à ses élèves à quel rythme de travail il entendait les soumettre avant de leur signifier qu'il en avait fini avec son premier et unique discours de l'année.

— Y a-t-il des questions ?

— Comment on doit t'appeler ? voulut savoir un adolescent dont la tête aux cheveux coupés ras jurait au milieu de toutes celles, hirsutes, de ses camarades.

Un peu surpris par la question, et pincé par ce tutoiement, le nouveau professeur de français prit un instant avant de répondre.

— Comment appelez-vous vos enseignants, d'habitude ?

— Par leur prénom.

— Bon, vous m'appellerez par mon prénom, se résigna à accepter Gilles, contrarié de devoir faire cette concession.

Depuis douze ans, ses élèves l'avaient toujours vouvoyé et appelé « monsieur ». À René-Goupil, jamais un adolescent n'aurait osé tutoyer son professeur. Soudain, l'enseignant se rendit compte que c'était une marque de respect à laquelle il tenait. Mais comment faire autrement que d'y renoncer si c'était la règle à Montaigne ?

— Est-ce que tu enseignais avant dans un collège privé ? l'interrogea une jeune fille sur un ton un peu agressif.

— Non. Pourquoi me demandes-tu ça ?

— À cause de ta façon de t'habiller. Y a pas beaucoup de profs de la poly qui portent une cravate et un *jacket*.

— Un veston, corrigea Gilles par automatisme. Non, je n'enseignais pas dans un collège privé.

Il répondit encore à deux ou trois questions supplémentaires avant de passer à l'étape suivante, prévue dans son plan de cours. Il eut alors une idée qu'il jugea excellente.

Comme chaque début d'année, il avait pris soin de préparer plusieurs exemplaires du plan de sa classe sur lequel figuraient trente-cinq carrés représentant les trente-cinq pupitres de sa salle de cours. Il avait eu l'intention d'assigner d'autorité à chaque élève une place qu'il conserverait toute l'année. Ce procédé, parfait pour des jeunes de secondaire 1, lui parut tout à coup totalement inadapté à ce niveau. Il s'interrogeait depuis le début de son cours sur ce qu'il convenait de faire. Il ne voulait pas que les cancres et les chahuteurs prennent toujours d'assaut les places du fond de la classe.

Quelques minutes avant le son de la cloche annonçant la fin de son cours, Gilles déposa au coin de son bureau un plan vierge.

— J'ai préparé un plan de la classe. J'aimerais que vous veniez choisir le pupitre que vous occuperez toute l'année. De cette manière, nous allons épargner beaucoup de temps parce que je n'aurai plus à faire l'appel au début de chaque cours ; je n'aurai qu'à regarder le plan. Surtout, ça va me permettre de mettre un nom sur chacun des visages.

Avant d'autoriser ses élèves à venir choisir leur place, l'enseignant les prévint qu'il ne se gênerait nullement pour déplacer celui ou celle qui le dérangerait. Alors que les jeunes s'avançaient vers son bureau,

Gilles fit des X sur trois places de ce qui semblait être la dernière rangée.

À sa grande surprise, il n'y eut aucune contestation et l'on se bouscula autour de son bureau pour être parmi les premiers à inscrire son nom. Évidemment, les places du fond furent les premières choisies.

L'enseignant intercepta l'un après l'autre chacun des trois provocateurs du début de son cours pour leur ordonner d'inscrire leur nom là où il y avait un X sur le plan.

— Et si je veux pas ? le défia l'un d'eux avec insolence.

— Pas de problème, répondit sèchement Gilles. Tu vas te chercher un autre professeur de français dans la polyvalente. C'est à une de ces trois places-là que tu vas t'asseoir dans ma classe ou, sinon, quelque part ailleurs dans un couloir. C'est clair ?

L'élève, Éric Carrier, se le tint pour dit, et ses deux camarades, qui avaient tout entendu, n'osèrent soulever la moindre objection. Pendant ce bref face à face, quelques jeunes s'échangèrent des commentaires en chuchotant.

Tandis que les adolescents regagnaient leur siège, Gilles prit le plan et y traça un carré pour indiquer où se situait son bureau. Ce carré était placé en face des trois X. Comme aucun élève n'avait pris la peine de s'informer du sens du plan, on avait donc laissé, sans le vouloir, le champ libre à l'enseignant de décider où serait l'avant.

— Je vous invite à vous asseoir à la place que vous venez de choisir, annonça-t-il sans parvenir à réprimer un petit sourire en coin.

Après une brève bousculade, les plus agités s'installèrent avec des sourires satisfaits au fond de la salle.

— Je pense qu'il y a une erreur, fit remarquer l'enseignant avec une lueur narquoise dans le regard. Vous feriez mieux de revenir consulter le plan. Regardez où est mon bureau et rejoignez votre place, s'il vous plaît.

En se penchant sur le plan, les plus éveillés se rendirent brusquement compte de la ruse. Il était trop tard pour protester, le mal était fait. Mécontents, celles et ceux qui avaient compté s'asseoir au fond se retrouvèrent devant, sous l'œil goguenard de l'enseignant.

Ensuite, Gilles eut le temps d'expliquer à son groupe les raisons de chacune des quatre évaluations auxquelles il allait les soumettre dès le cours suivant.

La cloche libératrice sonna enfin et les élèves s'élancèrent vers la porte. Trois filles sortirent les dernières. L'une d'entre elles, une petite brune à l'air effronté, s'arrêta un instant devant le nouveau professeur de français pour lui lancer :

— Moi, je t'aime pas la face.

— Là, tu me fais bien de la peine, ne put-il s'empêcher de lui répondre du tac au tac. Je commençais juste à m'habituer à la tienne.

L'adolescente ouvrit la bouche comme un poisson qui cherche son air et, à court d'idées, et très certainement surprise par la réplique de son professeur, décida de se taire.

Déconcerté par tant d'impudence, Gilles alla refermer la porte à le trio avant de se laisser tomber sur sa chaise, à son bureau. Sa chemise était trempée. Ce premier contact avec le groupe 11 l'avait vidé.

Quelle sorte d'élèves lui avait-on réservée ? Il avait une envie folle de tout laisser tomber. Il suffoquait dans cette classe surchauffée, bruyante et dépourvue de fenêtres. Il n'avait pas envie de se battre avec une bande d'adolescents impolis et indisciplinés. Même s'il avait sa famille à faire vivre, il valait peut-être mieux partir et faire autre chose. Il n'était pas à sa place dans cette polyvalente.

Il était plongé dans ses pensées quand la cloche annonçant son second cours retentit. Exhalant un soupir excédé, il se résigna à accueillir le groupe 12.

Heureusement, celui-ci fut beaucoup plus calme et plus réceptif que le premier. À la fin de ce second cours, Gilles se sentait mieux, et ce fut un homme moins déprimé qui reçut son troisième groupe après la courte récréation.

Quand il sortit le plan de la classe pour permettre aux élèves de choisir leurs places, ces derniers se jetèrent des regards de connivence et une fille lui demanda :

— Excusez-moi, monsieur, où sont l'avant et l'arrière sur le plan ?

Gilles scruta la jeune fille, bien plus étonné par sa politesse que par la question qu'elle posait. « Tiens ! se dit-il. Ce ne sont pas tous des petits malappris… »

Quoi qu'il en soit, de toute évidence, les élèves de ses deux premiers groupes avaient révélé à leurs camarades son subterfuge durant la récréation et ceux du groupe 13 étaient bien décidés à ne pas se laisser avoir. Malheureusement pour eux, Gilles avait prévu le coup. Il n'avait pas eu la naïveté de croire que sa ruse fonctionnerait indéfiniment. Il avait à sa disposition un autre moyen pour éviter que les indisciplinés se retrouvent au fond de la classe : tracer des X sur la dernière case de chaque rangée de pupitres.

— L'avant est indiqué sur le plan, comme d'habitude, par le bureau du professeur. Vous pouvez choisir la place que vous voulez, sauf les endroits où il y a des X, répondit-il avec un petit sourire.

Cette première matinée de cours tirait à sa fin et la nervosité des élèves devenait de plus en plus manifeste. En fait, le groupe 13 fut si agité que l'enseignant dut expulser un dénommé Ayotte qui refusait obstinément de mettre ses pieds ailleurs que sur son pupitre.

— Mon garçon, je t'ai déjà demandé deux fois de poser tes pieds par terre, s'impatienta Gilles, à bout. Si tu n'es pas capable de te tenir comme du monde, tu n'as qu'à aller ailleurs.

— Je pense que j'aime mieux m'en aller ailleurs, rétorqua le grand insolent en se levant de sa chaise. J'aime pas ça, icitte.

À ces mots, il quitta le local 208 sous les applaudissements et les encouragements de ses camarades dont il était, de toute évidence, le leader.

De toute sa carrière, Gilles n'avait jamais trouvé une période aussi longue. L'hostilité des trente-deux adolescents assis devant lui était presque palpable. Au son de la cloche, les élèves n'attendirent pas qu'il finisse sa phrase. À l'unisson, ils repoussèrent leurs chaises et se ruèrent en criant vers la porte. Leur sortie fut si brusque que Gilles n'eut pas le temps de réagir et de leur barrer la route pour leur apprendre la politesse. De toute façon, il se sentait trop fatigué pour entreprendre ce genre de combat à ce moment-là.

Il remit de l'ordre sur son bureau et plaça les feuilles dont il aurait besoin pour le dernier cours de la journée, à la fin de l'après-midi. Il allait jouir de deux heures et demie de paix relative pour reprendre son souffle avant d'affronter son dernier groupe. Il s'empressa de sortir de sa classe pour aller manger ses sandwichs dans la salle des professeurs. Dans l'immédiat, il avait besoin de changer d'air et, surtout, de cesser d'entendre le bourdonnement continu du système d'éclairage mêlé à celui de la ventilation.

En arrivant dans la salle des professeurs, Gilles n'y rencontra que Gaétane Rioux qui, d'ailleurs, s'apprêtait à quitter les lieux.

— Où sont les autres ?

— Partis dîner en bas ou au restaurant.

— Toi, où est-ce que tu manges ?

— Avec mon mari, dans la salle des profs de secondaire 2.

— Il enseigne ici ?

— Oui, les maths.

— Je viens de faire connaissance avec trois de mes groupes, raconta le nouveau professeur. Il me reste juste le groupe 14 à voir à la cinquième période. Dis-moi donc : je me retrouve avec quels groupes ?

— Qu'est-ce que tu veux dire par là ?

— Est-ce que ce sont des groupes moyens ou allégés ? Parce que, de toute évidence, ce ne sont pas des classes fortes.

Gaétane Rioux sembla soudain un peu embarrassée.

— Je pense que tu as quatre groupes allégés, finit-elle par admettre.

— Et voilà ! Tout s'explique, émit Gilles, amer. Est-ce que je peux savoir qui a les groupes forts ?

— Rivest les a presque tous. Il en a quatre.

— Et pourquoi en a-t-il autant ?

— Il paraît qu'il n'a pas les nerfs assez solides pour enseigner à des groupes plus difficiles.

— Et notre chef de groupe ?

— Elle a deux groupes forts et un groupe moyen.

— Et toi ?

— J'ai quatre groupes moyens. Je n'ai pas de groupes forts. J'ai les groupes 7 à 10.

— Une chance qu'il y avait seulement quatre groupes faibles ! S'il y en avait eu un cinquième, l'un de vous autres aurait été obligé de le prendre, ironisa Gilles. Comment ça se fait que le directeur laisse les profs faire ça ? À René-Goupil, on s'est toujours partagé les groupes de façon égale.

— Pas à Montaigne, révéla sa consœur en se préparant à partir. Ici, les plus anciens prennent les plus beaux groupes et laissent les autres se débrouiller avec ce qui reste. Remarque que c'est moi qui ai le plus d'ancienneté en français en secondaire 3. J'aurais pu prendre les groupes forts, mais je les ai laissés à Jérôme parce qu'il dit qu'il n'est pas capable d'enseigner aux élèves faibles.

— J'aurais dû me trouver une excuse, moi aussi, laissa tomber Gilles, contrarié d'entendre ces explications.

Il toucha à peine à son repas, trop occupé à ruminer sa rancœur. Quelle belle bande d'égoïstes que ses collègues ! Quand ceux-ci revinrent dans la salle des professeurs après leur dîner, il ne leur adressa pas la parole ; il préféra s'installer dans sa classe pour y travailler et attendre son dernier groupe. Par expérience, il savait que le dernier cours de la semaine n'était jamais facile.

Gilles ne fut pas déçu. En cette fin d'après-midi, il eut d'abord la surprise de ne voir entrer dans sa classe qu'une vingtaine d'élèves, alors qu'il y avait trente-trois noms inscrits sur sa liste. Dix adolescents manquaient à l'appel. Si Gilles crut un court instant que ce petit groupe serait plus facile à mater, il déchanta rapidement. En fait, un bon nombre d'élèves n'étaient manifestement présents que pour voir la tête de leur nouveau professeur de français et pour tester ses nerfs.

L'enseignant éprouva donc beaucoup de difficulté à maîtriser son dernier groupe de la journée, d'autant plus que dès trois heures dix, soit une demi-heure avant la fin du cours, on entendit dans les couloirs des cris et des galopades, signes évidents que certains enseignants avaient mis fin prématurément à leur cours.

« Quelle école de fous ! » se dit Gilles. Ailleurs, un pareil comportement de la part des professeurs aurait entraîné un blâme sévère. À René-Goupil, celui ou celle qui aurait osé laisser sortir un élève avant la fin d'un cours aurait eu à donner des explications autant au directeur qu'à ses confrères.

Le professeur de français s'entêta à garder tous ses élèves en classe jusqu'à la cloche, persuadé que procéder autrement signifierait une sorte de reddition devant les pressions exercées par les adolescents qu'il avait en face de lui.

Quand il quitta Montaigne à la fin de l'après-midi, Gilles était épuisé et mécontent de lui, de ses collègues et de ses élèves. À ses yeux, rien ne s'était passé correctement de toute la journée. Il se connaissait assez pour savoir que sa fin de semaine serait gâchée.

Comme prévu, Gilles alla passer ses deux jours de congé au chalet avec sa famille, mais il n'en retira aucun plaisir. Il avait beau se répéter que les problèmes de l'école devaient demeurer à l'école, et qu'il devait à sa famille d'être un père et un mari agréable, il ne cessait de revivre en pensée la journée infernale du vendredi. Sans arrêt, il tournait et retournait le fil des événements dans sa tête, et se sentait comme un hamster dans sa cage. Sourd aux appels de ses filles l'exhortant à venir jouer avec elles, incapable de démontrer de l'affection à Mylène, il déplorait son incapacité à sortir de son marasme. Et c'était le cercle vicieux : plus il fulminait contre lui, plus il s'enfonçait. Assez vite, Mylène fit comme s'il n'était pas là, entraînant leurs filles avec elle.

Durant ces deux jours, plutôt que de s'occuper de sa famille, l'enseignant travailla à mettre au point des stratégies pour discipliner ses groupes. Il était tellement préoccupé qu'il eut le plus grand mal à dormir le vendredi et le samedi soir. La nuit du dimanche fut sûrement la pire. Il la passa à se retourner dans son lit, terrorisé à l'idée de ce qu'il allait affronter quelques heures plus tard. Comme le sommeil le fuyait, il décida finalement d'aller s'étendre sur le divan du salon pour ne pas empêcher sa femme enceinte de se reposer. Seul, les yeux grands ouverts sur le plafond, il broya du noir jusqu'à l'aube.

4
Un semblant de contrôle

Debout dès cinq heures le lundi matin, Gilles vit le soleil se lever dans un ciel libre de tout nuage. Après sa toilette et son petit-déjeuner, il quitta la maison avec la ferme intention de ne plus jamais connaître une fin de semaine semblable. Il se jura de ne plus faire subir ce cauchemar à sa femme et à ses filles qui dormaient encore lorsqu'il partit de chez lui.

À sept heures, il arriva à la polyvalente, bien déterminé à se battre avec les moyens que l'expérience lui avait donnés. Le gros René Martel, l'agent de sécurité, le vit passer avec surprise.

— Maudit ! fit-il à son jeune collègue assis en face de lui dans leur petit bureau situé près de l'ascenseur. Le nouveau prof est à la veille de coucher ici. As-tu vu à quelle heure il arrive ?

— On est peut-être tombés sur un zélé, supposa l'autre agent en levant les yeux du *Journal de Montréal* qu'il était en train de lire.

Gilles n'entendit pas la remarque. Il monta au premier étage et se dirigea immédiatement vers sa classe sans passer par la salle des professeurs. Il déposa sur chaque pupitre le texte et le questionnaire de la première évaluation de l'année, celle de la compréhension de lecture. Il allait, dans un premier temps, suivre le conseil qu'un vieux mentor lui avait donné lorsqu'il avait commencé à enseigner : parler le moins possible. Ensuite, il était décidé à appliquer à la lettre le règlement de la polyvalente. Rien de plus et rien de moins.

Si l'enseignant alla passer les trente dernières minutes avant son premier cours à la salle des professeurs, ce ne fut que pour échapper un peu à la chaleur étouffante qui régnait encore dans son local. À son arrivée, il fut accueilli par la voix forte de Sylvain Brisset qui s'adressait à Prosper Desjean, debout au centre de la pièce.

— J'arrive de mon local. Ç'a pas de maudit bon sens de nous obliger à enseigner à une température pareille ! Ma classe ressemble à un bain turc.

— On ne va pas recommencer les mêmes chicanes que l'année passée, protesta Desjean.

— Ça paraît que tu es passé de l'autre côté de la clôture, toi, l'apostropha le professeur de religion, accusateur. C'est pas parce que tu es directeur par intérim qu'il fait moins chaud dans nos classes.

— Voyons, Sylvain ! Ça fait assez longtemps que tu enseignes à Montaigne pour savoir que c'est toujours comme ça quand on rentre le lundi matin, continua l'enseignant haïtien sur un ton posé. Tu sais aussi bien que moi que la commission scolaire arrête la ventilation la fin de semaine.

Gilles en profita pour intervenir :

— Veux-tu bien me dire pourquoi ils font ça ?

— Il paraît que ça coûte soixante-quinze dollars de l'heure de la laisser fonctionner.

— Ce n'est pas une raison pour attendre huit heures, le lundi matin, pour la remettre en marche ! reprit aussitôt Brisset. Ils pourraient le faire au milieu de la nuit ou même à minuit, le dimanche soir. Je vais m'informer ce matin auprès du syndicat. On n'est pas pour continuer de supporter ça. Quand on s'est plaints en juin, l'an dernier, la commission scolaire avait promis de régler ce problème.

— Mais ça va se replacer aussitôt qu'il va faire moins chaud dehors, plaida l'enseignant de sciences.

— Ben oui ! Au fond, on n'a qu'à endurer ça pendant deux mois de plus, pas vrai ? persifla Brisset, sarcastique.

Desjean secoua la tête, incapable de répliquer au dernier sarcasme de son confrère. Il préféra traverser la pièce et se réfugier dans la salle des professeurs de sciences.

Gilles tira profit du silence pour demander à voix haute à sa chef de groupe, assise à son bureau à classer des notes :

— Quand je suis parti vendredi après-midi, à quatre heures moins le quart, j'étais presque seul à l'étage. Est-ce que c'est normal ?

Gisèle Tremblay leva vers lui des yeux inquisiteurs et fit une grimace d'agacement.

— Non, ce n'est pas normal.

— Je me disais aussi ! Je ne voudrais pas pénaliser mes élèves en les gardant en classe plus longtemps que les autres.

— Il faut comprendre que c'était la première journée de classe et que les élèves étaient fatigués, intervint Jérôme Rivest, hautain.

— Tout de même, continua Gilles en tournant la tête vers lui. C'est une drôle de façon de commencer l'année ! Des élèves forts et des élèves moyens devraient être pas mal moins difficiles à tenir que mes élèves faibles, un vendredi après-midi, non ?

Cette remarque fit mouche et jeta un froid sur la petite assemblée. Le nouveau professeur venait de s'attaquer directement à sa chef de groupe et à Jérôme Rivest, envers qui il éprouvait une antipathie grandissante. Seulement, il ne voyait pas pourquoi il aurait dû les ménager, alors qu'ils s'étaient réservé les meilleurs groupes du niveau. Personne ne lui répondit.

Gilles vit, du coin de l'œil, Sylvain Brisset hocher la tête dans sa direction en signe d'approbation. Quand la cloche sonna, quelques minutes plus tard, le délégué syndical s'arrêta près de son bureau pour déclarer tout haut, de manière à être clairement entendu :

— Moi aussi, j'ai fini à la cloche, vendredi après-midi. J'en ai vu qui ont renvoyé leurs élèves après dix minutes de cours. Ce sont probablement les mêmes qui vont venir se lamenter qu'ils ont manqué de temps pour voir toute leur matière au moment des examens.

Gilles haussa les sourcils, perplexe. Il n'était donc pas le seul à entretenir ce genre de pensées. Qui sait, il pourrait se faire un allié de ce Brisset.

La salle des professeurs se vida. Les enseignants se dirigèrent de plus ou moins bonne grâce vers leur classe pour donner leur premier cours de la semaine.

En reconnaissant certains élèves du groupe 11 entassés devant la salle, les traits du visage de Gilles se durcirent et toute la rage qui l'avait habité durant la fin de semaine remonta d'un coup. Les mâchoires serrées, il se fraya un chemin jusqu'à la porte qu'il déverrouilla. Sans perdre un instant, il prit place à son bureau, en n'accordant pas la moindre attention aux adolescents qui tentaient de se rappeler où ils devaient s'asseoir.

Sans un mot, l'enseignant frappa sur son bureau et montra à ses élèves le plan de la classe déposé sur le coin du meuble qu'ils pouvaient venir le consulter s'ils en avaient besoin. Il guetta l'arrivée de Carrier, Morin et Lépine, les trois turbulents du premier cours qu'il avait installés aux premiers pupitres des rangées 2, 4 et 6. Il voulait aussi s'assurer de l'identité de l'effrontée qui était venue lui dire qu'elle ne lui « aimait pas la face » à la fin du cours. Sans en être absolument certain, il croyait qu'elle s'appelait Lyne Dussault, s'il se fiait à la place qu'il se rappelait l'avoir vue occuper le vendredi précédent.

La seconde cloche sonna et Gilles ferma la porte de la classe. Huit de ses trente-deux élèves étaient absents. La fille et les trois chahuteurs n'étaient pas là.

— C'est quoi, ça ? l'interrogea un dénommé Gervais assis au centre de la salle en montrant les feuilles déposées sur son bureau.

— Ça, ça s'appelle des feuilles, répondit le professeur, sarcastique.

Sa réplique suscita quelques ricanements.

— J'ai laissé sur vos pupitres le test de lecture. Vous pouvez commencer à lire et à répondre au questionnaire tout de suite, précisa-t-il. Dans cinq minutes, je corrigerai vos réponses et j'indiquerai dans la marge le nombre de points amassés. À mon signal, vous viendrez à mon bureau les uns après les autres, en débutant par ceux de la première rangée. Je ne veux voir qu'un élève à la fois.

Et Gilles, le visage fermé, se mit à noter les absences sur un billet qu'un agent de sécurité passerait prendre quelques minutes plus tard. Ensuite, il s'empara du plan de classe, ouvrit toute grande la porte du local pour aérer les lieux avant d'entreprendre une lente tournée des rangées, autant pour s'assurer que chacun était bien installé à sa place que pour vérifier si tous travaillaient. Il découvrit un escogriffe du nom de Brodeur, couché sur son pupitre. Jusque-là, son voisin l'avait involontairement dissimulé aux yeux de l'enseignant.

— Qu'est-ce que tu fais ? lui demanda-t-il en heurtant volontairement l'un des pieds du pupitre de l'élève qui sursauta.

— Ben, j'ai pas de crayon, prétexta l'adolescent.

— Bon. Tu vas commencer par ne pas te répandre comme un crachat sur ton pupitre. Ici, ce n'est pas un dortoir. Ensuite, tu vas aller chercher un crayon quelque part, mais pas en classe, pour ne pas déranger les autres.

— Où est-ce que je vais trouver ça, moi ?

— Ce n'est pas mon problème. Débrouille-toi. Quand tu l'auras, tu t'arrêteras au bureau du directeur de niveau qui te signera un billet pour revenir en classe.

Brodeur sortit en traînant les pieds.

Quelques minutes plus tard, alors que le professeur venait à peine de regagner sa place pour entamer la correction de l'évaluation, Lyne Dussault entra en classe en affichant le même air insolent que le vendredi précédent. Gilles la laissa aller s'asseoir à sa place avant de lui faire signe de venir à son bureau.

L'adolescente se releva et se rendit à l'avant de la classe avec une mauvaise volonté évidente.

— Quoi ?

— D'où est-ce que tu sors ? l'interrogea l'enseignant à mi-voix.

— De chez nous.

— Le cours commence à neuf heures. Tu es en retard. Va te chercher un billet de motivation au bureau du directeur de niveau, la réprimanda-t-il sèchement.

La jeune fille sortit en claquant des talons pour exprimer son mécontentement. Sans plus se préoccuper d'elle, Gilles se replongea dans la correction de l'examen qu'un l'élève était venu lui présenter. Dix minutes plus tard, la jeune Dussault revint et se planta à côté du bureau de l'enseignant en affichant un air exaspéré. Il se contenta de tendre la main sans même lever les yeux de la copie qu'il corrigeait.

— Casavant dit qu'il n'a pas le temps de faire des billets de motivation. Il est trop occupé.

— Alors, tu vas dire à MONSIEUR Casavant que je te reprendrai en classe quand il aura eu le temps de t'en écrire un, comme c'est mentionné dans le règlement. Qu'il prenne tout son temps, il n'y a rien qui presse.

Si l'adolescente avait pu claquer la porte en sortant, elle l'aurait fait avec une joie non dissimulée. Mais comme elle était grande ouverte, la jeune fille dut se contenter de sortir de la pièce en grognant. Elle revint quelques minutes plus tard en compagnie de Denis Casavant qui frappa pour attirer l'attention du professeur, occupé à donner des explications à une élève. Il ne semblait pas particulièrement de bonne humeur.

Gilles se leva lentement et alla retrouver le directeur de niveau et son élève, qui se tenait un peu en retrait.

— C'est quoi le problème ? lança abruptement Casavant.

— Il n'y a aucun problème. Je t'ai envoyé cette élève pour avoir un billet de motivation de retard. C'est tout.

— Oui, mais je t'ai fait dire que je n'avais pas le temps d'en écrire un.

— Peut-être, mais on n'entre pas dans mon cours comme dans un moulin. Il y a un règlement ici, on n'a qu'à l'appliquer, riposta Gilles sur le même ton. Quand tu auras le temps de lui écrire un billet, elle rentrera, pas avant, s'entêta-t-il, l'air mauvais. Ça dépend de toi ; moi, j'ai tout mon temps, affirma-t-il, assez fier de lui.

Aussitôt, il tourna les talons et retourna s'asseoir à son bureau. Le directeur de niveau quitta les lieux en compagnie de l'adolescente. Moins de deux minutes plus tard, cette dernière revint en arborant un sourire méprisant. Elle tenait bien en évidence son billet de motivation, qu'elle alla déposer cérémonieusement sur le bureau quand son professeur leva la tête pour lui ordonner :

— Attends !

Il prit le billet qu'elle venait de laisser tomber dédaigneusement.

— Retard non motivé. Parfait : tu m'écriras vingt lignes sur l'importance d'arriver à l'heure à tes cours pour demain.

— Et si je ne le fais pas ? le nargua-t-elle, d'une voix pleine de défi.

— Tu en auras le double à écrire pour le lendemain.

Puis, Gilles ignora l'adolescente. Il fit signe à l'élève déjà debout à sa place, prêt à venir faire corriger son examen, d'approcher. Sidérée, Lyne Dussault le dévisagea un court instant avec l'intention de le braver de nouveau, mais le regard dur de son professeur la fit changer d'avis et, furieuse, elle regagna sa place. Il ne lui prêta plus attention.

Une minute avant la fin du cours, l'enseignant demanda que le premier de chaque rangée ramasse les copies et prévint ses élèves que, dorénavant, celui ou celle qui s'aviserait d'arrêter de travailler avant qu'il donne le signal que le cours était terminé allait avoir affaire à lui. Plus question non plus de courses folles vers la porte au son de la cloche.

Il fut suffisamment persuasif, semble-t-il, car aucun élève n'osa s'élancer vers la sortie quand la sonnerie retentit. Avant d'accueillir le groupe 12, Gilles nota dans son cahier que Brodeur, l'élève sans crayon, n'était jamais revenu de sa quête de matériel. Il aurait à s'expliquer le lendemain. Un travail supplémentaire viendrait sanctionner ce comportement inacceptable. Il ajouta aussi dans son agenda qu'il aurait à recevoir les vingt lignes de Lyne Dussault. Voilà donc ce à quoi ressemblerait son quotidien : faire la police. Il soupira.

Les adolescents de son second groupe de la journée furent aussi calmes et agréables que le vendredi précédent, à tel point que Gilles put, à sa plus grande joie, abandonner son air mauvais pour leur sourire et leur donner quelques explications, ce qu'il n'avait pas fait avec le groupe 11. Le seul point négatif fut l'absence de cinq élèves. Il se demanda comment tant d'adolescents pouvaient manquer les cours au début de l'année scolaire. Il n'avait jamais connu cela auparavant dans ses classes.

À la fin du cours, cet absentéisme le tracassait tant qu'il ne put s'empêcher de lancer une boutade à ses élèves alors qu'on rassemblait les évaluations.

— Il y a beaucoup d'absents. Est-ce qu'il y a une épidémie ?

— Ben non, lui révéla une petite blonde assise près de la porte. Ils sont en train de jouer aux cartes à la cafétéria.

Le visage de l'enseignant marqua la plus totale incrédulité et plusieurs adolescents se mirent à rire en voyant sa mine.

— Au fond, Montaigne, c'est une sorte de club social, commenta-t-il sur un mode plaisant.

— C'est pas ça, Gilles, intervint un certain Gravel. Ils ne vont pas aux cours qu'ils n'aiment pas, c'est tout.

À la fin de cet échange, le professeur de français permit à ses élèves d'aller profiter de la courte récréation de quinze minutes que la cloche venait d'annoncer. Il avait terminé ses cours de la matinée. Il s'empressa de déposer sur chaque pupitre un exemplaire du test pour le groupe 13 et il quitta sa classe, les bras chargés de copies. Il allait consacrer les deux heures suivantes à corriger tranquillement.

Dès son entrée dans la salle des professeurs, Gilles sentit les regards de certains de ses collègues se poser sur lui. Il en déduisit que son altercation avec Denis Casavant avait déjà fait le tour de l'école et avait été maintes fois commentée. Il résolut de se rendre immédiatement tirer les choses au clair avec lui.

Il frappa à la porte du secrétariat qui servait d'antichambre au bureau du directeur de niveau. La pièce, située au bout du couloir, était éclairée par une large baie vitrée. Elle était occupée par Claudette Labonté, qui avait la réputation d'être d'une efficacité redoutable.

— Bonjour, madame. Est-ce que je peux dire deux mots au directeur de niveau ? demanda Gilles.

— Il est avec une élève, lui apprit la femme, désignant de la tête la porte fermée du bureau de son supérieur. Il devrait avoir fini dans une minute. Si vous voulez bien attendre…

— Pendant que je suis là, savez-vous si certains de mes élèves ont été changés de groupe ce matin ?

— Pourquoi cette question ?

— Il me manquait treize élèves à mes deux premiers cours.

— Tout ce que je peux vous dire, c'est que moi, je n'ai pas fait de changement de groupe, répliqua la secrétaire en réprimant difficilement un sourire.

Une jeune fille sortit du bureau de Denis Casavant. C'était Lyne Dussault. L'adolescente quitta le secrétariat sans adresser un regard à son professeur de français. Gilles frappa à la porte avant d'entrer dans le petit bureau du directeur de niveau, qui avait perdu une partie de la superbe qu'il affichait, deux heures auparavant.

— Je suis venu vérifier certaines choses pour qu'il n'y ait pas de malentendu, indiqua Gilles d'entrée de jeu, sans faire mine de s'asseoir.

— J'ai peut-être été un peu vif…

— Ce n'est pas ça le problème, répliqua le professeur, comme si l'accrochage n'avait aucune importance. Je viens juste m'assurer que mon interprétation des règlements est la bonne. Les absences et les retards doivent bien être motivés, non ?

— Oui.

— Et tu dois contresigner les billets ?

— Euh... oui. Mais tu sais bien qu'au début de chaque cours, je reçois un paquet d'élèves...

— C'est pas grave. Je les accepterai en classe quand ils auront leur billet signé. Je suppose que c'est la même chose pour ceux que j'envoie chercher leur matériel oublié ? Il leur faut aussi un billet pour rentrer en classe ?

Le directeur de niveau se contenta de hocher la tête, l'air contrit.

— Parfait, on se comprend. Maintenant, qui s'occupe de ceux qui ne sont pas en classe durant le cours ? Des élèves m'ont dit que certains restaient à la cafétéria.

— Ça, je n'y peux rien. Je ne peux pas être partout à la fois ! protesta l'homme. Je ne peux pas être à mon bureau et me mettre à courir après tout le monde à travers la polyvalente.

— Pourquoi les agents de sécurité ne vident pas la cafétéria pendant les heures de cours ?

— Ils ne sont pas assez nombreux. Ils ont déjà essayé l'an passé, mais les élèves n'allaient pas plus à leurs cours : ils traînaient ailleurs.

— J'ai jamais vu ça ! Tu es en train de m'expliquer tranquillement que la direction ne parvient pas à imposer aux jeunes d'être présents en classe ? Je suppose aussi que personne n'a pensé à suspendre de l'école tout élève surpris à faire l'école buissonnière ?

Casavant ne put que hausser les épaules en signe d'impuissance.

— Génial ! Après ça, on se demande pourquoi les polyvalentes ont une aussi mauvaise réputation...

— Il ne faut pas exagérer non plus, voulut temporiser le directeur de niveau. En passant, essaye d'y aller plus doucement avec tes classes. Ça ne fait qu'une journée que l'école est commencée et il y en a déjà qui viennent se plaindre de toi. Ils disent que ça ressemble à la Gestapo dans tes cours.

— Quoi ? Tu n'es pas obligé de croire tout ce qu'on te raconte, se récria Gilles, furieux. Ceux qui viennent se lamenter sont ceux qui causent les problèmes. Moi, je ne fais qu'appliquer le règlement. Si mes élèves qui viennent te voir pour se plaindre te fatiguent, tu n'as qu'à me les envoyer. Je suis capable de m'occuper d'eux, grommela l'enseignant en franchissant la porte du bureau.

En regagnant la salle des professeurs, Gilles se rendit compte qu'il avait encore perdu une partie du peu d'assurance qui lui restait. Des élèves, dont faisait probablement partie Lyne Dussault, se lamentaient déjà qu'il les maltraitait.

— Elle est bonne, celle-là ! Qu'ils aillent au diable ! marmonna-t-il en entrant dans la pièce. Si je ne fais pas l'affaire, ils n'ont qu'à m'envoyer enseigner dans une école normale où les élèves sont tenus.

Le reste de ce lundi se passa sans incident notoire. Gilles fut à même de se rendre compte, encore une fois, que les adolescents les plus indisciplinés se calmaient sérieusement quand ils étaient séparés de leurs amis. Le fait de se retrouver assis à l'avant de la classe avait toujours le don d'assagir les plus turbulents.

L'enseignant profitait aussi de quelques atouts supplémentaires pour mieux maîtriser ses groupes. D'abord, ses douze années d'expérience lui avaient appris que disposer d'un plan de chaque groupe lui permettait de mémoriser rapidement les noms et d'interpeller chacun par son prénom, ce qui enlevait aux élèves l'impression de n'être que des numéros. Ensuite, il savait qu'il était inutile d'essayer de donner un cours magistral tant qu'il n'obtenait pas le silence en classe. Alors, il s'efforça d'appliquer ces principes de base.

Avant la fin de la journée, il dut tout de même régler le cas de Pierre Ayotte du groupe 13, celui qui avait préféré quitter la salle de classe plutôt que de poser ses pieds par terre au cours précédent. Après avoir expliqué le test à sa classe, il invita l'élève à venir le rejoindre dans le couloir. L'adolescent avait perdu son air insolent quand il se retrouva face à face avec son professeur à l'extérieur de la salle.

— Juste une petite précision, commença Gilles, le visage dur et le ton ferme. Si jamais tu me fais encore ta petite crise de vedette, comme vendredi dernier, ton cours de français sera terminé pour l'année. Est-ce que je me suis bien fait comprendre ?

— Oui.

— Parfait. Maintenant, tu peux retourner à ta place.

Cependant, le problème récurrent de l'absentéisme continuait de tracasser l'enseignant. Il manquait encore quatre adolescents à l'avant-dernier cours et cinq au dernier. Comment pouvait-on espérer que des élèves réussissent s'ils n'assistaient pas à leurs cours ?

Le lendemain matin, en entrant dans sa classe, Gilles découvrit la rédaction de vingt lignes de Lyne Dussault sur son bureau avec satisfaction. Si le texte dénonçait longuement l'injustice de la sanction, il révélait aussi que son auteure possédait un certain talent. La lecture de la composition plut à l'enseignant qui décida de passer l'éponge sur les ennuis que l'effrontée lui avait causés.

Contre toute attente, dès le premier cours, quelques absents de la veille apparurent en classe et s'installèrent à leur pupitre, comme si de rien n'était. Ils firent d'abord mine de ne pas s'apercevoir que le second test d'évaluation avait été déposé sur leur bureau, et Gilles prit le parti de les ignorer. Il donna ses instructions aux élèves avant de relever les présences.

Finalement, Éric Carrier, l'un des absents, se leva pour venir se planter devant le bureau de son professeur.

— Oui ?

— Je n'ai pas de feuilles.

— Moi, je n'ai pas vu ta motivation d'absence pour hier.

— Je l'ai oubliée.

— Alors, tu vas aller voir le directeur de niveau et lui expliquer tout ça. Il va régler ton problème.

Aussitôt que Carrier fut sorti, Gilles appela les quatre autres paresseux qui avaient choisi de revenir en classe après s'être accordé une journée supplémentaire de vacances. Il les invita à aller rejoindre leur camarade.

Quelques minutes plus tard, l'enseignant intercepta à la porte de sa classe les cinq adolescents qui revenaient, très lentement, de chez Denis Casavant. Ils lui tendirent un billet spécifiant que leur absence de la veille était non motivée. Gilles leur adressa son plus beau sourire avant de leur dire :

— C'est dommage que vous ayez manqué le test d'évaluation de lecture, hier. Une chance que cet après-midi, c'est le jour 4 et qu'il n'y a donc pas de cours. Je vous attends ici à une heure. D'après moi, ce test-là va vous occuper jusqu'à trois heures trente.

Le sourire niais de certains disparut instantanément de leur visage.

— Qu'est-ce qui va se passer si on oublie de venir ? s'enquit Carrier en affichant un air bravache.

— Rien de spécial, l'informa Gilles, non sans sarcasme. Vous ne serez que suspendus de l'école et vous devrez vous présenter chez le directeur après votre suspension en compagnie de vos parents. Maintenant, je pense que vous êtes mieux de vous presser d'aller faire le test de grammaire, parce que si vous n'avez pas le temps de le finir, il va falloir que vous reveniez le terminer l'après-midi du jour 8.

Les adolescents entrèrent rapidement dans la salle de cours, dépités par la tournure des événements.

Fait étonnant, les absents des autres groupes de la veille se présentèrent tous en classe avec des billets de motivation contresignés par Denis Casavant ou par Prosper Desjean. Gilles était persuadé que la plupart étaient des faux que les directeurs de niveau n'avaient même pas pris la peine de vérifier en appelant chez les élèves. S'il s'était écouté, il serait allé leur faire part de son mécontentement. Mais à quoi bon ? Au moins les fautifs s'étaient-ils donné la peine de faire rédiger un billet par un camarade.

« À la longue, ils vont finir par se réveiller en voyant tous ces billets et ils vont perdre patience », crut Gilles en pensant à Casavant et à Desjean.

Il ne put s'empêcher de songer aussi qu'il commençait à ramollir. Il n'aimait pas ça du tout : ça ne lui ressemblait pas et ce n'était pas cohérent avec ses principes. Il préféra éviter de penser à ce que ses ex-collègues de René-Goupil auraient pensé de tout ça.

Le mercredi, à midi, Gilles s'étonna de voir la plupart de ses collègues quitter la polyvalente, comme s'il avaient bénéficié d'une demi-journée de congé.

— Où est-ce qu'ils s'en vont tous ? demanda-t-il à Sylvain Brisset, demeuré seul avec lui dans la salle des professeurs.

— Ben… ils rentrent chez eux.

— Ils ont de la chance d'être d'aussi bons professeurs, ironisa Gilles. Ils sont bien meilleurs que je le suis. Moi, je dois donner de la récupération. C'est tout de même bizarre que leurs élèves n'en aient pas besoin…

— Ils en ont besoin, mais ils sont comme les jeunes, commenta Brisset. Ils prennent un après-midi de congé.

— En quel honneur ?

— On voit bien que tu ne connais pas la polyvalente, toi. Avec plus de cent profs, on en a de toutes les sortes. Il y en a qui prennent leur travail à cœur, comme il y en a un bon nombre qui trouvent toujours le moyen de ne pas faire grand-chose. Ils viennent pour la paye. Ça fait longtemps qu'ils ont oublié toute l'histoire de la vocation.

— Oui, mais les notes ?

— Les notes ? Y a rien là. Certains les gonflent. J'en connais même qui les inventent. Tu vas t'apercevoir que la plupart ne donnent presque jamais de devoirs à la maison pour ne pas avoir à les corriger. Et quand ils en donnent, ils ne les corrigent pas.

— Et les élèves acceptent ça ?

Gilles était éberlué.

— Les jeunes ne sont pas aussi bêtes que tu le penses, continua Brisset. Ils se rendent vite compte quand un prof est paresseux et ils finissent par le lui faire payer.

— C'est logique, concéda Gilles.

Soudain, son interlocuteur changea de ton.

— Toi, tu viens d'arriver et, déjà, ta réputation est en train de s'établir.

— Elle ne doit pas être bien reluisante.

— Ne crois pas ça. J'ai les mêmes élèves que toi. Il y en a qui parlent de toi en classe. Oh ! Bien sûr, ils te trouvent sévère. Mais ils reconnaissent déjà que tu es juste, que tu as de la discipline et qu'ils vont apprendre quelque chose avec toi.

— Ouf ! fit Gilles, soulagé de constater que sa réputation n'était pas aussi mauvaise qu'il ne l'avait craint.

— Moi, je connais bien les élèves de secondaire 3, reprit le professeur de religion. Si tu te donnes du mal pour les faire réussir, ils vont te respecter et ils vont accepter tes règles. Ils finissent toujours par mépriser un peu les profs qui font ami-ami avec eux et qui soignent surtout leur popularité.

Cette conversation à bâtons rompus encouragea Gilles. D'abord, il constatait que ses efforts n'étaient pas vains et que sa méthode « vieille école » – c'était le cas de le dire – avait encore du bon. Ensuite, il fut soulagé et heureux de voir qu'il n'était pas le seul enseignant de Montaigne qui avait à cœur son métier et ses élèves. Revigoré, il alla attendre en classe les adolescents convoqués en retenue ainsi que ceux qui désiraient obtenir des explications supplémentaires.

À une heure de l'après-midi, il constata avec plaisir que tous les élèves punis étaient présents. Ils bénéficièrent de la bonne humeur de leur enseignant. Jusqu'à la toute fin de la journée, Gilles ne ménagea pas ses efforts pour leur faire réussir leur test de compréhension de lecture et les adolescents quittèrent sa classe apparemment satisfaits.

Quand il sortit de Montaigne, ce jour-là, Gilles avait retrouvé sa sérénité et une partie de son amour pour l'enseignement. Le trajet vers la Rive-Sud lui parut agréable et même les quelques embouteillages qu'il dut subir n'altérèrent pas sa bonne humeur. Il était impatient de retrouver sa petite famille et, surtout, de raconter sa journée à Mylène. Il décida de faire un détour avant de rentrer chez lui et s'arrêta chez le fleuriste pour acheter un joli bouquet à sa femme. L'école avait pris une telle place dans sa vie depuis les dernières semaines ! Il se dit qu'il était grand temps de remercier Mylène pour sa compréhension.

5
Le début des problèmes

À Montaigne, le mois de septembre s'écoula avec des hauts et des bas. Il y eut de bons et de moins bons jours pour Gilles qui, peu à peu, apprivoisait son nouvel environnement. Il refusait obstinément de baisser les bras et le laisser-aller de quelques-uns de ses collègues le choquait. Il continuait d'éprouver des difficultés, surtout avec l'absentéisme, mais chaque jour, il se battait pour inciter ses élèves à travailler d'arrache-pied afin de s'améliorer. Il voulait surtout les voir adopter une bonne éthique de travail.

En ce début d'automne, la météo avait été plutôt clémente. Or, ce mardi matin de la deuxième semaine d'octobre, de lourds nuages noirs couraient dans le ciel, poussés par un fort vent du nord.

Au moment où les élèves entraient dans la polyvalente, une pluie torrentielle s'abattit sur la région, noyant tout le paysage sous un véritable déluge.

— On va avoir du mal à les réveiller ce matin, prédit Claude Loiselle, debout devant l'une des baies vitrées de la salle des professeurs de secondaire 3.

— N'essaye surtout pas ! plaisanta Étienne Marquis, un autre professeur d'anglais. On est tellement bien quand toute la classe dort ! Lire mon journal au milieu des ronflements : c'est le bonheur total !

Mary Bello, sa collègue anglophone, devina plus qu'elle ne comprit ce qu'il venait de dire et eut un sourire timide. Par contre, les autres enseignants présents dans la pièce ne se gênèrent pas pour formuler quelques commentaires plus ou moins sarcastiques sur la façon d'enseigner de Marquis, qui avait la trentaine, la tenue négligée et la barbe peu soignée.

Moins d'une demi-heure plus tard, alors que le premier cours de Gilles venait à peine de commencer, une élève du groupe 13 se plaignit de recevoir de l'eau sur la tête. L'enseignant quitta son bureau pour aller vérifier sur place. En effet, de grosses gouttes tombaient sur le pupitre de la jeune fille.

— Déplace ton pupitre, lui conseilla-t-il.

— Moi aussi, s'écrièrent deux autres élèves en même temps.

— Poussez vos pupitres.

En moins de cinq minutes, l'eau coulait à différents endroits dans le local 208 et Gilles n'eut d'autre choix que d'envoyer quelqu'un chercher Denis Casavant.

— Il s'en vient, indiqua l'adolescent en reprenant sa place quelques instants plus tard.

Peu après, le directeur de niveau apparut à la porte de la salle de classe et fit signe à son confrère de venir le rejoindre.

— Qu'est-ce qu'il y a ?

— Le plafond coule à trois endroits, expliqua Gilles en lui montrant son local. Comment ça se fait ? Il y a une classe au-dessus de la mienne, non ?

— Oui, mais d'après les hommes qui s'occupent de l'entretien, l'eau s'infiltre aussi le long des conduits d'aération. Tu devrais voir en haut ! Il paraît qu'il y a de l'eau dans presque toutes les classes. Le toit doit être fini.

— Fini ? Je pensais que la polyvalente n'avait que cinq ans ! s'exclama l'enseignant.

Casavant haussa les épaules.

— Bon. Qu'est-ce qu'on fait pour les fuites ? l'interrogea Gilles, qui ne voulait pas épiloguer sur le sujet.

— Je vais demander aux concierges de venir faire le tour des locaux de l'étage. Ils vont s'en occuper.

Puis, le directeur de niveau repartit vers son bureau. Gilles le regarda s'éloigner, d'un pas traînant, le dos voûté. « L'image même du dynamisme et de la productivité », se gaussa-t-il en lui-même. Il retira ses lunettes, se frotta les yeux et rentra en classe, résolu à attendre.

Un concierge se présenta peu après à la porte du local 208.

— Paraît que le plafond coule, ici ? s'enquit l'homme en traînant derrière lui de grosses poubelles en plastique.

— Oui, à trois endroits.

— Je vais mettre ces poubelles en dessous et je passerai les vider avant le dîner.

Ainsi, la salle de cours de Gilles fut décorée de trois gros contenants gris dans lesquels on entendait tomber l'eau goutte à goutte.

— C'est une variante du supplice chinois, plaisanta le professeur quand les élèves des cours suivants aperçurent les poubelles.

Devant l'air ahuri des adolescents, il en profita pour leur expliquer les subtilités de cette torture asiatique, ce qui les intéressa au plus haut point, surtout les garçons.

À la pause de midi, Sylvain Brisset tint une réunion d'urgence de tous les enseignants de la polyvalente à la bibliothèque. En voyant leurs professeurs s'engouffrer d'un air pressé dans cette pièce, les élèves devinèrent qu'il se passait quelque chose d'anormal.

Brisset, accompagné de ses deux délégués syndicaux adjoints, pria les enseignants de s'asseoir tandis que le directeur, Raymond Garand, faisait son entrée dans la pièce, suivi de près par Henri-Paul Dubois, l'adjoint administratif.

— Si vous voulez bien garder vos mémérages pour plus tard, dit sans détour le délégué à ses collègues réunis, nous n'avons qu'une heure pour régler le problème.

Le professeur de religion avait une voix assez forte pour se faire entendre sans avoir besoin d'un micro. Peu à peu, le silence tomba dans la salle et Garaud et Dubois prirent place à ses côtés.

— Certains d'entre nous se sont aperçus qu'il pleuvait dans nos classes… comme au printemps passé. Vous vous rappelez qu'au mois d'avril dernier, la direction nous avait promis que ce problème-là serait réglé cet été ? On l'a enduré avec la même patience qu'on a enduré la chaleur étouffante des locaux. À la récréation, je suis allé voir l'adjoint administratif pour qu'il m'explique ce qui a été fait durant l'été. Je le laisse vous raconter ça.

Aussitôt, le professeur de religion s'assit à côté du directeur et laissa son collègue prendre la parole.

Henri-Paul Dubois se leva, enfouit ses mains dans les poches de son pantalon et promena un regard un brin méprisant sur les personnes assises devant lui. Il savait fort bien qu'il ne comptait pas beaucoup d'amis parmi les enseignants de Montaigne. Ses façons brutales et même grossières ne lui attiraient pas la sympathie des professeurs.

— Je n'ai pas grand-chose à dire là-dessus, annonça-t-il sans ambages. La commission scolaire nous a voté un budget pour refaire la couverture, mais il n'a pas encore été débloqué. Quand on aura l'argent, on la fera réparer.

L'adjoint administratif se rassit, comme si tout était réglé. Le directeur se contenta de le dévisager avant de se plonger dans la contemplation de ses ongles. Sylvain Brisset se leva, comme mû par un ressort.

— Je pense qu'on devrait peut-être aider la commission scolaire à se décider, suggéra-t-il sur un ton railleur.

On entendit des murmures d'approbation dans la salle.

— J'ai appelé le syndicat tout à l'heure. Le président m'a confirmé qu'on était en droit de recourir à des moyens de pression pour faire bouger les choses.

— Qu'est-ce que tu proposes ? demanda Louise Kelly de sa voix forte.

— Je pense qu'on devrait refuser d'entrer en classe tant qu'ils ne feront rien pour réparer le toit. On n'est pas pour passer tout l'automne les pieds dans l'eau, au milieu des chaudières dans nos classes !

Raymond Garand se leva finalement, raide comme la justice, pour déclarer :

— Je vous rappelle que vous avez des responsabilités envers nos jeunes. On ne peut pas renvoyer comme ça près de deux mille élèves chez eux. Si vous refusez de donner vos cours, je serai obligé de rédiger un rapport à la commission scolaire et vous aurez à supporter une coupure de salaire et sûrement d'autres mesures disciplinaires.

— On va prendre ce risque-là, monsieur Garand, si le vote le décide, répliqua le professeur de religion, au nom de tous les enseignants de la polyvalente.

Le directeur se rassit en secouant la tête, bien décidé, en apparence du moins, à ne pas bouger tant qu'il ne connaîtrait pas la décision de l'assemblée.

— Quelqu'un a-t-il une proposition à faire ? sonda Brisset en regardant attentivement ses collègues assis devant lui.

Quelques secondes s'écoulèrent pendant lesquelles il ne se produisit rien, puis une femme se leva pour prendre la parole.

— Je propose un débrayage général et immédiat des enseignants de la polyvalente. Le débrayage pourra durer tant qu'on n'aura pas vu d'ouvriers en train de réparer le toit.

— Y a-t-il quelqu'un pour appuyer cette proposition ? questionna le délégué syndical.

— Moi, lança Jean-Paul Rousseau en levant le bras.

— Est-ce qu'on vote à main levée ? voulut savoir un petit homme ventru assis près de Gaétane Rioux.

Gilles devina qu'il s'agissait de Florent Rioux, le mari de sa consœur.

— Pour que ce soit légal, il faut un vote secret, exposa Brisset qui envoya immédiatement ses deux adjoints distribuer des bulletins de vote aux tables. Je résume la proposition de Madeleine Boisvert, proposition appuyée par Jean-Paul Rousseau : on suggère un débrayage général et immédiat de tous les enseignants de Montaigne. Le débrayage durera jusqu'à ce qu'on ait entrepris la réparation de la toiture. Est-ce bien ça, Madeleine ?

— Exactement.

— Bon. On vote oui ou non au débrayage, conclut le meneur.

Il suffit de quelques minutes pour comptabiliser les voix. Quand le délégué syndical se leva pour annoncer les résultats du vote, un lourd silence tomba sur l'assemblée.

— Nous sommes quatre-vingt-six présents et il y a soixante et onze votes pour la proposition et quinze contre, annonça Brisset d'une voix triomphante.

Il y eut des exclamations et les enseignants se levèrent dans une joyeuse cacophonie. La bibliothèque se vida en quelques instants.

Pendant que Raymond Garand, très contrarié, gagnait la sortie, l'adjoint administratif ne put s'empêcher d'invectiver les trois délégués syndicaux en train de déposer les bulletins de vote dans une enveloppe :

— Calvaire ! Vous êtes une belle *gang* de trous de cul ! N'importe quoi pour pas travailler !

— Eille, Dubois ! Fais attention à ce que tu dis ! le mit en garde Brisset.

— Il faut être une maudite belle bande de sans-dessein pour renvoyer à la maison les jeunes pour ça. S'il arrive un accident aux élèves pendant qu'ils sont sans surveillance, vous allez avoir l'air fin, hein ?

Brisset ne se laissa pas démonter et répliqua du tac au tac :

— Moi, je pense que le sans-dessein, c'est celui qui n'a pas été capable de s'organiser depuis le printemps passé pour faire réparer le toit de la polyvalente qu'il est censé administrer. S'il y a quelqu'un à Montaigne qui n'a pas fait sa *job*, c'est pas nous autres. Ça se pourrait même que tu le connaisses...

Henri-Paul Dubois, rouge de colère, tourna les talons et quitta la bibliothèque sans rien ajouter.

Évidemment, lorsque le directeur annonça à l'interphone que les cours étaient suspendus pour l'après-midi, les élèves se précipitèrent vers les sorties en poussant des cris de joie. En moins de dix minutes, il ne restait plus un adolescent entre les murs de l'établissement.

— Il ne faudrait pas qu'on quitte la polyvalente, fit observer Brisset en voyant quelques enseignants endosser déjà leur imperméable, prêts à partir.

— Minute, tempéra Michel Tondreau en tendant son manteau à Anne Leduc. Tu as entendu Garand comme moi. Il a dit qu'on ne serait pas payés si on débrayait. Ben, je ne vois pas pourquoi je resterais ici si je ne suis pas payé.

Peu à peu, d'autres enseignants imitèrent Tondreau, trop heureux de profiter de quelques heures supplémentaires de congé.

Durant tout ce temps-là, Gilles avait été un témoin attentif, quoique déconcerté, de cette agitation. Il avait voté contre la proposition du délégué syndical, moins par zèle que par simple conviction que ce moyen de pression serait inutile. De plus, ce congé imprévu rendait caduque toute sa planification du travail de la semaine. Non seulement il allait perdre au moins une demi-journée de salaire, mais en plus, il devrait reprendre tout ce qu'il avait prévu. Non, décidément, ce débrayage arrivait comme un cheveu sur la soupe.

— Il est temps qu'on se réveille et qu'on leur montre qu'on a du nerf, affirma Claude Loiselle, en affichant un air belliqueux assez comique, au moment de quitter les lieux.

Un silence blasé accueillit cette déclaration. Il ne restait plus que Louise Kelly et Jean-Paul Rousseau avec Gilles et Sylvain Brisset dans la salle des professeurs. Ils ne mirent pas grand temps à imiter les autres et, résignés, à partir chacun de leur côté.

Les autorités de la commission scolaire réagirent rapidement en apprenant que près de deux mille élèves avaient été renvoyés chez eux par les enseignants. Dès le milieu de l'après-midi, Eugène Pépin, le responsable de l'entretien des bâtiments de la commission scolaire Des Érables, arriva à Montaigne avec les représentants de deux entreprises spécialisées dans le goudronnage des toitures. En compagnie d'Henri-Paul Dubois,

Pépin fit le tour des locaux où l'eau s'infiltrait en échangeant des commentaires sur l'état probable de la toiture avec les deux spécialistes.

Ensuite, les deux évaluateurs montèrent sur le toit et se mirent à l'arpenter longuement sous la pluie fine qui avait succédé aux averses torrentielles du matin. Pendant ce temps, Dubois proposa à Pépin d'aller attendre les conclusions de l'inspection avec lui dans son bureau.

Quelques minutes plus tard, les deux spécialistes revinrent. Dubois invita alors tout le monde à le suivre dans la petite salle de conférence voisine où le directeur, Raymond Garand, les rejoignit.

Le lendemain matin, la pluie avait cessé et les couvreurs arrivèrent très tôt à Montaigne à bord de deux camions. En moins d'une heure, ils installèrent un système complexe de poulies et ils commencèrent à hisser sur le toit de grands contenants remplis de goudron fumant. Sans perdre une minute, ils se mirent à recouvrir de larges sections de la toiture.

La veille, dès la fin d'une brève rencontre avec le responsable de l'entretien des bâtiments, le directeur général de la commission scolaire avait contacté le président du syndicat des enseignants pour l'informer que les travaux de réfection du toit débuteraient aux premières heures le lendemain matin. Il voulait que tous les professeurs soient à leur poste pour accueillir les élèves. Jamais il n'aborda la question des sanctions qui seraient prises à l'encontre des enseignants pour leur débrayage illégal.

Lorsque Sylvain Brisset apprit la nouvelle, il activa la chaîne téléphonique de manière à ce que chacun de ses collègues apprenne la nouvelle et se présente au travail le lendemain matin.

Un peu avant le premier cours de la journée, Raymond Garand, impassible, tint une courte réunion avec ses enseignants de retour à l'école. Il leur révéla sèchement que le toit serait totalement refait le printemps suivant. En attendant, on allait procéder au colmatage des fuites, ce qui prendrait quinze jours environ.

Les deux journées suivantes furent en réalité perdues pour les élèves, peu empressés de regagner les salles de cours. Il faut dire que les odeurs de goudron en provenance des bouches d'aération disposées sur le toit rendaient presque irrespirable l'air dans les classes tant il était vicié et irritait la gorge et les yeux. Tout finirait par rentrer dans l'ordre avant la fin de la semaine, avait promis la direction.

Le vendredi matin, Édith Colin, la responsable de la vie étudiante, persuada la direction qu'il était temps de procéder à l'élection du président ou de la présidente de chacun des groupes, de manière à pouvoir enfin compter sur un véritable conseil étudiant à Montaigne. Cette élection aurait dû avoir lieu au début de la semaine, mais le débrayage des enseignants était venu perturber l'emploi du temps.

Sans prendre la peine de consulter qui que ce soit, Gisèle Tremblay, la chef de groupe, suggéra au directeur de confier cette élection aux professeurs de français de la polyvalente. Par conséquent, Gilles dut, à contrecœur, consacrer plusieurs minutes de chacun de ses cours au choix des candidats et au vote. Mais le sacrifice en valait la peine.

Dès son premier cours, il se rendit compte que cet exercice allait exiger une intervention de sa part. En effet, dans le groupe 13, des élèves proposèrent Paul Ayotte, le garçon détestable et indiscipliné auquel il avait déjà eu affaire, comme président du groupe. Ce choix contrariait Gilles qui dut longuement discourir sur l'importance du rôle du président de classe. Il voulait par là inciter ses élèves à suggérer d'autres noms pour qu'il y ait une élection « démocratique ». Il finit par obtenir gain de cause : trois candidats se présentèrent et le vote put avoir lieu.

En vue du dépouillement, l'enseignant désigna une fille pour inscrire au tableau, devant chacun des noms, les voix obtenues au fur et à mesure qu'il lisait les bulletins. Il plaça près de lui la corbeille à papier et y jetait chaque bulletin après avoir annoncé le candidat choisi. Inutile de dire que le nom d'Ayotte se transforma parfois en celui de l'un ou l'autre de ses deux adversaires quand la lutte devint trop serrée entre eux. C'est ainsi que, sans que les élèves du groupe 13 s'en doutent le moins du monde, il modifia les résultats de l'élection et n'en éprouva pas le moindre remords. Le président de ce groupe fut, grâce à ses soins, un adolescent qu'il jugeait acceptable.

Ce geste malhonnête donna si peu mauvaise conscience à Gilles qu'il le répéta dans deux autres de ses groupes avec un égal bonheur. Bien sûr, il ne s'en vanta pas auprès de ses collègues et il s'empressa de détruire les bulletins de vote à la récréation suivante, se disant qu'il fallait parfois donner un coup de pouce au destin.

Le lundi suivant, Denis Casavant invita Gilles à passer le voir à son bureau en fin de matinée, lorsqu'il aurait le temps. Avant la pause, ce dernier se rendit chez le directeur de niveau.

— Qu'est-ce qui se passe ?

— Tu as un Daniel Fortin dans un de tes groupes ?

— Oui, malheureusement, confirma l'enseignant avec une grimace. Je te l'ai justement envoyé jeudi dernier pour deux absences non motivées. Il n'est pas revenu en classe depuis ce temps-là et, en plus, il ne remet pas ses travaux.

— Son père m'a appelé ce matin. Il m'a demandé de le changer de cours de français.

— Ah ! Vraiment ? Et pourquoi ?

— Il prétend qu'il y a un conflit de personnalités entre son gars et toi. Il paraît que tu le terrorises et que tu es bien trop dur avec lui.

— Il n'y a pas de conflit de personnalités entre nous. Et, pour le terroriser, il faudrait d'abord qu'il vienne à mes cours. Ce n'est qu'un gros paresseux qui ne fait rien et qui s'absente quand ça lui chante.

— Je vais le changer de groupe et…

— Minute, le coupa Gilles, prenant cette décision comme une sorte de blâme à son endroit. Si tu changes Fortin de groupe, c'est comme si tu acceptais que les élèves choisissent leurs profs. Ça peut mener loin. Si tu fais ça aujourd'hui, demain, tu vas en avoir vingt qui vont vouloir la même chose. Tu sais aussi bien que moi que, quand on enseigne, il est impossible de plaire à tout le monde. Dans ces conditions, moi aussi, je vais choisir mes élèves. Dès le premier cours de cet après-midi, tu vas en retrouver une demi-douzaine devant ta porte de bureau parce qu'on a un "conflit de personnalités". Je vais exiger que tu les envoies à un autre prof de français. Je te préviens: si tu fais ça, je descends voir Garand et on va s'expliquer là-dessus.

La tirade de Gilles fut suivie d'un long silence. Denis Casavant cherchait, de toute évidence, une solution, lui qui avait pensé que son confrère aurait accepté avec plaisir d'être débarrassé d'un « cas problème ».

— Qu'est-ce que je fais alors? demanda-t-il finalement.

Gilles se pencha au-dessus du bureau et répliqua en pointant le doigt:

— Tu refuses; un point, c'est tout. C'est une question de principe. L'élève n'a qu'à se plier à la discipline de la polyvalente. Tu dis au père qu'à Montaigne, les profs ne choisissent pas plus leurs élèves que les élèves ne choisissent leurs profs. S'il n'est pas content de ma manière d'enseigner, il n'a qu'à venir me rencontrer.

— Ouais, acquiesça le directeur de niveau, peu enthousiaste, en s'appuyant sur son dossier.

— Ah oui ! J'allais oublier. Tu pourras aussi dire au père de Fortin que son gars sera sanctionné à son retour à la polyvalente pour ne pas s'être présenté à ton bureau quand je l'y ai envoyé, jeudi passé. Deux jours d'école buissonnière, on ne peut pas laisser passer ça.

Sur ces entrefaites, Gilles se leva et sortit du bureau de Casavant, encore furieux d'être contesté par un élève qui n'avait cessé de l'ennuyer depuis le début de l'année.

Les jours suivants, il s'était attendu à une visite du père ou, à tout le moins, à un appel. Rien. Il n'y eut aucune réaction de la part de la famille. Tout indiquait que le père avait accepté la décision de l'école. Quant au fils, il ne se présenta pas plus souvent qu'avant en classe et il ne remit pas davantage ses travaux. S'il avait eu une sanction pour ses absences non motivées, elle avait dû être bénigne puisqu'il ne changea rien à son comportement. Pour Gilles, c'était clair : Casavant n'avait pas puni l'élève.

Quelques jours plus tard, au milieu de l'après-midi, Gilles corrigeait des copies dans la salle des professeurs lorsque la porte s'ouvrit avec fracas, au moment où la cloche annonçait le début du quatrième cours de la journée.

— La *gang* d'enfants de chienne ! jura Gaétane Rioux, grimaçant de douleur en se tenant la main droite.

Prosper Desjean, qui sortait de la salle voisine, arriva en trombe.

— Qu'est-ce qui se passe, Gaétane ?

— Il se passe, pesta la femme en se laissant tomber sur sa chaise, qu'un vicieux du groupe 9 a chauffé la poignée de ma porte de classe avec son briquet, bien caché par les autres qui s'étaient entassés autour de lui.

— Puis ?

— Puis, je me suis brûlé la main quand j'ai touché la poignée de la porte pour l'ouvrir. Tiens, regarde !

Elle exhiba une paume rougie devant ses deux confrères. La peau avait commencé à cloquer à un endroit.

— Je n'y retourne pas, décréta l'enseignante en versant des larmes de rage. C'est toi, le directeur de niveau ; fais ce que tu veux avec eux. Je ne veux plus leur voir la face, à cette bande d'hypocrites.

— Va voir l'infirmière pour qu'elle te mette quelque chose là-dessus, lui suggéra Prosper Desjean. Je vais m'occuper de ces petits imbéciles.

Aussitôt, il partit à grandes enjambées vers la salle de classe de Gaétane Rioux.

Durant un long moment, la professeure ne bougea pas de sa chaise. De toute évidence, elle ruminait sa rancœur.

— Un groupe moyen, à part ça ! Il y a des fois où j'aimerais mieux avoir un de tes groupes, révéla-t-elle à Gilles.

— Vraiment ?

— Ils m'ont l'air moins difficiles que les miens.

Gilles n'ajouta rien, malgré sa forte envie de répliquer que c'était un juste retour des choses et que ça lui apprendrait à ne lui laisser que les groupes faibles. Il se contenta de se mordre les lèvres. L'amorce de sympathie qu'il avait ressentie pour sa collègue, en raison de la compassion qu'il éprouvait pour sa brûlure, fondit néanmoins comme neige au soleil.

— Je te le dis : j'ai presque le goût de faire comme Laramée qui enseigne l'anglais aux élèves du professionnel, souffla-t-elle.

— Qu'est-ce qu'il fait de spécial ?

— Le bonhomme Laramée ? C'est simple, il fait la même chose depuis trois ou quatre ans. Dès son premier cours de l'année, il se met à raconter sa vie.

— Oui… mais ensuite ?

— Il continue de faire ça tant qu'il a des élèves devant lui. Ce n'est pas long que les jeunes s'écœurent de l'entendre parler de lui et ils finissent par ne plus venir à ses cours. D'habitude, à la fin de la deuxième semaine, il ne lui reste que deux ou trois élèves.

— Comment il se débrouille avec les notes ?

— Il les invente.

— La direction ne fait rien ? s'étonna Gilles, au comble de l'ahurissement.

— Il faudrait d'abord qu'il y ait des plaintes pour que Roberge sorte de son bureau. Avec lui, si tu ne fais pas de vagues, il n'y a pas de problème.

— Les parents ne le dénoncent pas ?

— Ben non. Pour ça, il faudrait que ses élèves en parlent à leurs parents. Pourquoi ils le feraient ? Laramée leur donne de belles notes et ils n'ont jamais de travaux ni d'examens à faire. C'est le paradis.

— Comment peut-il endurer ça, lui ? Est-ce qu'il ne lui reste pas un peu de fierté ? Un peu de conscience professionnelle ? Mon Dieu !

Le fait de parler d'un autre sujet fit un peu oublier à Gaétane Rioux sa main blessée.

— Il n'a pas toujours été comme ça, confia-t-elle, pensive. Je l'ai connu il y a une dizaine d'années, quand on enseignait tous les deux dans une petite école de Montréal-Est. À cette époque, il avait la réputation d'être un sacré bon prof.

— Et c'est la polyvalente qui l'a changé comme ça ? voulut savoir Gilles.

— Non, c'est son salaire.

— Son salaire ?

— En 1970 ou 1971, la commission scolaire lui a envoyé une lettre officielle l'informant qu'elle ne reconnaissait plus ses dix-huit ans de scolarité. Il paraît que le bureau du personnel venait de se rendre compte que la plupart de ses diplômes n'avaient rien à voir avec l'enseignement. Il n'avait qu'un brevet B d'enseignement et des certificats inutiles. On ne lui accordait plus que treize ans de scolarité. Du jour au lendemain, son salaire a été coupé du tiers et, en plus, on l'a obligé à rembourser ce qu'il avait perçu en trop durant les deux années précédentes.

— Il ne s'est pas défendu ?

— Oh oui ! Il a demandé de l'aide au syndicat, sauf qu'on lui a répondu que la commission scolaire avait le droit de faire ça. Tu aurais dû le voir ensuite ! Au lieu de se taire, il a raconté, à sa façon, son histoire à tous ses élèves en classe. Il leur a même promis qu'il partagerait avec eux la différence entre le salaire qu'il touchait et celui auquel il disait avoir droit si la commission scolaire le remboursait.

— C'était brillant !

— Tu peux le dire. Ça n'a pas pris beaucoup de temps avant que Lauzon, le directeur, soit noyé sous les coups de téléphone de parents réclamant des éclaircissements et il paraît que le commissaire du district en a reçu sa part.

— Qu'est-ce qui s'est passé ensuite ?

— Laramée a été convoqué au bureau du personnel pour s'expliquer. Il a reçu un blâme sévère et il aurait même été renvoyé si le syndicat n'était pas allé plaider sa cause. À partir de là, l'enseignement n'a plus eu l'air de l'intéresser. À l'école, il avait déjà commencé à ralentir sérieusement depuis sa coupure de salaire et, quand il a été envoyé ici, il a complètement cessé de travailler.

— C'est quand même incroyable, jugea Gilles, abasourdi. Il n'y a qu'à Montaigne qu'une chose pareille est possible.

Chaque fois qu'il croyait avoir atteint les limites de l'absurde, un nouvel incident venait lui rappeler qu'il n'avait pas fini de s'« émerveiller » du fonctionnement de cette polyvalente.

Gaétane Rioux haussa les épaules et grimaça de douleur après avoir soufflé sur sa paume rougie.

— Maudit ! La main me chauffe sans bon sens, se plaignit-elle en se levant. Je pense que je suis mieux d'aller voir l'infirmière. En tout cas, tu peux être certain que je prends une journée de congé demain.

Alors que l'enseignante quittait la salle des professeurs, Gilles songea que si une pareille mésaventure lui était arrivée, il aurait tout fait pour ne pas donner un congé aux coupables et leur aurait fait payer cher, et sur-le-champ, leur mauvais coup.

Prosper Desjean, lui, ne laissa pas le geste impuni. Contrairement à Denis Casavant, il était très strict sur la discipline. Tous les élèves du groupe de Gaétane Rioux furent convoqués à trois heures quarante dans le même local et tout absent fut menacé d'une longue suspension.

Après avoir fermé la porte de la classe, Desjean prévint la trentaine d'adolescents mécontents qu'il les garderait en retenue aussi longtemps que le ou les coupables ne se seraient pas dénoncés. En attendant un geste honorable du ou des responsables, il imposa un long travail de transcription à tout le groupe. Rusé, il se retira quelques instants dans le couloir pour laisser les jeunes régler le problème entre eux. Quand il rentra en classe, un escogriffe l'attendait debout près de la porte. C'était le coupable.

Le directeur de niveau renonça donc à punir tout le groupe. Il renvoya les élèves chez eux. Le coupable, un dénommé Antonio Belli, fut suspendu trois jours. Desjean exigea qu'il se présente à l'école en compagnie de ses parents à la fin de sa suspension et qu'il fasse ses excuses à sa professeure.

Trois jours plus tard, à midi, il alla chercher Gaétane Rioux qui était en train de dîner en compagnie de son mari dans la salle des professeurs de secondaire 2.

— Madame Belli et son fils sont à la porte de mon bureau. Antonio veut s'excuser.

— Je suis en train de manger, répondit la femme avec humeur.

— Ce ne sera pas long, plaida-t-il.

L'enseignante le suivit de mauvaise grâce. Elle n'avait absolument pas envie de revoir celui qui lui avait brûlé la main. Ils retrouvèrent la mère et le fils devant la porte du bureau du directeur de niveau.

Madame Belli était une matrone toute de noir vêtue, aussi large que haute. Elle atteignait à peine l'épaule de son fils. Elle semblait un peu intimidée par la polyvalente.

Desjean déverrouilla la porte de son bureau et invita tout le monde à entrer dans la petite pièce.

— Pourquoi mon Antonio a eu trois jours de congé ? s'enquit la grosse femme au fort accent italien, sans prendre la peine de s'asseoir.

— Ce n'était pas un congé, madame, c'était une suspension.

Debout derrière son bureau, le directeur de niveau lui expliqua brièvement ce que son fils avait fait. Madame Belli, stupéfaite, considéra un instant la paume bandée de Gaétane Rioux. Son fils, lui, se dandinait à ses côtés, visiblement mal à l'aise.

Sans prévenir, la femme, rouge de colère, pivota vers son garçon et le gifla brusquement, ce qui le fit reculer de deux pas. Les yeux du grand adolescent se remplirent de larmes.

Sidérés, Gaétane Rioux et Prosper Desjean purent voir les doigts de la mère bien imprimés sur la joue du coupable.

— Attends d'être revenu à la maison ! lui promit-elle d'un ton menaçant. Si jamais il fait encore le fou, vous m'appelez tout de suite, pria-t-elle les deux adultes présents dans la pièce. Je vais m'en occuper, moi. Excuse-toi, imbécile !

Antonio demanda pardon d'une voix faible et Gaétane Rioux ne put qu'accepter ses excuses. La mère de son élève lui avait réservé le traitement qu'elle rêvait de lui infliger depuis l'incident.

Durant la dernière semaine d'octobre, le conseil étudiant de la polyvalente fit des pieds et des mains pour persuader la direction de Montaigne de la nécessité d'organiser une grande fête pour célébrer l'Halloween. Après quelques tractations, il fut décidé que les enseignants allaient « sacrifier » l'après-midi du dernier jour 8 du mois pour permettre aux adolescents de danser tout leur soûl.

Le plus difficile, évidemment, fut de faire accepter aux professeurs de se voir enrôler de force dans la surveillance de cette activité.

— C'est quoi cette maudite niaiserie-là ? s'indigna Michel Tondreau, hors de lui, après avoir lu le message laissé sur son bureau, comme sur celui de ses confrères. Une danse des jeunes !

Jérôme Rivest, occupé à lire la rédaction de l'un de ses élèves, leva la tête.

— Oui. Demande expresse du conseil étudiant.

— N'importe qui sait bien qu'il n'y en aura pas deux cents sur les deux mille qui vont aller à cette danse-là. C'est ridicule !

— On n'avait pas le choix, le coupa Rivest avec impatience. En plus, on leur a permis de venir déguisés à l'école cette journée-là. Loiselle a même accepté d'organiser un concours du meilleur costume.

— Comment ça se fait qu'on n'ait pas été consultés là-dessus ? protesta encore Tondreau, dressé sur ses ergots comme un vrai coq devant le représentant des enseignants de secondaire 3 au CPE.

Rivest gratifia le petit homme d'un regard dédaigneux avant de laisser tomber :

— On n'a pas à vous consulter. On a été nommés pour vous représenter et c'est ce qu'on a fait.

— C'est fin en maudit, ça ! Un bel après-midi de jour 8 de perdu !

— Vous jouerez au bridge un autre jour, rétorqua sèchement le professeur de français avant de se replonger dans sa correction.

Le visage de Tondreau vira au rouge brique avant qu'il explose :

— Ça, c'est pas de tes maudites affaires, ce qu'on fait dans nos temps libres ! On a le droit de jouer au bridge pendant notre heure de dîner n'importe quand, insista-t-il en prenant comme témoins Denis Casavant, Germain Coulombe et Jean-Paul Rousseau, ses partenaires habituels.

— Ben, alors, je ne vois pas pourquoi tu t'énerves, le railla Rivest en souriant. Je ne pense pas qu'on te fasse surveiller pendant le dîner. L'activité commence à une heure trente.

— Tu sauras que j'avais des reprises d'examens prévues cet après-midi-là.

Rivest afficha un air exagérément dubitatif.

— Tu feras comme nous autres, finit-il par dire. Tu déplaceras tes reprises au jour 4.

Vaincu, le professeur de mathématiques retourna à sa place en grommelant tandis que son interlocuteur quittait les lieux.

Dès que la nouvelle de l'activité fut connue à Montaigne, il y eut une effervescence extraordinaire. On sentait que les élèves étaient impatients d'échapper, ne fût-ce que quelques heures, à la grisaille de cet automne qui s'étirait.

Le matin du jour 8, chaque enseignant reçut son assignation à un poste de surveillance pendant que les premiers élèves déguisés faisaient leur apparition dans les couloirs de la polyvalente. Il régnait une joyeuse animation ponctuée de cris et de rires quand on reconnaissait soudainement un ou une camarade.

— Tu ne t'es même pas déguisé ? reprochèrent certains adolescents à Gilles en le voyant apparaître à la porte de sa salle de cours, vêtu comme d'habitude.

— Non, mais vous autres, je m'attendais à ce que vous vous déguisiez aujourd'hui en élèves modèles. C'est vrai que j'aurais risqué de ne pas vous reconnaître…

Les jeunes rirent de sa boutade et Gilles parvint à donner ses cours de la matinée à peu près normalement. Quand midi sonna, il était vraiment temps de libérer les adolescents tant ils piaffaient d'impatience à l'idée de s'amuser.

Gilles alla dîner à son bureau de la salle des professeurs, ayant en tête de revenir en classe pour corriger des travaux en attendant son heure de surveillance.

— D'après moi, il n'y aura presque pas d'élèves à la danse, présuma Jean-Paul Rousseau en tenant un plateau sur lequel étaient déposés une assiette de pâté chinois et un beignet qu'il venait d'acheter à la cafétéria. Ils s'en vont à pleines portes.

— Est-ce qu'on joue en mangeant ? proposa Germain Coulombe en exhibant un jeu de cartes.

— Casavant est en réunion en bas, les informa Michel Tondreau. Sylvain, viens-tu prendre sa place ?

Sans se faire prier, Sylvain Brisset alla rejoindre ses trois confrères en train de s'asseoir à l'une des tables disposées au fond de la salle.

— Tu dînes avec nous autres ? s'étonna Jacqueline Saint-Onge devant Gaétane Rioux, qui sortait un sandwich d'un sac en papier brun.

— Mon mari est absent aujourd'hui, expliqua-t-elle.

— Qu'est-ce qu'il a ?

— Une grippe. Mais tu connais les hommes : le moindre petit bobo et ils sont en train de mourir. Une chance que les femmes ne sont pas comme ça !

— Tu peux le dire ! Tiens, ça me fait penser à quelque chose : as-tu un élève nommé Labrie dans un de tes groupes ? l'interrogea l'enseignante de religion à brûle-pourpoint.

— Oui, le maudit fatigant !

— Ça ne me surprendrait pas qu'il ait mal à une main aujourd'hui.

Gilles dressa l'oreille. Il connaissait André Labrie pour l'avoir souvent vu se quereller avec certains de ses élèves.

— Qu'est-ce qui lui est arrivé ? la questionna Gaétane Rioux en prenant une première bouchée de son sandwich.

— Ce matin, à la première période, une de mes élèves est venue se plaindre qu'un gars d'un groupe d'anglais avait fait un trou dans le mur en liège qui sépare ma classe de celle de Claude et qu'il s'amusait à essayer de l'atteindre avec sa règle.

— Qu'est-ce que tu as fait ?

— J'ai enlevé la fille de là et quand le petit comique a passé sa main dans le trou en tenant sa règle, je lui ai donné un bon coup de pied… en tout cas, assez fort pour le faire crier.

— Loiselle n'a rien dit ?

— Tu le connais. Il est venu frapper tout de suite à ma porte pour me demander ce qui se passait. Je lui ai expliqué ce que son élève faisait. Tu sais ce qu'il a eu le front de me dire devant tous mes élèves ?

— Non.

— "C'est sauvage ce que t'as fait là !" s'offusqua la petite femme en singeant son collègue.

— Et puis ?

— Je l'ai envoyé au diable, et je peux te garantir qu'il n'a pas aimé ça.

Gilles avait écouté sans intervenir, en ne perdant toutefois pas un mot de cette histoire. Il n'en revenait pas : chaque fois qu'il avait le sentiment de s'intégrer un peu à sa nouvelle vie, il y avait toujours quelque chose de totalement insensé qui surgissait et le ramenait aussitôt à sa morosité. Ces aberrations étaient-elles propres à Montaigne, ou bien était-ce la norme dans ces usines à enseigner ? Jamais il n'aurait pu imaginer qu'un professeur de René-Goupil frappe un élève. S'il avait fallu que ça se produise, il n'osait même pas penser aux conséquences, et ce, en dépit du syndicat. L'enseignant aurait été réprimandé, certainement suspendu, peut-être même renvoyé.

Il allait raconter tout ça à Mylène, de retour chez lui ; ça la ferait sans doute bien rire. Puis, soudain, il se ravisa. Mieux valait ne pas l'inquiéter, étant donné les circonstances : sa grossesse, leurs filles et un mari pas toujours drôle depuis quelque temps. Cette dernière pensée provoqua en lui un bref *mea culpa*, qu'il évacua assez vite en décidant qu'il passerait chez le fleuriste, avant de rentrer. Car ainsi sont les hommes, qui croient qu'un bouquet peut acheter la paix, soulager la peine et effacer la rancœur.

À une heure trente, Gilles quitta sa salle de cours et descendit au rez-de-chaussée. Il prit place devant l'une des portes d'entrée de la polyvalente. Selon la feuille des surveillances, trois autres enseignants auraient dû se joindre à lui, mais il était seul.

Durant la demi-heure suivante, des dizaines d'élèves, avec ou sans déguisement, entrèrent et se dirigèrent vers le grand gymnase d'où s'échappait une musique assourdissante.

Le professeur de français vit René Martel, l'agent de sécurité, s'avancer dans sa direction en s'essuyant le visage avec un large mouchoir.

— C'est écœurant comme il fait chaud là-dedans ! soupira-t-il d'un air dégoûté en pointant le gymnase. Toi, tu l'as, la *job* ! T'es tranquille, ici.

Gilles ne put qu'acquiescer en souriant. Il se décida à tutoyer le gardien puisque lui-même se le permettait à son endroit.

— Il doit y avoir pas mal de surveillants avec toi dans la salle.

— Oh ! Pas plus que trois ou quatre !

— Voyons donc ! protesta Gilles en tirant de sa poche un document. Ici, c'est marqué qu'il doit y en avoir dix dans la salle et six aux portes de la salle.

— Combien est-ce qu'y est supposé en avoir aux portes d'en avant où t'es ? demanda Martel avec un petit sourire malin.

— Euh… quatre.

— Pis t'es tout seul. Dans le gymnase, je te jure qu'y en a pas plus que quatre. À Montaigne, c'est toujours la même chose. Quand il y a une activité, les surveillances ne se font pas. Le jour où il y aura un accident grave, le prof qui ne sera pas à son poste va se faire taper sur les doigts et ce sera bien fait pour lui, marmonna l'homme avant de s'éloigner.

Une heure plus tard, quand Gilles s'arrêta dans la salle des professeurs pour aller chercher son manteau, il vit les quatre joueurs de bridge confortablement installés à la même table alors qu'ils auraient dû effectuer leur tour de surveillance. Il ne put se retenir de leur faire remarquer :

— Dites donc, vous n'avez pas une surveillance à faire ?

Michel Tondreau retira la cigarette qui se consumait au coin de sa bouche avant de répliquer :

— Pourquoi on descendrait ? Ils sont déjà ben assez nombreux pour faire la *job*.

— Ouais, confirma Jean-Paul Rousseau, on ferait juste se nuire si on y allait.

Gilles préféra ne pas insister.

Aussi surprenant que ça puisse paraître, aucun membre de la direction ne remarqua l'absence de plus de la moitié des surveillants durant l'activité. Personne n'osa blâmer les fautifs de ne pas avoir été sur les lieux pour séparer les belligérants lors des deux bagarres qui éclatèrent à la fin de l'après-midi.

— Comment ça se fait que la direction ne réagisse pas en constatant que tant de profs ne font pas leur boulot ? demanda Gilles à Gaétane Rioux, le lendemain matin, quand sa collègue lui raconta comment avait pris fin la fête des élèves.

— Tout d'abord, il faudrait que le directeur et ses adjoints soient là et participent à l'activité. Mais ils en profitent plutôt pour tenir leurs maudites réunions de gestion pendant ce temps-là. À les voir se réunir aussi souvent, on a presque l'impression qu'ils gèrent une compagnie aussi grosse que GM.

— La direction est peut-être en tort ; mais toi, tu ne penses pas que certains profs exagèrent, eux aussi ?

Gaétane Rioux se braqua soudain.

— Non ! Il y a des profs qui détestent surveiller. Moi-même, je n'ai pas fait ma surveillance. Ça ne me tentait pas. Je n'étais pas pour le faire pendant que d'autres se reposaient. Je ne suis pas folle !

Incrédule, Gilles allait ajouter quelque chose, puis il se ravisa et opta pour le silence. Sa collègue le regardait droit dans les yeux, comme si elle le mettait au défi. Il était sur le point de repartir, mais il se retourna brusquement et dit :

— Alors, comment tu savais, pour les bagarres ?

— Claude m'a raconté tout ça quand je suis arrivée ce matin.

L'enseignant se contenta de hausser les épaules. Celle dont il avait cru se faire une alliée n'était pas vraiment mieux que les autres, finalement.

6
La grève

Deux jours après la fête de l'Halloween, les enseignants prirent connaissance d'une convocation à une réunion syndicale dans une salle louée au deuxième étage des Galeries d'Anjou. Il s'agissait de la troisième convocation en huit semaines.

— Pas encore une réunion ! s'impatienta Georges Martin.

— Oui, à quatre heures trente, confirma Sylvain Brisset qui venait de distribuer les documents.

— Et pourquoi, celle-là ?

— Georges, figure-toi donc qu'on est en pleine négociation pour une nouvelle convention collective, au cas où tu l'aurais oublié… Depuis le mois de mai, il ne se passe rien. Non seulement le gouvernement ne veut pas accorder les augmentations de salaire demandées par la CEQ, mais en plus, il cherche à couper.

— Et l'ordre du jour prévoit quoi ? questionna Gilles, peu friand de ce genre de réunion après les heures d'enseignement.

— On va nous présenter les derniers développements dans la négociation et c'est ce soir qu'on va voter pour la grève. C'est pour ça que c'est important que vous soyez tous présents. À la dernière réunion, si on avait voulu voter, on n'aurait jamais pu parce qu'il n'y avait pas quorum.

— Moi, ce qui me fatigue avec notre syndicat, c'est qu'il prend toujours les mêmes moyens pour obtenir ce qu'il veut, se plaignit Denis Casavant.

— Pourquoi tu dis ça ? l'interrogea Brisset, sur la défensive.

— Voyons, Sylvain, tu le sais aussi bien que moi ! Quand le conseil d'administration veut faire passer quelque chose, il s'arrange pour étirer la réunion jusqu'à ce qu'il ne reste que les plus fanatiques. Là, il passe au vote et ça réussit chaque fois.

— À ça, il n'y a qu'un remède, trancha Brisset. Les gens n'ont qu'à attendre le vote ou à exiger qu'il ait lieu plus tôt.

Les deux adjoints du délégué syndical durent se montrer aussi persuasifs que lui, car près des trois quarts du corps enseignant de Montaigne assistèrent à la réunion. Après avoir montré patte blanche à l'entrée, les professeurs se regroupèrent tant bien que mal au fond de la salle déjà bondée. La chaleur dégagée par toutes ces personnes ainsi que la fumée de cigarette rendait l'air presque irrespirable.

Gilles aperçut un groupe d'enseignants de René-Goupil assis tout près d'eux. Il demanda à son voisin, Denis Casavant, de lui garder sa place, le temps d'aller saluer ses ex-collègues.

Depuis deux mois, le professeur de français résistait à l'envie d'aller leur rendre visite. La petite école et ses anciens camarades lui manquaient cruellement. En les voyant rassemblés, quelques rangées devant lui, il prenait soudainement conscience de son attachement encore fort pour son précédent environnement de travail.

L'enseignant se leva et se fraya un chemin jusqu'au groupe de professeurs de René-Goupil, qui manifestèrent beaucoup de joie à le revoir. Gilles était curieux d'avoir des nouvelles de son ancienne école, et il posa mille et une questions à ses collègues. Il écouta avec plaisir les anecdotes et les petites mesquineries sur la direction que ses ex-confrères lui racontaient avec bonne humeur. Quand il fut interrogé sur sa nouvelle vie, Gilles se garda bien de leur avouer à quel point René-Goupil lui manquait. Par orgueil, sans doute, il préféra faire comme si tout allait bien.

Ils purent discuter jusqu'à ce que le président du syndicat, Yvan Morin, demande le silence. L'homme était déjà installé à la tribune depuis quelques minutes et tenait un conciliabule avec l'avocat du syndicat et les membres de son conseil d'administration.

Après avoir obtenu non sans mal le silence, le président fit le point sur les écarts existant entre les demandes syndicales et les dernières propositions patronales. Ensuite, il parla longuement de la mauvaise foi des négociateurs gouvernementaux et du fait que la plupart des syndicats locaux iraient chercher un mandat de grève auprès de leurs membres au cours de la semaine. Ce ne serait peut-être pas le front commun du début des années 1970, mais les soixante mille professeurs regroupés dans la Corporation des enseignants du

Québec, la CEQ, étaient en mesure de faire bouger le gouvernement, selon ses dires. Finalement, Yvan Morin déclara que le but de la réunion était de voter pour la grève, l'unique moyen, selon lui, d'obtenir de meilleures offres du gouvernement.

— Ceux qui veulent s'exprimer sur le sujet peuvent se présenter à l'un ou l'autre des deux micros placés au centre des allées, conclut le président avant de s'asseoir.

Immédiatement, les micros furent pris d'assaut par plusieurs enseignants soucieux de partager avec leurs collègues et les membres du conseil d'administration ce qu'ils pensaient de la stratégie adoptée par la CEQ.

Le premier à prendre la parole fut Laurier Simoneau, un ancien confrère de Gilles. L'enseignant à la chevelure blonde frisée était bien connu pour ses prises de position antisyndicales, probablement, disaient les mauvaises langues, parce qu'il visait un poste d'adjoint à la commission scolaire.

— Pas encore lui ! se rebiffa une voix derrière Gilles.

Il y eut quelques huées quand Simoneau s'avança pour parler à l'un des micros.

— Monsieur le président, je suis membre du syndicat, déclara le professeur d'une voix forte et claire. À ce titre, il me semble que j'ai le droit d'exprimer mes opinions, affirma-t-il sur un ton provocateur.

Morin fit taire les sifflets qui avaient repris de plus belle.

— Monsieur le président, continua Simoneau, j'aimerais d'abord vous faire remarquer que l'Alliance des professeurs de Montréal, de loin le plus gros syndicat d'enseignants de la province, a voté contre la grève la semaine passée.

— C'était leur droit, commenta Morin.

— Peut-être ont-ils refusé la grève parce qu'ils estiment que ça ne leur rapportera rien de débrayer à cette étape-ci des négociations…

— C'est une interprétation.

Un nouveau concert de protestations se fit entendre.

— Silence ! ordonna Morin. Laissez parler notre confrère.

— Pour ma part, je pense – et je ne suis pas le seul – que vous adoptez beaucoup trop vite un moyen extrême. Je ne comprends pas pourquoi vous ne suivez pas une certaine progression dans vos moyens de pression.

Un important brouhaha remua l'assistance.

— Comme quoi, par exemple ? relança Morin, assez fort pour couvrir les voix.

— Ne me faites pas parler pour rien, protesta Simoneau. Vous savez comme moi que faire une grève du zèle, retenir les notes des élèves, refuser de participer à tous les comités et ne plus animer les activités parascolaires font souvent bien plus mal à la commission scolaire qu'une grève dans laquelle on perd tous de l'argent.

— Merci, monsieur Simoneau. Nous avons pris bonne note de vos suggestions, l'arrêta Morin.

Quelques huées s'élevèrent de nouveau, suivies de rires, et Simoneau, l'air mécontent, céda sa place.

Les trois intervenants suivants émirent des avis qui allaient dans le même sens que celui de leur prédécesseur. Ensuite, une jeune femme aux allures de hippie s'empara d'un des micros et apostropha le président :

— D'après vous, est-ce qu'on s'en va vers une grève d'une journée ou deux, ou bien vers une grève qui va durer des semaines ?

— C'est impossible à prévoir, répondit laconiquement Morin.

— Le problème, c'est que l'année vient à peine de commencer et que les finances de la plupart des enseignants sont à sec, poursuivit la jeune femme.

— Il va y avoir un fonds de grève, intervint la trésorière du syndicat en se penchant vers le micro tenu par le président.

— À combien va-t-on avoir droit par semaine ?

— Notre fonds n'est pas très important, avoua la trésorière. On pense être en mesure de remettre environ vingt dollars par semaine à chaque enseignant.

Un tollé de protestations éclata dans la salle à l'annonce de ce chiffre, jugé ridicule, et plusieurs personnes s'avancèrent dans les allées pour se rapprocher des micros avec l'intention d'exposer leur façon de penser. Le premier à s'exprimer fut Joseph Comtois, visiblement furieux.

— Comment ça, juste vingt dollars par semaine ? éructa le professeur d'arts plastiques de Montaigne. On paie plus de cinq cents dollars par année en cotisations syndicales ! Où est-ce que tout cet argent-là est passé ?

Le président peina à rétablir l'ordre tellement l'assistance était survoltée.

— N'oubliez pas, allégua Morin, que la plus grande partie de vos cotisations sert à défendre vos droits.

Si vous voulez savoir comment cet argent est dépensé, vous n'avez qu'à consulter les états financiers qu'on vous a remis au début du mois de septembre.

— Ne nous faites pas rire, le coupa un solide gaillard installé à l'autre micro. Moi, je les ai étudiés, vos états financiers. Le plus gros poste de dépenses, et de loin, s'appelle Frais généraux, et il n'y a aucun moyen de savoir ce que ça cache.

Une femme au chignon poivre et sel, qui avait pris le relais de Joseph Comtois au micro, finit par avoir l'occasion de s'exprimer.

— Peut-être y aurait-il plus d'argent dans les caisses si nos chers élus syndicaux se payaient moins de chambres d'hôtel, de bons repas et recevaient moins pour leurs frais de déplacement !

De nombreux applaudissements saluèrent l'intervention. Le président, sentant le dérapage, reprit la parole après avoir brièvement consulté les membres du conseil d'administration.

— Le but de la réunion est de faire le point sur les négociations et de voter la grève. Mais si vous croyez que les membres de votre conseil d'administration remplissent mal le mandat que vous leur avez confié et qu'ils ne sont là que pour s'engraisser à vos frais, nous sommes prêts à démissionner en bloc sur-le-champ.

Un silence lourd tomba instantanément sur la salle.

— Quelqu'un veut-il proposer un vote sur notre démission ? tonna Morin, le regard perçant, debout derrière la table, sur l'estrade.

Personne ne broncha.

— J'en déduis que nous avons encore toute votre confiance pour vous représenter. Nous allons donc revenir au vote de grève. Quelqu'un a-t-il quelque chose à ajouter sur le sujet?

Un homme imposant s'avança pesamment vers le micro installé dans l'allée de gauche. Avant de prendre la parole, il consulta des notes sur un bout de papier.

— Moi, je pense que le moment est plutôt bien choisi pour donner un mandat de grève à la CEQ. C'est sûr que ça ne me fait pas plaisir de perdre de l'argent. Je suis comme tout le monde: j'ai des comptes à payer. Seulement, ça a tout l'air que c'est la seule façon d'obtenir une augmentation de salaire décente du gouvernement péquiste. Moi, je vais voter pour la grève.

Quand Gilles pensa qu'on allait enfin procéder au vote, de nombreux intervenants, favorables ou défavorables à une grève, tinrent à donner leur avis. À six heures du soir, il était encore impossible de deviner de quel côté la balance allait pencher. Ce qui était clair, par contre, c'était que le conseil d'administration était favorable à la grève et cherchait à obtenir un mandat clair et fort de la part des syndiqués de la commission scolaire Des Érables.

— S'ils ne se décident pas à passer au vote, chuchota Gilles à son voisin, je m'en vais. Je ne vais pas rester toute la soirée à niaiser ici.

— Attends, voilà Loiselle au micro, indiqua Denis Casavant en lui montrant leur confrère, campé au centre de l'allée voisine.

Assise à ses côtés, Anne Leduc discutait à voix basse avec Jacqueline Saint-Onge.

— J'ai une question qui s'adresse à tout notre conseil d'administration, annonça le professeur d'anglais d'une voix forte.

— On t'écoute, Claude, confirma le président qui semblait bien le connaître.

— Si nous votons la grève ce soir, est-ce que ça signifie que les membres du conseil d'administration vont renoncer à leur salaire aussi longtemps que nous ne serons pas retournés au travail ?

Morin resta bouche bée, comme un poisson sorti de l'eau qui cherche de l'oxygène. Il avait les yeux ronds et le visage empourpré.

Plusieurs éclats de rire résonnèrent dans la salle.

— Ce serait plus juste comme ça, non ? poursuivit Loiselle, imperturbable. Si vous êtes, comme nous, privés de votre salaire pendant la grève, ça pourrait vous pousser dans le dos pour signer la convention collective au plus vite. Qu'est-ce que vous en pensez ?

Une salve d'applaudissements salua la demande et Loiselle regagna tranquillement sa place sans attendre la réponse, ravi d'avoir été la vedette de la réunion quelques instants.

— Bon, je crois qu'il est assez tard et qu'il est temps de voter, décida Morin, encore désarçonné par la suggestion de l'enseignant.

Il fallut presque une heure pour tenir le vote et dépouiller le contenu des boîtes de scrutin. Pendant ce temps, près du quart des personnes présentes, à bout de patience, prirent le chemin de la sortie.

Ce fut donc devant une assemblée amputée d'une partie importante de ses membres qu'Yvan Morin annonça d'une voix triomphale:

— Alors voilà le résultat: trois cent trente-deux pour et cent quatre-vingt-huit contre. Dans un pourcentage de 64 %, les syndiqués de Des Érables ont donc confié à la CEQ le mandat de déclencher la grève au moment jugé opportun.

L'annonce des résultats fut accueillie sans enthousiasme. Dans certains coins de la salle, elle souleva même du mécontentement et des récriminations. Les enseignants ne s'en levèrent pas moins tous ensemble dans un bruit de raclements de pieds de chaises, soudainement pressés de rentrer chez eux.

— S'il vous plaît! cria le président, debout sur l'estrade. Avant de partir, je vous rappelle que chaque délégué syndical mettra en place, si ce n'est pas déjà fait, une chaîne téléphonique dans son école. Celle-ci entrera en fonction dès que la grève sera déclenchée.

— Ça va être beau à voir, cette grève-là, nota Jean-Paul Rousseau qui marchait derrière Denis Casavant et Gilles. Avec 64 %, il va y avoir du tiraillage, vous pouvez me croire!

— Moi, en tout cas, je me souviens encore de la grève de 1976, raconta Casavant en tournant la tête vers son confrère. Tu te rappelles, Jean-Paul? Il y a eu des chicanes qui ont duré des mois. Certains profs ne se parlent plus depuis ce temps-là. Pourtant, 86 % avaient voté pour la grève. Imagine ce qui va se passer maintenant…

Gilles se souvenait encore très bien de cette dernière grève. À René-Goupil, il n'y avait pas eu de querelles. Les quelques dissidents s'étaient efforcés de faire front commun avec les autres et s'étaient présentés devant le piquet de grève par solidarité. Fidèle à lui-même, Adrien Pomerleau, le directeur, avait eu pitié de ses enseignants qui gelaient dehors en ce froid mois de décembre. Il arrivait le premier chaque matin à l'école pour leur préparer une pleine cafetière de bon café fumant et leur apporter près de la porte d'entrée. Il ne se gênait pas pour inviter les grévistes à venir se réchauffer quelques minutes à l'intérieur quand ils en avaient envie. Les enseignants lui en avaient été reconnaissants, d'autant plus que tous savaient pertinemment qu'il bravait ainsi les directives très strictes de la direction générale de la commission scolaire.

Lorsqu'il rentra chez lui après la réunion, Mylène constata sans peine, à son air piteux, que la perspective de cette grève tracassait Gilles. Son salaire n'avait rien de pharaonique et ils géraient tous deux un budget on ne peut plus serré. Nourrir et habiller deux enfants, bientôt trois, en plus de payer les traites mensuelles de leur maison ne leur laissait pour ainsi dire aucune marge de manœuvre. Une grève qui s'éterniserait aurait des répercussions sérieuses sur les finances familiales.

Ce soir-là, Gilles s'efforça de dédramatiser la situation afin de ne pas inquiéter Mylène dont l'accouchement était prévu au milieu du mois suivant. Malgré ses tentatives pour alléger l'atmosphère et se montrer charmant, les plis qui barraient le front de Gilles dès qu'il se croyait à l'abri du regard de sa femme étaient révélateurs. Mylène, qui le connaissait mieux que quiconque, vint le retrouver au salon après avoir couché leurs filles.

— Tu sais qu'on en a vu d'autres et qu'on s'en est toujours sortis, le rassura-t-elle en s'asseyant sur ses genoux.

Il entoura les épaules de sa femme d'un bras et lui caressa la joue après avoir écarté une mèche de cheveux qui tombait sur ses yeux.

— Je sais bien, mais…

Mylène plaça son index sur les lèvres de son mari.

— Tu te rappelles ?

Il sourit.

— Oui, oui, bien sûr.

— Alors, dis-le, lui ordonna-t-elle, une lueur malicieuse dans les yeux.

Le sourire de Gilles s'élargit et il soupira. Elle l'encourageait du regard.

— Allez !

Vaincu et obéissant, il obtempéra :

— … l'amour triomphe de tous les obstacles.

Ils s'enlacèrent et Gilles retrouva un peu de paix et d'optimisme.

Les enseignants de Montaigne ne songeaient plus au mandat de grève qui avait été confié à leur syndicat. Ils agissaient comme si cette épée de Damoclès n'était pas suspendue au-dessus de leur tête. Seul Raymond Garand affichait en permanence un air de martyr.

Puis, très tôt le premier mardi matin de novembre, la chaîne téléphonique se mit en branle. Les hautes instances de la CEQ avaient décidé de déclencher la grève. Le mot d'ordre était qu'on voulait voir tout le monde au piquet de grève dès sept heures trente, tant par esprit de solidarité que pour empêcher les élèves et certains membres du personnel d'entrer dans la polyvalente.

À contrecœur, Gilles monta dans sa Chevrolet et prit la direction de Montaigne. Une petite pluie froide poussée par un vent du nord glaçant tombait en rideau. À la radio, les commentateurs s'en donnaient à cœur joie et parlaient abondamment du débrayage des enseignants dans la plupart des commissions scolaires de la province. Vers six heures du matin, les dirigeants de la CEQ avaient fait parvenir un communiqué aux médias. On attendait avec impatience la réaction du gouvernement devant cet arrêt général de travail.

À son arrivée dans le vaste stationnement de Montaigne, Gilles s'aperçut qu'il était parmi les premiers : il n'y avait que quatre voitures à l'écart. Il décida de demeurer à l'abri dans son véhicule à attendre un plus grand nombre de ses collègues. Pour s'occuper, il sortit des travaux d'élèves de son porte-documents et se mit à les corriger.

Quelques minutes plus tard, il sursauta violemment quand quelqu'un frappa contre son pare-brise.

— Tu dors, Gilles ! le héla Sylvain Brisset. Viens marcher, ça va te réveiller.

L'enseignant constata alors qu'une trentaine de ses confrères étaient arrivés et qu'ils avaient commencé à déambuler sur le trottoir longeant la façade de la polyvalente pour se réchauffer. Quelques-uns brandissaient sans enthousiasme des pancartes fournies par la CEQ. Les conversations allaient bon train et de petits groupes se formaient.

— J'espère qu'on va être plus nombreux que ça, confia Gilles à Brisset en s'extirpant de sa Chevrolet. On ne sera jamais assez pour bloquer toutes les portes et empêcher les élèves d'entrer.

La remarque était, bien sûr, ironique, et Gilles fut surpris d'entendre son collègue lui répondre le plus sérieusement du monde :

— Ne t'inquiète pas avec ça. Je viens de parler à Martel. Il va déverrouiller les portes d'en avant seulement. Toutes les autres resteront cadenassées. La direction n'a pas plus envie que nous autres de voir l'école envahie par des élèves laissés sans surveillance.

— Et parlant de la direction, justement, qu'est-ce que le syndicat a prévu ? demanda Gilles quand la Toyota grise de Raymond Garand entra dans le stationnement.

— Regarde, ses adjoints l'attendaient dans leurs autos. Viens, tu vas voir.

Les deux hommes se dirigèrent vers les piqueteurs qui venaient de se regrouper en voyant les trois adjoints et le directeur s'avancer vers eux. Ils se placèrent devant les portes de l'établissement. Brisset rejoignit ses troupes au moment où toute l'équipe de direction arrivait devant les portes.

— Vous allez nous empêcher de passer, je suppose ? dit Garand à Brisset qui s'était détaché du groupe.

— Pas du tout, monsieur le directeur. On vous laisse passer avec plaisir, répliqua le délégué syndical en faisant signe à ses confrères d'ouvrir les rangs. Comme vous êtes payés par la commission scolaire, ce ne serait pas honnête de vous obliger à aller vous reposer à la maison.

Un éclat de rire suivit la boutade. Les adjoints se regardèrent, un peu dépités de devoir aller travailler dans pareilles circonstances. Ils avaient probablement espéré être refoulés à la porte.

— Et les secrétaires ?

— La même chose.

Le directeur et ses adjoints se dirigèrent vers les portes de la polyvalente pendant que les manifestants leur tournaient ostensiblement le dos, comme s'ils n'existaient plus. Puis, il y eut un mouvement furtif derrière les quatre hommes avant que les portes se referment sur eux.

Une enseignante de secondaire 4 tourna la tête assez rapidement pour apercevoir deux professeurs qui venaient de se glisser dans l'école derrière les directeurs.

— Eille ! Il y en a deux qui sont entrés, les dénonça-t-elle en pointant du doigt les enseignants qui s'éloignaient rapidement des portes.

On entendit des cris de mécontentement et des menaces dans les rangs.

— Qui est entré ? vociféra Brisset.

— Je pense qu'il y avait Germain Coulombe, cria Claude Loiselle venu rejoindre Gilles et Gaétane Rioux.

— Mon maudit comique, toi ! s'indigna Coulombe en s'écartant du petit groupe auquel il s'était joint pour bavarder. Je suis ici, pas dedans !

— OK, OK, fâche-toi pas, Germain, tenta de le calmer Loiselle en riant. Tout le monde peut se tromper.

— Qui ? répéta Brisset.

— Traversy, de secondaire 4, révéla une femme. Son auto est là, mais il n'est plus ici.

— Oui, Traversy et Brien, confirma une autre voix scandalisée. Ils étaient ensemble, il n'y a pas deux minutes.

— On s'occupera d'eux autres plus tard, déclara Brisset, en colère.

Une vingtaine d'élèves se présentèrent à Montaigne. L'absence d'autobus scolaires et les informations données à la radio les avaient facilement convaincus de demeurer chez eux, bien au chaud. Quelques adolescents se rendirent tout de même à l'école, plus pour voir leurs professeurs faire du piquetage comme de simples ouvriers syndiqués que dans l'intention d'entrer dans la polyvalente. Ils étaient trop heureux de ces vacances inattendues.

Pour les faire fuir, un enseignant proposa à voix haute à ses collègues :

— On a bien assez d'élèves. On devrait entrer dans la polyvalente et leur donner des cours. C'est pour ça qu'ils sont venus, non ?

Les adolescents se dispersèrent comme une volée de moineaux en l'entendant.

— Lâchez pas, cria un élève de secondaire 5 avant de quitter le stationnement. Prenez votre temps. Nous autres, on n'a rien contre les vacances. On aime ça.

Un peu après dix heures, Brisset commença à parler d'horaire de piquetage.

— Il n'est pas nécessaire qu'on passe tous la journée devant les portes, dit-il aux enseignants. On va se diviser en deux groupes. Un groupe va venir le matin, de sept heures à dix heures, pour éviter que du monde comme Brien et Traversy entrent. L'autre groupe viendra piqueter de deux à cinq, pour voir sortir la direction et les *scabs*, s'il y en a encore en dedans.

Avant de quitter les lieux, Gilles prit le délégué syndical à part pour lui expliquer sa situation un peu particulière.

— Écoute, Sylvain. Je pense que je ne reviendrai pas piqueter, à moins que la grève ne dure un bon bout de temps, lui expliqua-t-il. Ma femme va accoucher ces jours-ci. Ma place est bien plus à la maison pour lui donner un coup de main qu'ici.

— Je comprends ça, t'en fais pas. Et même si les allocations de grève ne sont données habituellement qu'à ceux qui viennent piqueter, dans ton cas, il n'y aura pas de problème. Tu les recevras quand même, je m'en charge. Rentre chez toi et va t'occuper de ta femme.

Gilles ne se le fit pas dire deux fois. Lorsqu'il arriva chez lui, Mylène et les deux filles faisaient un somme ; il se rendit au sous-sol et écouta les informations à la radio pour connaître les réactions du public et celles des autorités devant la fermeture de la plupart des écoles de la province.

Le ministre de l'Éducation, grandiloquent, parla de grève illégale qui prenait en otages les enfants du Québec et mettait en danger leur réussite scolaire. Les passants interviewés estimaient, comme souvent, que les professeurs n'avaient aucune raison d'exiger des augmentations de salaire alors qu'ils étaient déjà très bien rémunérés – sans parler de leurs deux longs mois de vacances d'été, un argument qui revenait dans la bouche de bien des gens. Finalement, à la fin de l'après-midi, le premier ministre, René Lévesque, lança un ultimatum aux enseignants : ils devaient retourner dès le lendemain en classe, faute de quoi il laissait planer la menace d'une loi spéciale, probablement déjà en préparation.

Les deux jours suivants, Gilles demeura chez lui, bien content de se changer les idées et de dorloter Mylène qui n'en revenait pas : son mari avait retrouvé le sourire, il était prévenant, l'aidait dans ses corvées… Il lui avait même apporté son petit-déjeuner au lit ! Mylène se disait que cette grève n'avait pas que des inconvénients, finalement. Et même si elle entamait le dernier mois de sa grossesse, l'accouchement ne l'angoissait pas le moins du monde : pour son troisième enfant, elle se sentait aguerrie et les dernières semaines s'étaient déroulées sans problème. Son médecin était satisfait, son mari était satisfait, alors elle était satisfaite !

Gilles, hormis ses petites attentions envers sa femme, s'occupa un peu de préparer son retour en classe. À la radio et à la télévision, les représentants syndicaux et les politiciens au pouvoir s'accusaient mutuellement de mauvaise foi. Malgré tout, les négociations avaient repris sous la surveillance étroite d'un médiateur nommé par le gouvernement.

Puis, le vendredi, comme par miracle, une éclaircie se produisit. On parla d'abord d'un déblocage mineur plutôt encourageant et, de part et d'autre, on déclara avoir la ferme volonté de poursuivre le dialogue tout au long de la fin de semaine.

Le dimanche, à l'heure du souper, la chaîne téléphonique entra en action une fois de plus. Gilles reçut le mot d'ordre de se présenter à Montaigne le lendemain matin à neuf heures: la grève était officiellement terminée. Le gouvernement péquiste avait accepté de considérer ce lundi comme une journée pédagogique afin de permettre aux enseignants de prendre connaissance de l'accord de principe intervenu entre les deux parties. Les autorités annonçaient déjà le retour en classe de milliers de jeunes Québécois dès le mardi matin.

Gilles et Mylène éprouvèrent un immense soulagement en apprenant la nouvelle, qui occupa la plus grande partie des bulletins télévisés de ce frais dimanche soir de novembre. La grève n'avait duré que quatre jours et, si le gouvernement acceptait de ne pas pénaliser les grévistes, ses effets sur le budget familial ne seraient pas catastrophiques. Mylène ressentit malgré tout un petit pincement au cœur en se rappelant qu'avec le travail reviendraient les angoisses et les frustrations de son enseignant de mari. Adieu les petits-déjeuners au lit!

Le lundi matin, une grande effervescence agitait la salle des professeurs de secondaire 3, même s'il était très tôt. Quand Gilles entra dans le local, tout le monde parlait en même temps.

— Qu'est-ce qui se passe ? demanda-t-il à Gisèle Tremblay, déjà installée à son bureau.

— C'est Comtois qui vient de se faire ramasser par Martin.

— Pourquoi ?

— Notre cher Comtois, pour éviter de perdre son salaire durant la grève, a téléphoné à Garand mardi matin de bonne heure pour lui dire qu'il était malade et qu'il avait un billet signé par un médecin.

— Je suppose que Garand l'a envoyé promener.

— Pantoute ! Il paraît que notre bien-aimé directeur lui a répondu qu'il prenait "bonne note" de sa maladie.

Les yeux de Gilles devinrent ronds comme des billes. Il encouragea sa collègue à poursuivre d'un signe du menton.

— Comme il fallait s'y attendre, la commission scolaire l'a considéré comme un gréviste comme les autres.

— C'est normal, non ?

— Oui, mais pas pour lui. Il est enragé noir et il traite nos patrons de maudits voleurs. C'est là que Georges s'est mis sur son dos. Tu le connais ; il s'énerve facilement. Il lui a dit qu'il l'écœurait avec son avarice et qu'il n'était qu'un hypocrite. Et même qu'il devrait se cacher dans sa classe et avoir honte !

— Bon ! Ça commence bien, soupira Gilles en se tournant vers Sylvain Brisset qui venait d'entrer dans la pièce.

— Je viens de croiser Comtois, mentionna ce dernier. Il n'a pas l'air content, le monsieur.

— Fais attention à toi, Sylvain, le mit en garde Gaétane Rioux. Les couteaux volent bas ce matin.

Quelques rires saluèrent sa remarque.

— Ça ne peut pas être pire que ce qui vient de se passer dans la salle des profs de secondaire 4, raconta le délégué syndical avec bonne humeur. Un comité de réception attendait Brien et Traversy à leur arrivée. Vous auriez dû voir leurs têtes quand ils sont entrés. Tous les profs se sont levés pour les applaudir avant de leur tourner carrément le dos.

— Ayoye ! s'écria Louise Kelly. Ils vont trouver l'année longue en maudit.

— J'ai remis à nos deux *scabs* une lettre officielle du syndicat.

— Est-ce que c'est indiscret de te demander ce qu'elle contenait ? l'interrogea Jean-Paul Rousseau, toujours aussi curieux.

— Oui, c'est indiscret, sauf que je vais vous le dire quand même parce que c'est une décision publique que le conseil d'administration a prise contre tous ceux qui sont entrés dans les écoles pendant la grève. Comme la commission scolaire va être obligée de les payer parce qu'ils étaient au travail, ils devront verser intégralement leur salaire au fonds de grève du syndicat.

— Oh, oh ! Et s'ils ne le font pas ? questionna Claude Loiselle.

— Ils seront exclus du syndicat. C'est lourd de conséquences, ça. Ça voudrait dire que le syndicat ne les défendrait plus.

— As-tu attendu pour voir leur réaction à la lecture de la lettre ? l'interrogea Jacqueline Saint-Onge.

— Oui, et tout ce qu'ils m'ont dit, c'est : "Le syndicat n'a pas le droit de nous faire ça. On va se défendre." Je leur ai conseillé d'essayer plutôt de se faire oublier.

— En tout cas, ils vont trouver que l'atmosphère est lourde dans leur salle des profs, prophétisa Germain Coulombe.

— Ils n'en auront pas la chance, annonça Sylvain Brisset en se laissant tomber sur sa chaise. Les profs de 4 ont décidé d'installer les bureaux de Brien et Traversy dans le couloir aussitôt qu'ils seront entrés en classe demain matin.

— J'ai l'impression que la direction ne laissera pas faire ça, confia Denis Casavant.

— Peut-être pas, mais j'aimerais voir la tête de nos deux moineaux quand ils verront leurs bureaux dans le couloir, commenta le professeur de religion en ricanant.

Le silence retomba dans la salle, silence que seul brisait le bruit des portes d'armoires et des tiroirs de bureaux qu'on ouvrait et qu'on fermait.

— Sylvain, quand est-ce que le syndicat va nous verser notre allocation de grève ? s'enquit Jérôme Rivest.

— Justement, j'allais vous faire parvenir une note à ce sujet, lui apprit le délégué syndical. Hier soir, les membres du CA ont tenu une réunion et ils ont décidé qu'ils ne toucheraient pas au fonds parce que la grève a duré moins d'une semaine.

— Quoi ? s'écria Michel Tondreau, révolté par la nouvelle.

— Tu m'as bien entendu, Michel. Ils ne nous donneront pas une cenne.

— Ça, c'est la meilleure ! Non seulement, eux, ils n'ont pas perdu de salaire, mais en plus, ils ne nous verseront rien.

— L'argent du fonds de grève, c'est notre argent, pas le leur, plaida Prosper Desjean, se mêlant à la conversation pour la première fois. Cet argent vient de nos cotisations syndicales…

— Vous pourrez leur dire tout ça à la réunion générale de cet après-midi, déclara Brisset. Je ne peux que vous répéter ce que Morin m'a annoncé au téléphone ce matin. Pour lui, on doit s'estimer chanceux de ne pas être plus pénalisés par le gouvernement. Il paraît qu'il voulait nous enlever un deux centième de notre salaire pour chaque jour de grève.

Une pluie d'exclamations scandalisées suivit cette dernière annonce.

— En tout cas, on est chanceux, nous autres, conclut Claude Loiselle en rangeant le contenu de son porte-documents. On se fait avoir aussi bien par le gouvernement que par notre syndicat !

7
Fin d'étape

Les pluies désagréables de l'automne avaient finalement cédé leur place aux premiers froids de l'hiver dès la fin de la deuxième semaine de novembre. Quelques jours à peine après leur retour à l'école, les élèves avaient déjà oublié la grève éclair de leurs professeurs. Cet épisode paraissait leur avoir laissé aussi peu de souvenirs que celui des plafonds qui coulaient. En somme, tout avait l'air de vouloir enfin rentrer dans l'ordre en cette fin de première étape de l'année scolaire.

Peu à peu, Gilles était parvenu, tant bien que mal, à imposer une certaine discipline dans ses groupes. Les choses n'avaient cependant guère été facilitées par l'inscription tardive d'une dizaine d'adolescents renvoyés par les collèges privés après la date butoir du 30 septembre.

Il s'y attendait un peu : chaque année, la même histoire recommençait, ici comme à René-Goupil. Les établissements privés gardaient tous leurs élèves jusqu'aux premiers jours d'octobre de manière à toucher les subsides que le ministère de l'Éducation calculait selon le nombre d'inscriptions au 30 septembre. Dès qu'ils avaient encaissé les sommes, les collèges privés s'empressaient ensuite de renvoyer les élèves qui ne réussissaient pas suffisamment bien ou qui ne se pliaient pas à leurs exigences. Évidemment, les écoles publiques, elles, ne pouvaient exclure qui que ce soit puisqu'elles avaient l'obligation d'accueillir tous les adolescents, sans discrimination.

Gilles était soucieux : il commençait à peine à tenir ses quatre groupes et l'arrivée de ces « cas problèmes » allait sans doute perturber le peu de discipline qu'il était parvenu à établir.

Ce matin-là, il avait reçu sept nouveaux élèves. Parmi eux, deux Vietnamiens appelés Nguyen. Sans aucun lien de parenté entre eux, les deux garçons auraient pu être frères tant ils se ressemblaient par leur acharnement au travail et leur comportement sans faille. « Dommage que les autres ne leur ressemblent pas... », regretta leur professeur.

Parmi les cinq autres nouveaux figurait une certaine Maria Marino, dont le caractère unique faisait d'elle une enfant bien difficile à instruire. Cette adolescente arriva dans le groupe 12 à la fin de la première semaine d'octobre. Elle se présenta un beau matin en classe en tenant à la main sa feuille d'inscription sur laquelle Gilles ne jeta qu'un coup d'œil distrait. Comme il ne restait qu'un pupitre au fond du local, le professeur de français le lui octroya sans hésiter.

Chaque fois qu'il s'adressait à la jeune fille, l'enseignant était incapable d'obtenir d'elle la moindre réponse. Elle se contentait de le regarder fixement sans rien dire. « Elle est stupide ou vraiment timide », finit-il par conclure, désarçonné par l'absence de réaction de sa nouvelle élève.

La veille de la journée pédagogique suivante, Gilles fut interrompu lors de l'un de ses cours par une jeune femme qui frappa à la porte de sa classe.

— Monsieur Provost ? Je suis Carmen Rivière, l'infirmière. Je viens prendre des nouvelles de Maria Marino. Je pense que c'est une de vos élèves.

— Pourquoi ? Elle est malade ?

— Euh... non. C'est à propos de son handicap.

— Comment ça, son *handicap* ?

— Vous n'étiez pas au courant ? s'étonna la jeune femme.

— Non ! s'emporta Gilles. Personne ne m'a rien dit. Qu'est-ce qu'elle a ?

— Elle est sourde et muette. J'espère qu'elle parvient à se débrouiller un peu. Ses parents m'ont dit qu'elle était capable de lire sur les lèvres. C'est un cas d'intégration dans les groupes réguliers, vous comprenez ?

Le sang de l'enseignant ne fit qu'un tour.

— Je comprends surtout que vous êtes brillante ! lança-t-il à l'infirmière qui fit un pas en arrière devant cet éclat. Comment voulez-vous que je devine qu'elle est sourde et muette ? Personne ne m'en a parlé. Je n'ai reçu aucun mot pour me prévenir. Résultat : cette fille est installée depuis un mois au fond de la classe où elle ne peut pas lire sur mes lèvres. En plus, depuis un mois, je perds mon temps à essayer de la faire parler.

L'infirmière se rebiffa.

— Je ne pouvais pas vous transmettre des renseignements confidentiels qui proviennent de son dossier médical.

— *Confidentiels* ! Elle est bonne, celle-là ! Et là, ils ne sont plus confidentiels, ces renseignements ? Vous me faites rire ! En plus, qu'est-ce que je suis censé faire avec elle ? Je dois faire semblant, je suppose, de ne pas le savoir ?

La jeune femme ne sut que répondre et prit congé sèchement. Gilles alla se rasseoir à son bureau, tentant de retrouver son calme. Il inspira profondément à deux ou trois reprises et jeta un coup d'œil à la jeune sourde-muette. Comment avait-il pu ne rien voir ? Depuis l'arrivée de celle-ci dans le groupe, il avait simplement abdiqué en s'inventant des prétextes et en fuyant ses responsabilités. Comment en était-il rendu là ? La polyvalente avait-elle réussi à le transformer ? Au fond, il n'était pas mieux que les autres professeurs désabusés et cyniques. Soudain, Gilles comprit que la colère qu'il avait manifestée à l'infirmière n'était que le reflet de la honte qu'il éprouvait envers lui-même et du sentiment d'échec qu'il ressentait.

« Réveille-toi, Gilles, réveille-toi », se sermonna-t-il.

La journée pédagogique marquant la fin de la première étape arriva à point pour permettre à chacun de reprendre son souffle, de planifier les dernières semaines avant les vacances des fêtes et, surtout, de régler des problèmes disciplinaires contrariants.

Plusieurs noms faisaient souvent les manchettes depuis quelques semaines et le moment était venu de remettre ces élèves à leur place.

Ce jour-là, à son entrée dans la salle des professeurs, Gilles sursauta en entendant un bruit sourd, comme si un projectile avait atteint l'une des baies vitrées de la salle. Il finit de retirer son manteau avant de traverser le petit couloir pour accéder à la grande pièce.

— Ne t'assieds pas tout de suite, lui conseilla Sylvain Brisset, les cheveux en bataille, brandissant un cendrier. Ça rebondit, cette patente-là.

— Veux-tu bien me dire ce que tu essayes de faire ?

— C'est clair, non ? déclara son collègue dans un éclat de rire. J'essaye de casser une vitre.

— Pourquoi ? voulut savoir Gilles, qui douta un court instant de la bonne santé mentale de son collègue.

— Je ne sais pas si tu l'as remarqué, mais nos trois baies vitrées sont givrées à moitié. Depuis qu'il fait froid, on ne voit pratiquement plus rien. Il faut se lever pour pouvoir regarder dehors.

Gilles tourna les yeux vers les fenêtres. Brisset avait raison : une buée s'était formée jusqu'à la moitié de chacune des baies vitrées.

— Et alors ?

— Alors, je suis allé voir notre bon gros Henri-Paul pour qu'il les fasse changer parce qu'il paraît que ce sont des vitres thermos et que la buée formée entre les vitres ne disparaîtra plus. Tu sais ce qu'il m'a dit ?

Gilles secoua la tête.

— Qu'il ne les changerait pas à moins qu'elles ne soient brisées.

— Et c'est pour ça que tu veux les fracasser !

— En plein ça ! Seulement, ça ne fonctionne pas. Regarde !

Brisset prit son élan comme un lanceur de baseball et projeta le lourd cendrier contre une fenêtre. Il aurait pu tout aussi bien l'envoyer contre l'un des murs en blocs de ciment. L'objet émit un bruit sourd avant de retomber par terre.

— Je renonce, soupira-t-il. Connaissant Henri-Paul comme je le connais, c'est pas demain la veille que ces fenêtres-là vont être changées. Quand je prendrai ma retraite dans vingt ans, elles vont être encore là, j'en suis sûr.

— S'il est aussi efficace que tu le dis, tenta de le consoler Gilles, il vaut peut-être mieux que tu n'aies pas réussi à briser les fenêtres. Il fait pas chaud dehors. Si tu en avais cassé une, on aurait probablement eu le temps de mourir de froid avant qu'il l'ait remplacée.

Cette histoire saugrenue mit Gilles de bonne humeur. Si elle révélait le caractère bien particulier de son collègue, le fait que ce dernier ait été content de partager cette anecdote avec lui était un signe évident qu'il s'intégrait de mieux en mieux à sa nouvelle école.

Moins d'une heure plus tard, la plupart des enseignants de secondaire 3 étaient rassemblés dans la salle des professeurs et attendaient avec une certaine impatience le début de la réunion prévue à neuf heures.

— Qu'est-ce qu'on attend ? demanda Gilles à Gisèle Tremblay, assise à son bureau.

— Je pense qu'il manque encore trop de profs.

— La réunion devait pourtant commencer à neuf heures et il est déjà neuf heures vingt-cinq.

— Je viens de voir passer Casavant et Desjean. J'ai l'impression qu'ils sont à la veille de nous faire appeler par Claudette.

— Ils sont mieux de se grouiller, grommela Claude Loiselle en s'approchant de l'îlot des professeurs de français. Ça fait une heure que Brisset arrose le café avec du brandy qu'il a apporté dans la salle des profs de sciences. Si ça continue, ils ne pourront même plus se tenir debout.

Soudain, la secrétaire apparut dans l'entrée et invita les enseignants à une réunion dans le local 202. Malgré leur impatience, probablement pour marquer leur mécontentement, les professeurs se rendirent sans hâte dans la classe voisine où les deux directeurs de niveau les attendaient. Comme des élèves indisciplinés, les premiers arrivés prirent d'assaut les pupitres placés au fond de la salle et s'y installèrent bruyamment.

Lorsque tout le monde fut présent, Prosper Desjean ferma la porte et commença aussitôt la réunion.

— On est en retard ce matin parce qu'on attendait une nouvelle que monsieur Garand devait nous communiquer avant le début de la réunion. C'est fait. Aimé Pilon ne reviendra pas à la polyvalente cette année parce que sa convalescence va être plus longue que prévu. La commission scolaire va ouvrir officiellement le poste. Il paraît qu'il va y avoir des entrevues organisées pour rencontrer celles et ceux qui seraient intéressés. La description détaillée du poste sera affichée dans la salle des professeurs dès aujourd'hui.

Plusieurs se regardèrent en coin. Il était bien connu qu'un bon nombre de professeurs de Montaigne rêvaient en secret d'un poste de directeur de niveau pour sortir enfin de l'enseignement, qu'ils ne supportaient plus que difficilement. Selon certaines rumeurs, Jean-Paul Rousseau et Sylvain Brisset étaient particulièrement ulcérés d'avoir été ignorés par la direction quand il s'était agi de remplacer temporairement leur supérieur malade, au début de l'année.

— Denis, ça va être ta chance, présuma Georges Martin, le professeur de géographie.

— Il n'en est pas question, proclama Casavant avec un demi-sourire qui en laissa plusieurs perplexes. Maintenant, je sais ce que c'est, cette *job*-là.

— Et toi, Prosper, tu as acquis de l'expérience, nota Carlos Pereira, le professeur de sciences.

— Non, merci, j'ai déjà donné, répliqua précipitamment l'enseignant haïtien. Bon, nous allons passer à l'ordre du jour. J'espère que vous êtes tous prêts pour la soirée de remise des bulletins. Je vous rappelle qu'elle commence ce soir à six heures trente. Si vous arrivez en retard, vous risquez d'avoir toute une file de parents de mauvaise humeur debout devant votre porte de classe.

— S'il y en a qui pensent s'absenter ce soir pour toutes sortes de raisons, tint à préciser Casavant, souvenez-vous que vous devrez probablement téléphoner à un bon nombre de parents parce que nous afficherons une feuille sur votre porte de classe pour qu'ils laissent leur nom s'ils désirent être rappelés.

— Ces réunions-là sont une vraie perte de temps, affirma Pereira, dont la figure ronde était surmontée d'une perruque noire plutôt ridicule. Il n'y a que les parents des bons élèves qui viennent. Les autres, on ne les voit jamais.

— Vous n'avez qu'à ne pas vous laisser monopoliser une demi-heure par les mêmes parents, conseilla Desjean. Les professeurs expérimentés devraient savoir depuis longtemps que certains parents se sentent obligés de nous raconter leur vie et tous leurs malheurs quand ils viennent à la remise des bulletins. Je vais vous répéter ce que les vieux enseignants nous disaient quand nous avons commencé, ajouta-t-il en s'adressant surtout à la jeune Anne Leduc. Quand vous jugez avoir parlé assez longtemps avec une mère ou un père, levez-vous et tendez-lui la main. D'habitude, le parent comprend que l'entrevue est finie et qu'il doit laisser sa place à ceux qui attendent dans le couloir.

— Facile à dire, réagit Pereira avec un air de dépit.

Plusieurs commentaires fusèrent dans la salle.

— On passe au troisième point à l'ordre du jour, les coupa Casavant en voyant que les conversations commençaient à se généraliser. Il s'agit des après-midi des jours 4 et 8. La direction a l'impression que trop de professeurs n'ont pas encore compris que ces deux demi-journées ne sont pas des congés. Elles doivent êtres consacrées à la récupération et aux reprises d'examens.

— Les élèves ne veulent pas venir, objecta Jacqueline Saint-Onge. On ne peut tout de même pas aller les chercher en les tirant par les cheveux.

— Il paraît que la plupart des groupes moyens et faibles ont presque 40 % d'échecs dans les matières principales, poursuivit Casavant, apparemment insensible à l'argument de sa collègue. Monsieur Garand croit que ça n'a pas d'allure et on ne peut pas le blâmer. Il a demandé aux chefs de groupe de vérifier s'il se donnait vraiment de la récupération ces après-midi-là. N'est-ce pas, Gisèle ?

Gisèle Tremblay hocha la tête, ce qui déclencha une tempête de protestations.

— Ne me dis pas que les chefs de groupe sont devenus des rapporteurs officiels ! se rebiffa Claude Loiselle sur un ton dramatique qui fit sourire la plupart de ses collègues.

— Je dois reconnaître, pour m'être promené dans les couloirs ces après-midi-là, renchérit Desjean, que je n'ai pas vu beaucoup de locaux occupés par des élèves en train de travailler.

— Comme l'a dit Jacqueline, ce n'est tout de même pas notre faute s'ils ne viennent pas quand on les invite, plaida à son tour Jean-Paul Rousseau, hargneux.

— Ça prouve qu'une invitation ne suffit pas, Jean-Paul, insista Casavant qui ne donnait pourtant guère plus de récupération que son confrère. Il va peut-être falloir obliger les jeunes en situation d'échec à se présenter aux périodes de récupération.

— Ils vont prendre ça pour une punition, intervint Joseph Comtois, le professeur d'art, habituellement plus préoccupé par sa calvitie naissante et son compte bancaire que par la réussite de ses élèves.

De toute évidence, Comtois avait déjà oublié sa récente prise de bec avec Georges Martin puisqu'il était assis à côté de lui.

— On peut emmener un âne à l'abreuvoir, mais on ne peut pas le forcer à boire, philosopha Germain Coulombe sur un ton doctoral en passant une main dans sa crinière blanche.

— Écoutez, on ne va pas se raconter des histoires, quand même ! tempêta Desjean, agacé par la mauvaise foi flagrante de certains de ses collègues. On n'est pas aveugles. Il y a des professeurs qu'on ne voit jamais les après-midi des jours 4 et 8. Ils disparaissent en même temps que leurs élèves. Si encore leurs étudiants réussissaient, ce serait un moindre mal, mais c'est loin d'être le cas.

— Moi, j'ai donné de la récupération tous ces après-midi-là, se vanta, à juste titre, Jérôme Rivest.

— Quand on n'est pas un bon professeur, il faut donner beaucoup de récupération, plaisanta Claude Loiselle, assis au fond de la salle.

Le visage de Rivest blêmit et il tourna brusquement la tête vers Loiselle qui lui adressa son sourire le plus ineffable.

Quelques rires enlevèrent à Rivest l'envie de décocher la réplique mordante qu'il avait au bord des lèvres. Il choisit sagement de se taire après avoir haussé les épaules.

— On a juste à gonfler les notes des élèves, d'abord, proposa Michel Tondreau qui rentrait à l'instant dans le local après s'être absenté de la réunion durant quelques minutes.

Prosper Desjean le gratifia d'un regard noir, sans toutefois se donner la peine de relever la suggestion inopportune.

Pendant que Carlos Pereira exprimait ce qu'il pensait du rôle de délateur que la direction voulait faire jouer aux chefs de groupe, Jean-Paul Rousseau se pencha vers Gilles pour lui murmurer à l'oreille :

— J'ai l'impression que Sylvain va trouver que le niveau de sa bouteille de brandy a baissé pas mal vite pendant la réunion. Il va être obligé de regarder si elle n'a pas un trou au fond.

Devant l'air stupéfait de Gilles qui ne comprenait pas, Rousseau commenta :

— Où est-ce que Michel était, d'après toi ? Il ne peut pas se retenir quand il voit une bouteille d'alcool.

— Comment ça se fait qu'il n'ait jamais eu de problème avec la commission scolaire ?

— Il en a eu, il y a deux ans, raconta tout bas le professeur de mathématiques. Le directeur du personnel l'a fait venir à son bureau au milieu de l'année. Mais il a été clément avec lui, probablement parce que ça faisait vingt ans qu'il enseignait pour Des Érables. La commission scolaire l'a mis en congé de maladie et on lui a même payé une cure de désintoxication avant de le reprendre.

— La cure n'a pas l'air d'avoir été très efficace, en déduisit Gilles, tout en observant Tondreau.

— Oui, mais il faut le comprendre : il n'est pas marié et il vit tout seul. Sa famille habite dans le Nord et il n'a même pas d'auto pour aller la voir. Je ne suis pas sûr qu'il ait des amis. Ses seuls plaisirs sont la boisson et le bridge.

Gilles hocha la tête et se concentra de nouveau sur les deux directeurs de niveau.

— Bon, je pense qu'on a fait le tour de la question, conclut Denis Casavant. Il ne nous reste plus qu'à régler certains cas de discipline avant de vous laisser aller travailler à la planification de vos cours de la prochaine étape.

Les enseignants s'agitèrent un peu et certains sortirent des feuilles de leur porte-documents.

— J'ai fait une liste des noms des élèves qu'on voit un peu trop souvent au bureau, annonça Casavant. Il y en a une quinzaine qui reviennent et…

— Excuse-moi, j'aimerais d'abord faire une mise au point importante, l'interrompit Desjean. Il faut bien s'entendre là-dessus. Ce n'est pas à nous de faire votre discipline en classe. Denis et moi, nous en discutons régulièrement. Certains nous envoient trop souvent des élèves pour des niaiseries. Personnellement, je crois que vous avez tous suffisamment d'expérience pour être capables de gérer les retards et les travaux qui ne sont pas faits.

Son collègue renchérit :

— Que voulez-vous qu'on fasse de plus que vous quand un élève se présente au bureau pour nous dire que son professeur nous l'envoie parce qu'il a oublié son devoir à la maison ?

— On lui donne un court travail supplémentaire pour développer sa mémoire, comme aurait dû le faire son professeur, compléta Desjean. Il faut se rappeler que chaque fois qu'on intervient à votre place, on vous enlève un peu de votre autorité.

— En tout cas, je n'ai pas le goût de commencer à nommer ces élèves-là et à faire leur procès, décréta Casavant. Prosper et moi, on a pensé que ça ne nous avancerait à rien. Plutôt que de perdre notre temps à discuter de ça, on rencontrera ce matin les professeurs pour discuter des cas les plus graves.

— C'est ça, occupons-nous d'abord des cas urgents, des élèves qui sont continuellement mis à la porte de leurs cours, suggéra Louise Kelly de sa grosse voix. Est-ce qu'il y a au moins un dossier qui est monté sur chacun de nos canards boiteux ?

L'enseignante d'anglais pouvait se permettre de poser cette question. Elle ne déléguait son autorité à personne et faisait régner une discipline de fer dans ses classes.

— Oui, on leur monte un dossier, confirma l'Haïtien.

— Avez-vous leur dossier disciplinaire de l'année passée ?

— Tu sais bien, Louise, lui rappela Casavant, que le dossier d'un élève ne le suit pas d'une année à l'autre. Ce ne serait pas juste pour lui.

— Ben oui, mon Denis, confirma l'enseignante, caustique. On sait tous que les jeunes changent durant l'été et qu'ils reviennent à l'école en septembre complètement transformés. Le résultat de cette politique débile, c'est qu'on recommence les dossiers chaque mois de septembre et la coupe ne déborde qu'en mai, quand ils ont eu le temps d'écœurer tout le monde tout au long de l'année. C'est brillant en maudit !

— Qu'est-ce que tu veux qu'on y fasse ? l'interpella Desjean en haussant les épaules. On ne peut pas changer la politique de la polyvalente. En discuter nous ferait perdre notre temps. Il faudra décider d'une autre façon de faire en assemblée générale avec les professeurs des autres niveaux, conclut-il. Bon, est-ce qu'on peut considérer le sujet comme clos ?

Des murmures d'approbation s'échappèrent de l'assemblée et Casavant en profita pour passer au point suivant de l'ordre du jour.

— La semaine prochaine, nous recevrons trois stagiaires pour quatre semaines. Si je ne me trompe pas, il s'agit de trois étudiantes de l'Université de Montréal qui viennent faire un stage en français, en religion et en mathématiques.

— Il y en a même une en maths ? s'étonna Claude Loiselle. J'espère, Denis, que ce n'est pas toi qui l'as. Déjà que tu n'as qu'une demi-tâche parce que tu joues au directeur de niveau… S'il fallait en plus qu'une stagiaire vienne te voler tes derniers groupes, tu t'ennuierais à mourir.

Des rires accueillirent la boutade du professeur d'anglais. Casavant ne se donna même pas la peine de répondre. Il se contenta de faire la grimace à l'impertinent.

— Un dernier point, intervint Desjean. Il s'agit d'un projet intéressant des professeurs d'arts plastiques. Lequel d'entre vous va venir nous l'expliquer ? demanda-t-il en se tournant vers Andrée Jutras et Joseph Comtois.

Ce dernier désigna sa collègue de la main et il demeura assis pendant qu'elle se levait. La femme d'une trentaine d'années, un peu bohème, se tourna vers l'assemblée.

—Je vais faire ça vite, les rassura-t-elle en esquissant un sourire timide. Au mois de juin, les professeurs d'arts plastiques de la polyvalente ont proposé à la direction un grand projet: faire peindre par les élèves deux ou trois murales dans les couloirs de chacun des étages et dans les cages des escaliers, si possible. En septembre, monsieur Garand nous a prévenus qu'il n'avait pas pu nous obtenir le budget nécessaire pour acheter la peinture, les pinceaux, etc. Mais la semaine dernière, notre conseiller pédagogique est enfin arrivé à faire débloquer l'argent à la commission scolaire et on va pouvoir commencer bientôt.

— Ça, ça veut dire que les élèves vont barbouiller les murs des couloirs? Ils vont faire des graffitis? questionna Jean-Paul Rousseau, peu enthousiaste.

— Non, tu vas être surpris des résultats, lui répondit patiemment l'enseignante. Depuis le début de l'année, les élèves ont dessiné des projets et ils ont voté pour choisir les plus beaux. Je peux vous garantir, en tout cas, affirma-t-elle à l'adresse de tous les professeurs présents, que leurs murales vont vous épater.

— Où exactement vont être ces murales? voulut savoir Gisèle Tremblay.

— Ici, au premier étage; elles seront à chacune des extrémités du grand couloir. Mes élèves vont en peindre une près des classes de français et ceux de

Joseph vont travailler devant la salle des professeurs, près des locaux de mathématiques.

— J'espère, au moins, qu'ils ne seront pas trop bruyants, signala Rousseau, toujours aussi sceptique. S'ils me dérangent, ils vont me voir arriver vite, croyez-moi.

Personne ne releva sa remarque et Andrée Jutras alla se rasseoir.

— Bon, je pense qu'on a fini, annonça Prosper Desjean en regardant ses collègues déjà prêts à se lever.

— Un instant, fit Gilles en levant la main. Est-ce que je peux poser une question ?

Le directeur de niveau regarda son collègue avant de lui répondre.

— Bien sûr.

— Je viens d'arriver à Montaigne et je dois avouer que j'ai un gros problème avec les absences. On dirait que vous trouvez normal qu'il y ait toujours au moins une centaine d'élèves à la cafétéria durant les cours. J'en ai déjà parlé à Denis au début de l'année et il m'a expliqué qu'il y avait eu des tentatives, dans le passé, pour régler ce problème-là. Bon, à ce que j'ai compris, on manque de moyens pour le résoudre. Par contre, on doit exiger un billet de motivation au retour de l'élève quand il a été absent. Tout le monde sait que la plupart de ces billets sont des faux signés par les élèves eux-mêmes. Comment se fait-il qu'il n'existe aucun contrôle sérieux de ces billets ? On pourrait au moins téléphoner à la maison...

— Tu as raison pour les faux billets, reconnut Desjean, sauf qu'il existe un système de contrôle. La secrétaire du niveau appelle à la maison quand une absence lui est signalée, mais la plupart du temps, les parents ne sont pas là parce qu'ils travaillent. Elle ne peut pas passer ses journées au téléphone ; elle n'a pas que ça à faire.

— C'est tout de même étrange que personne ne réponde si l'élève est malade à la maison… à moins qu'il n'accompagne ses parents pour voir à ses propres pré-arrangements funéraires, commenta Gilles, satirique.

La plaisanterie du nouveau professeur fit sourire ses collègues.

— On fait ce qu'on peut, termina Desjean en se levant pour indiquer la fin de la réunion.

Gilles, nerveux et inquiet, n'osait pas s'éloigner du téléphone de la salle des professeurs. Il aurait cent fois préféré être chez lui aux côtés de Mylène parce que l'accouchement était imminent. Le matin même, il avait recommandé à sa sœur Nathalie, venue s'occuper de sa femme et de ses filles, de lui téléphoner dès les premières contractions. Il était décidé à tout arrêter sur-le-champ pour conduire son épouse à l'hôpital et assister à la naissance de son premier fils.

Après le souper pris à la polyvalente à cause de la remise des bulletins, il appela chez lui. Sa sœur le rassura en lui certifiant que tout allait bien et qu'il n'avait pas à s'en faire.

Dès six heures quinze, les couloirs de Montaigne furent pris d'assaut par une horde de parents qui tentaient, tant bien que mal, de s'orienter dans l'immense bâtiment. De toute évidence, les informations fournies par les quelques élèves hôtesses manquaient de précision. Brandissant une feuille sur laquelle les numéros des locaux étaient indiqués ainsi que le nom des professeurs et la matière enseignée, les parents interpellaient toute personne qu'ils croisaient pour lui demander de les aider à s'orienter.

Les premiers qui rencontrèrent Gilles dans sa classe ne manquèrent pas de le féliciter pour la discipline qu'il faisait régner dans ses groupes ainsi que pour la quantité de travaux exigés.

— On voit que vous n'avez pas peur de corriger, vous ! le complimenta une mère. Ça fait deux ans que ma fille vient ici et c'est la première fois que je la vois faire des devoirs de français le soir.

— Merci, madame.

— S'il y a la moindre chose qui ne va pas, ne vous gênez pas : téléphonez-moi à la maison. Je vais y veiller.

Quelques minutes plus tard, ce fut au tour des parents de Lyne Dussault d'affirmer à Gilles que leur fille était enchantée de l'avoir comme professeur de français. L'enseignant se retint de leur raconter comment l'année avait commencé avec leur adolescente insolente et contestataire. Il est vrai qu'il ne s'était pas acharné sur elle. Aussitôt qu'elle était rentrée dans le rang, il l'avait encouragée à travailler. Comme elle était plutôt douée, ses notes s'étaient beaucoup améliorées depuis le mois de septembre.

La remarque faite par Prosper Desjean lors de la rencontre du matin au sujet de la longueur des entrevues ne s'appliquait pas à Gilles. Il savait depuis longtemps comment mettre fin à une rencontre et, à aucun moment de la soirée, il n'y eut plus de quatre personnes patientant devant sa porte. Il était souriant et dynamique. Il savait toujours formuler un mot d'encouragement aux parents déçus des piètres résultats scolaires de leur enfant. Parfois, il allait jusqu'à prédire une réussite éventuelle si l'étudiant redoublait d'efforts. Ce mensonge pieux avait au moins l'avantage de remonter le moral des parents.

Il y eut néanmoins un cas plus délicat. Le père d'un garçon, un certain Degas – Gilles l'appelait « Dégât », *in peto* –, un adolescent indiscipliné et paresseux que l'enseignant devait sans cesse rappeler à l'ordre et, parfois, punir, entra dans la classe comme un taureau furieux. De petite taille, l'homme trapu semblait hors de lui. Il se mit à hurler, reprochant à Gilles de faire régner la terreur dans sa classe, d'être injuste, de ne pas comprendre son fils… L'enseignant laissa la tempête passer calmement, puis, lorsque le père eut vidé son sac, il lui mit la main sur l'épaule et l'invita à s'asseoir.

Un peu décontenancé, monsieur Degas obtempéra et Gilles se fendit d'un long discours peu clair où il vanta les mérites de la discipline et du travail, prophétisant les meilleurs succès à Degas fils, si seulement il s'en donnait la peine et, surtout, si lui, son père, l'aidait à affronter ses démons et à le faire rentrer dans le rang. Finalement, l'homme, rassuré, retourna chez lui plein de gratitude pour le professeur de son fils, ainsi que de bonnes intentions paternelles et d'espoir de succès filiaux.

Peu avant neuf heures trente, Gilles avait déjà rencontré la quarantaine de parents ayant pris la peine de se déplacer pour venir le rencontrer, ce qui était fort respectable et très encourageant.

Par contre, la situation avait l'air de dégénérer du côté de son voisin, Jérôme Rivest. Depuis le début de la soirée, il n'y avait jamais eu moins d'une vingtaine de parents amassés devant sa porte. Son collègue avait dû sortir un nombre impressionnant de chaises de sa classe pour accommoder la foule entassée dans le petit couloir. Gilles ignorait ce qui se disait dans le local voisin, seuls quelques éclats de voix parvenaient parfois jusqu'à ses oreilles.

À neuf heures trente précises, Raymond Garand prévint par l'interphone que la rencontre était officiellement terminée. Sans client depuis quelques minutes, Gilles commençait à ranger son registre de notes et ses autres documents quand un homme à la mise débraillée entra dans son local.

— Est-ce que j'arrive trop tard ? demanda-t-il, bourru.

— Pas du tout, infirma Gilles en s'asseyant en face de son interlocuteur. Vous le père de… ?

— Éric Brodeur.

— Ses résultats ne sont pas fameux, commenta l'enseignant.

— C'est le moins qu'on puisse dire ! 45 % : ç'a pas d'allure de donner des notes aussi basses ! Mon gars n'a jamais eu des notes comme ça, soutint le père avec aplomb.

— Ah, vraiment ? C'est surprenant, rétorqua Gilles en sortant le registre de notes qu'il venait de ranger dans son porte-documents. À moins qu'il n'y ait une erreur, je regarde ses notes de l'an dernier et elles étaient presque identiques. C'est d'ailleurs pour cette raison qu'on l'a placé cette année dans un cours allégé de français.

— Vous êtes sûr de ça, vous ? l'interrogea l'homme, un peu moins arrogant.

— J'ai ses résultats de français de l'année passée devant moi, monsieur, affirma Gilles en mentant comme un arracheur de dents.

— Comment ça se fait qu'il ait des notes aussi basses en français ?

— Il n'y a que deux possibilités, expliqua le professeur sans ménagement. Ou votre fils est paresseux, ou il n'est pas doué. Qu'est-ce que vous en pensez ?

— Pour moi, c'est de la paresse, déclara immédiatement le visiteur en se levant de la chaise où il venait à peine de s'asseoir.

— Vous savez, si Éric suit les consignes et fait régulièrement les devoirs demandés, il ne devrait pas avoir de problème. Il peut aussi venir à la récupération qui est offerte. Je ne l'y ai jamais vu.

— Je prends bonne note de vos conseils, mais je m'explique tout de même mal une baisse si importante par rapport à ses résultats de l'an passé. Êtes-vous certain que vous ne vous acharnez pas un peu sur lui ?

— Pas du tout, monsieur. Je suis là pour aider Éric. Mais il faut d'abord qu'il y mette du sien. L'apprentissage du français n'est pas facile, c'est vrai. Cependant, je ne peux rien pour lui s'il ne collabore pas. Par exemple, il y a trois semaines, il n'a pas fait le devoir de conjugaison, alors que ça ne demandait qu'une quinzaine de minutes à la maison et qu'il aurait pu aller chercher facilement huit à dix points de plus dans son bulletin.

— Le soir, Éric est souvent pris par ses activités sportives et il n'a pas toujours le temps de faire les devoirs pour le lendemain. Si vous pouviez lui donner deux ou trois soirs pour les faire, ça aiderait.

— Monsieur, je ne changerai pas ma manière d'enseigner et n'accorderai aucun traitement de faveur à un élève. Éric doit faire ses devoirs et montrer un intérêt pour la matière, comme tous ses camarades.

— Bon, je comprends. Quand je vais arriver à la maison, on va avoir une petite conversation tous les deux. Il va se faire brasser.

— Cela étant, monsieur Brodeur, je ne donne jamais de devoirs pour le lendemain, mais toujours avec deux ou trois jours avant la remise. Peut-être pourriez-vous vous assurer auprès d'Éric qu'il planifie mieux ses devoirs au lieu de se plaindre de la quantité de travail ? Je dis ça comme ça…

Cette dernière proposition sonna la fin de la discussion et monsieur Brodeur remercia Gilles pour le temps qu'il lui avait consacré. L'enseignant se leva à son tour et lui serra la main. Ensuite, il s'empressa d'éteindre les plafonniers et de verrouiller la porte de sa classe avant l'arrivée d'un autre retardataire.

Il ressentit une légère allégresse cruelle en constatant que le nombre de parents entassés devant la porte de la classe de Jérôme Rivest n'avait pas diminué malgré l'avertissement du directeur. La soirée de son collègue semblait bien loin d'être terminée.

Lorsqu'il mit les pieds dehors, Gilles découvrit avec surprise que la première neige de l'année saupoudrait le paysage. Les voitures stationnées près de la polyvalente étaient couvertes d'une mince pellicule blanche.

« Enfin débarrassé de cette maudite corvée ! pensa-t-il, épuisé, en démarrant. La prochaine visite des parents ne se fera qu'à la fin mars. J'ai le temps de la voir venir, celle-là. »

8
À mi-parcours

Le lendemain matin de la visite des parents, les enseignants de troisième année du secondaire, encore fatigués par leur longue journée de travail de la veille, attendaient, un peu moroses, le début du premier cours de la journée. Assis à leur bureau de la salle des professeurs, ils se mirent à comparer le nombre de parents venus les rencontrer la veille.

— J'en ai vu une vingtaine, affirma Gaétane Rioux. C'est pas mal, surtout qu'il a neigé.

— En plus, il y avait du hockey à la télévision, renchérit Étienne Marquis, l'enseignant d'anglais dont on entendait rarement le son de la voix à la salle des professeurs.

— J'ai reçu à peu près le même nombre de parents que toi, indiqua Michel Tondreau, sans aucun entrain.

— Moi, une trentaine, assura Anne Leduc, avec l'enthousiasme de la jeunesse.

— C'est normal que tu en aies vu autant, commenta Denis Casavant, son voisin. Les garçons ont dû dire à leur père que tu étais belle et ils ont voulu voir si leur fils avait du goût.

La jeune enseignante rougit.

— Woh, les moteurs, le don Juan ! l'interpella vivement Jacqueline Saint-Onge. Je ne sais pas si ta femme apprécierait que tu fasses des compliments comme ça à d'autres. Fais attention, Anne. Il n'y a rien de plus ratoureux qu'un vieux qui refuse de vieillir.

Le directeur de niveau se contenta d'un regard noir comme réponse à la petite femme assise à l'îlot des professeurs de religion.

— Moi, j'en ai vu quarante-trois, signala Sylvain Brisset avec une certaine fierté.

— C'est normal pour toi, persifla Claude Loiselle. Tout le monde sait qu'il n'y a que les profs contestés que les parents vont voir.

— Eille, Loiselle ! Écœure-moi pas, le mit en garde Brisset. Combien t'en as reçu, toi ?

— À peu près une douzaine, pas plus.

— C'est parce que tu enseignes une matière secondaire, laissa tomber Germain Coulombe, le vieil ami de Brisset. En plus, n'oublie pas que nous autres, en religion, on a chacun huit groupes, pas cinq, comme toi.

— Ça, c'est l'excuse facile, s'esclaffa Loiselle. Puis, à part ça, est-ce qu'il y en a qui sont partis après dix heures ? demanda-t-il à la cantonade en changeant totalement de sujet et en visant délibérément Jérôme Rivest.

Personne ne se donna la peine d'ajouter quoi que ce soit, même si plusieurs têtes se tournèrent vers le professeur de français qui, le visage fermé, agrafait des feuilles, assis à son bureau, aux côtés de Gisèle Tremblay.

— Jérôme, es-tu parti tard, hier soir ? l'interrogea cette dernière.

— Onze heures trente, marmonna l'enseignant.

— Sacrifice ! T'en avais, des affaires à leur raconter ! le railla Loiselle en adressant un clin d'œil complice à Louise Kelly, sa voisine.

— Ça, Loiselle, c'est pas de tes maudites affaires !

— En tout cas, intervint Georges Martin qui venait d'entrer, que je n'en voie pas un venir se plaindre des notes de son fils ou de sa fille. Je l'accueillerai avec une brique pis un fanal. J'ai passé toute la soirée à attendre presque pour rien, hier. J'ai six groupes, cent quatre-vingt-douze élèves, et j'ai vu cinq parents… Cinq ! Hostie ! Est-ce que c'est assez minable à votre goût, ça ? J'avais même pris la peine d'envoyer des invitations spéciales à certains parents parce qu'il fallait vraiment que je les rencontre. Pas un de ceux-là n'est venu.

En disant cela, le visage du professeur de géographie se teignit du même rouge que ses cheveux tant il était en colère.

— En tout cas, j'en connais qui sont mieux de se tenir les oreilles molles aujourd'hui, parce que je ne suis pas d'humeur à endurer grand-chose.

Quelques minutes après le début du premier cours, ce qui devait arriver arriva. Pierre Chartrand, un grand adolescent paresseux, poussait souvent l'insolence jusqu'à la limite du supportable. Il adorait susciter le rire de ses admirateurs en faisant sortir les enseignants de leurs gonds. Il ne s'agissait jamais d'accrochages vraiment graves, seulement il possédait un don certain pour exaspérer ses professeurs. Depuis le début de l'année, il était parvenu à faire pleurer de rage Anne Leduc à plusieurs occasions. À tour de rôle, Joseph Comtois et Gaétane Rioux avaient vainement essayé de le faire renvoyer de la polyvalente.

Ce matin-là, le cours de géographie venait à peine de commencer que Chartrand se mit à bavarder avec ses voisins. Georges Martin le rappela à l'ordre à deux reprises, mais ses avertissements demeurèrent sans effet.

— Je viens de te dire de fermer ta gueule ! hurla finalement l'enseignant, à bout, pour la plus grande joie des élèves, heureux d'assister à une scène.

— J'ai pas une gueule, tu sauras, protesta l'adolescent d'un air insulté en le regardant avec insolence.

— Ta boîte !

— Je me tairai si je veux !

Rouge de fureur, le professeur s'empara de la corbeille à papier posée près de son bureau et la brandit.

— Si je te la garroche par la tête, est-ce que tu vas la fermer ?

— T'as peur ! osa le provoquer Chartrand.

Aussitôt, la corbeille traversa les airs comme une flèche et alla atterrir sur le pupitre de l'effronté en répandant les papiers qu'elle contenait. Le garçon bondit de son siège, comme mû par un ressort. Il avait perdu toute sa superbe.

— T'as pas le droit de..., bredouilla-t-il, les larmes aux yeux.

— Quoi ? Qu'est-ce que tu dis ? cria Martin, toujours aussi furieux. Est-ce que t'aimes mieux recevoir un pupitre ? Est-ce qu'un pupitre va te la faire fermer, ta grande gueule ?

Joignant immédiatement le geste à la parole, le professeur s'empara du pupitre de l'élève assis devant lui et le souleva au-dessus de sa tête. On aurait cru qu'il était prêt à le lancer sur l'insolent qui, debout à sa place, était maintenant aussi blanc qu'un linge.

— Ne fais pas ça, Georges ! Ne fais pas ça ! hurlèrent les filles de la classe qui essayaient de contenir l'explosion de rage de leur enseignant.

— Va-t'en ! Va-t'en avant qu'il te tue ! crièrent ses camarades à Chartrand en le poussant vers la porte.

Le garçon ne se fit pas répéter l'invitation. Laissant sur place ses effets scolaires, il longea prudemment les murs de la classe en ne quittant pas des yeux le pupitre menaçant que Georges Martin continuait de tenir à bout de bras. Il s'empressa de sortir et claqua la porte derrière lui.

L'enseignant reposa enfin le pupitre et alla s'asseoir derrière son bureau, trop secoué pour poursuivre son cours.

Pendant la récréation, l'histoire fit le tour de la polyvalente, passablement romancée par les ajouts des élèves. Selon certaines versions, on en était presque arrivés à une tentative de meurtre.

Le plus incroyable dans cette affaire fut probablement que Chartrand n'alla jamais se plaindre ni à la direction ni à ses parents. Au cours suivant, il se présenta en classe comme si rien ne s'était jamais passé entre son professeur de géographie et lui. Georges Martin eut lui aussi la sagesse de feindre d'avoir oublié toute l'histoire.

En rentrant chez lui, ce soir-là, Gilles s'empressa de rapporter l'incident à Mylène. Évidemment, elle ne le crut pas tout de suite, la scène lui paraissant trop invraisemblable. Jamais son mari ne lui en avait raconté de pareille, à l'époque où il enseignait à René-Goupil. Elle pensait qu'il voulait se moquer d'elle. Mais il insista tellement en lui fournissant tous les détails, et il était tellement excité par cette situation surréaliste, que sa femme finit par le croire.

— Je croyais que ça se pouvait pas, de nos jours, ce genre de folies, lui confia Mylène. On se croirait au XIXe siècle.

— Au contraire, rétorqua Gilles, c'est précisément un des avatars de la modernité : fini le respect, fini l'amour du travail. Le pire, c'est qu'on attend des stagiaires la semaine prochaine. J'ai hâte de voir comment elles vont subir le choc culturel !

Le lundi matin suivant, à son arrivée à la polyvalente, Gilles trouva trois jeunes filles debout devant la porte verrouillée de la salle des professeurs. Elles se présentèrent ; il s'agissait des stagiaires de l'Université de Montréal. Elles étaient arrivées tôt à la demande expresse de leurs professeurs-hôtes.

Gilles les fit entrer et elles lui expliquèrent qu'elles étaient venues rencontrer Jean-Paul Rousseau, Jérôme Rivest et Sylvain Brisset en septembre et qu'elles devaient commencer leur stage le matin même.

Lorsqu'ils entrèrent enfin dans la salle des professeurs, Rivest, Rousseau et Brisset s'empressèrent de présenter leurs stagiaires aux autres enseignants. Les trois hommes transportèrent ensuite de petites tables et des chaises près de leurs bureaux pour y installer leurs invitées.

Les trois premiers jours, les jeunes filles se contentèrent de suivre leur hôte partout dans ses déplacements et, en classe, elles se bornèrent à l'observer. Cette étape de leur stage visait à les familiariser avec le milieu et les groupes d'élèves.

Le jeudi matin, on assista à un changement complet d'atmosphère : les trois stagiaires se présentèrent à Montaigne passablement nerveuses et tendues. Elles allaient enseigner pour la première fois et chacune tentait de faire bonne figure en écoutant les multiples recommandations de son maître de stage.

Leur fébrilité arracha à Gilles un sourire indulgent. Il se souvenait encore trop bien de la véritable terreur paralysante qu'il avait éprouvée lors de son premier cours, douze ans auparavant. Affronter trente-quatre adolescents rebelles qui n'attendaient qu'un faux pas pour vous ridiculiser n'avait rien d'agréable. Voir chacun de ses gestes et la moindre de ses réactions épiés et analysés par le professeur-hôte créait une tension à la limite du supportable. Surtout quand on savait que son diplôme et son avenir en dépendaient.

Les quatre années précédentes, il avait, lui aussi, accueilli des stagiaires et tenté de les conseiller et de les former le mieux possible. Cette fois, pourtant, il avait fermement refusé d'endosser cette responsabilité.

Il ne se sentait pas assez compétent en secondaire 3 pour se permettre de jouer le rôle de tuteur.

Au son de la cloche, la salle des professeurs se vida. Gilles n'y retourna qu'à l'heure du dîner. Seul Sylvain Brisset était assis à son bureau.

— Où est passé tout le monde ? s'étonna Gilles.

— Ils sont partis dîner à côté ou à la salle à manger des profs, en bas.

— Est-ce que ça s'est bien passé pour ta stagiaire ?

— Pas trop mal. Nathalie a du cran. J'ai seulement été obligé de lui dire de se tenir correctement et de surveiller son langage. En tout cas, elle avait l'air d'être contente d'elle.

— *Se tenir correctement* ?

— Au commencement du cours, elle s'est assise sur mon bureau, les jambes croisées, expliqua Brisset. Je te garantis qu'elle n'est pas restée comme ça longtemps. Je lui ai fait signe de s'installer sur une chaise.

— Elle mange à côté ?

— Non, elle est partie. Je n'ai pas de classes cet après-midi. Elle va préparer ses cours de demain chez elle.

— Et les deux autres ?

— Céline, la stagiaire de Rousseau, dîne avec les élèves à la cafétéria. Elle tient à établir de bons contacts avec eux.

— Est-ce que Jean-Paul a l'air satisfait d'elle ?

— Quoi qu'il arrive, il va l'être. Pour lui, une stagiaire, ça représente des vacances. Tu ne le verras pas très souvent à la polyvalente durant le stage. Il va venir la regarder enseigner cinq minutes de temps à autre, puis il va retourner chez lui. Il fait ça chaque année.

— Mais il ne l'aide pas de cette façon ! protesta Gilles.

— Il s'en sacre comme de l'an quarante. À la fin du stage, il rédige un beau rapport à sa stagiaire et tout le monde est content.

— Et s'il y a un problème en classe pendant qu'il n'est pas là ?

— Il compte sur Tondreau ou sur Casavant pour le régler.

— Je suppose que Rivest est plus professionnel ? émit Gilles.

— Il n'y a pas de danger avec lui. Jérôme a peut-être bien des défauts, mais il est consciencieux et il ne se permettrait jamais de faire ça. En fait, lui, il est plutôt le contraire de Rousseau : généralement, il ne laisse pas assez de responsabilités à ses stagiaires. Il ne les lâche pas d'une semelle. Il vérifie tout : les préparations comme les corrections. Il voudrait qu'ils soient parfaits.

— Avec lui, au moins, ils apprennent, résuma le professeur de français.

— Exactement. Lui, il ne se contente pas d'assister à cinq minutes de cours de temps en temps. Il est toujours assis au fond de la classe quand sa stagiaire donne un cours et il prend tout en note.

Gilles acquiesça de la tête. Il commençait à bien connaître Jérôme Rivest. Il ne parvenait pas à aimer cet homme prétentieux, hypocrite, opportuniste et imbu de lui-même, qui réussissait encore à se plaindre du travail des meilleurs élèves du niveau. Cependant, il devait reconnaître qu'il était un excellent enseignant, dévoué et consciencieux. Il n'acceptait jamais de demi-mesures de la part de ses élèves. À ce titre, il avait droit à son respect.

Aussitôt, Gilles se mit à penser qu'il n'avait pas réussi à se faire d'amis ici, alors qu'à René-Goupil, il existait un bel esprit de camaraderie entre les professeurs. Était-il lui-même responsable, au moins en partie, de cette situation ? Parce que, n'ayant jamais tout à fait accepté son transfert, il restait fermé à tout rapprochement ? Voyait-il tout en noir ? « Travail de psy », se dit-il en haussant les épaules.

Les quatre semaines de stage passèrent rapidement, avec les hauts et les bas habituels. Les jeunes filles apprirent, à leurs dépens, qu'il était nécessaire d'adapter leur enseignement à la période de la journée et au jour de la semaine. Dans les cours théoriques offerts à l'université, on avait oublié de les prévenir qu'on n'enseignait pas de la même manière le lundi matin ou le vendredi après-midi, par exemple.

À la fin de leur stage, toutes les trois reconnurent volontiers que le métier de professeur exigeait des nerfs solides, beaucoup d'énergie et, surtout, énormément de travail. Elles s'étaient aperçues qu'il était passablement essoufflant de préparer du matériel pédagogique, de discipliner les jeunes, d'enseigner et de corriger. Elles n'avaient jamais imaginé que leurs soirées et leurs fins de semaine allaient être à ce point occupées et aussi peu reposantes.

Lorsqu'elles quittèrent Montaigne le vendredi après-midi, non sans avoir pris possession du rapport de stage dûment rempli et signé par leurs professeurs-hôtes, toutes les trois étaient fort aises de reprendre leurs cours à l'université, le lundi suivant.

— Ça va être pas mal moins fatigant, déclara naïvement Céline, la stagiaire de Jean-Paul Rousseau.

Gilles dut patienter une semaine supplémentaire après la visite des parents d'élèves avant d'avoir la joie de serrer dans ses bras son premier fils. L'enfant se fit désirer : il ne daigna naître que le 20 novembre, plusieurs jours après la date prévue par le gynécologue. L'accouchement se déroula sans problème et Gilles ressentit une immense fierté d'avoir enfin un garçon. Il se sermonnait parfois, comme si cette fierté cachait une déception de n'avoir eu que des filles jusque-là. Il se trouvait ridicule et avait l'impression de porter malgré lui cet ancien préjugé selon lequel les garçons ont plus de valeur que les filles. Naturellement, il se gardait bien d'en parler à quiconque – et surtout pas à Mylène ! –, mais il crut apercevoir des regards interrogatifs, et peut-être un peu désapprobateurs, de la part de la mère de ses enfants. « Encore du travail pour un psy », se contenta-t-il de penser. Et, comme d'habitude, il passa à autre chose.

Néanmoins, pour la première fois depuis le début du mois de septembre, l'école passait après sa famille. Partagé entre les soins à donner à ses deux filles et ses visites à l'hôpital, l'heureux père n'avait qu'une hâte : voir revenir Mylène à la maison. Lorsque sa femme reprit sa place au foyer après une hospitalisation de quelques jours, Gilles poussa un soupir de soulagement. Il avait la sensation de retrouver enfin toute sa famille et, par le fait même, son équilibre.

Revenue chez elle, Mylène reprit la direction de la maisonnée pour le plus grand bonheur de son mari, complètement dépassé par la situation. Simple et énergique, la nouvelle mère n'était pas de celles à qui le travail fait peur. Son mari se réjouissait de pouvoir se fier à une compagne aussi solide, capable de faire face à ses responsabilités sans jamais rechigner.

Pendant que Mylène s'occupait déjà de décorer la maison pour Noël, Gilles arrivait tant bien que mal à faire travailler ses élèves durant les dernières semaines avant les fêtes. Pour y parvenir, il avait toutefois besoin du matériel dont il avait confié l'impression à l'imprimeur, Pascal Foligni, il y avait de cela bien longtemps – alors que les stagiaires étaient encore là.

Ce Foligni était un quinquagénaire d'origine italienne à demi chauve et plutôt désagréable. Depuis le début de l'année, Gilles avait pu se rendre compte que l'homme n'en faisait qu'à sa tête. Il se souciait des recommandations faites par son patron, Henri-Paul Dubois, comme de sa première chemise. Bien malin celui qui aurait pu deviner à quelles règles il obéissait quand il s'agissait d'imprimer du matériel.

L'adjoint administratif avait établi que les enseignants devaient laisser à l'imprimeur cinq « jours ouvrables » pour obtenir leurs documents. Les professeurs devaient remplir un formulaire où étaient mentionnés la date de remise, leur nom, ainsi que la quantité de copies demandées. Grâce à ce document, la direction de la polyvalente contrôlait le travail exécuté par son employé et la quantité de papier utilisée par chacun.

Dès le mois de septembre, Gilles avait appris que les « cinq jours ouvrables » n'étaient qu'une vue de l'esprit. En réalité, il était à la merci du bon vouloir de l'homme confortablement installé dans une vaste pièce située près de la bibliothèque. Lorsque Gilles allait s'enquérir de l'impression de son matériel, l'imprimeur ne se donnait généralement même pas la peine de lui répondre. Il se contentait de lever les épaules et de lui montrer les trois grandes tables sur lesquelles il déposait tout ce qu'il avait imprimé.

Quand il avait la chance de découvrir là ce qu'il avait commandé, Gilles s'empressait de s'en emparer. S'il désirait trouer les feuilles à l'aide de la perforeuse neuve dont on venait de doter l'imprimerie, il lui fallait faire bien attention : lorsqu'un enseignant avait le malheur de laisser tomber le moindre bout de papier au sol, l'imprimeur se précipitait vers lui, furieux, en lui tendant une pelle et un balai pour le forcer à nettoyer.

En définitive, Gilles trouvait le personnage antipathique et éprouvait de plus en plus de difficulté à lui sourire quand il allait demander poliment, pour la quatrième ou cinquième fois, où en était l'impression de son matériel. Il était fatigué de ces démarches infructueuses.

— Ç'a pas d'allure, se plaignit-il un mardi matin à Sylvain Brisset. Je lui ai remis ma commande il y a trois semaines. Trois semaines ! Il n'a encore rien imprimé.

— As-tu regardé où était ton document dans sa pile de feuilles à imprimer ?

— Non. Est-ce que je peux lui demander ça ?

— Essaye, tu verras bien. Je te gage que tes feuilles ne sont pas sur le dessus de sa pile. Vérifie. Moi, je suis allé chercher les miennes hier et il ne les avait que depuis trois jours.

— Comment ça se fait ? questionna Gilles, interloqué.

— Notre Pascal est un grand travailleur. Quand tu lui apportes, disons, vingt feuilles à imprimer, il prend ta liasse et il la fait passer après tous les autres documents moins épais.

— Mais il y a la date de remise, protesta Gilles, au comble de l'exaspération.

— Il s'en fout totalement. Il fait ce qu'il veut. Tu sais ce que tu devrais faire ? Moi, en tout cas, c'est ce que je fais. Je prends mes feuilles à imprimer et je lui prépare des petits paquets de cinq ou six feuilles.

— Oui, mais tu es obligé de remplir un formulaire pour chacun.

— C'est l'inconvénient, reconnut le professeur de religion.

— Eh bien, moi, je ne jouerai pas à ce jeu-là ! Je n'ai pas de temps à perdre. Il y a tout de même des limites à rire du monde. Dans le guide des règlements internes, c'est écrit “cinq jours ouvrables”, ça va être cinq jours ouvrables.

— Qu'est-ce que tu vas faire ? l'interrogea Gaétane Rioux qui venait d'entrer dans la salle des professeurs en compagnie de Jérôme Rivest.

— Je vais aller voir Dubois. C'est lui, son patron. Qu'il s'organise pour que l'autre respecte les règles.

— Bonne chance ! lui souhaita Brisset. Tu vas en avoir besoin avec le gros Dubois. Si tu n'as jamais eu affaire à Henri-Paul, tu vas t'apercevoir que la politesse et lui, ça fait deux.

Sans perdre une minute, Gilles descendit au secrétariat général où il ne mettait les pieds que pour la seconde fois depuis son arrivée à Montaigne. Comme lors de sa première visite, il fut accueilli par la même réceptionniste à l'air rébarbatif.

L'enseignant ne s'embarrassa pas de civilités inutiles.

— Est-ce que monsieur Dubois est dans son bureau ?

— Oui.

— Je peux le voir ?

La femme jeta un coup d'œil derrière elle pour s'assurer que la porte du bureau de l'adjoint administratif était ouverte avant de lui répondre :

— Vous pouvez toujours essayer.

Le professeur de français franchit le portillon du comptoir derrière lequel la téléphoniste était retranchée et alla frapper à la porte de Henri-Paul Dubois.

— Ouais !

— Monsieur Dubois ?

— Ouais, qu'est-ce qu'il y a ? demanda le gros homme en fouillant dans les papiers étalés sur son bureau d'un air affairé.

Gilles entra dans la pièce sans y être invité, mais il ne referma pas la porte derrière lui.

— J'aimerais que vous m'expliquiez les règles pour recevoir le matériel confié à l'imprimerie.

— C'est écrit dans le cartable gris qu'on t'a remis au début de l'année, répondit le grossier personnage sans même se donner la peine de le regarder.

— Je le sais, je l'ai lu, répliqua Gilles, agacé par le manque de courtoisie de son interlocuteur. C'est bien cinq jours ouvrables pour avoir nos feuilles, non ?

— Ouais.

— Bon, expliquez-moi alors pourquoi je ne parviens pas à avoir mon matériel imprimé après quinze jours ouvrables.

— Comment tu veux que je le sache ? grommela l'adjoint administratif en lui accordant enfin un peu d'attention.

— En t'informant, dit Gilles sur le même ton et en passant au tutoiement, comme Henri-Paul Dubois se l'était permis. C'est ton employé, non ? Ce que je ne comprends pas, c'est qu'il imprime des documents qui lui ont été remis il y a trois jours, pendant que moi, j'attends encore les miens après deux semaines et demie.

— Lui as-tu demandé pourquoi ?

— Ce n'est pas mon problème ! s'indigna l'enseignant. Si je n'ai pas mon matériel demain matin, j'enverrai mes élèves jouer dans la nature et j'irai expliquer pourquoi au directeur. Est-ce que je suis assez clair ?

Henri-Paul Dubois demeura assis derrière son bureau, les yeux ronds, soufflé par l'aplomb du nouveau professeur de français. Ils n'étaient pas nombreux, ceux qui avaient osé lui tenir tête à Montaigne.

À ces mots, Gilles sortit du bureau de l'adjoint administratif. En quittant les lieux, il aperçut un vague sourire sur le visage de la réceptionniste et de la secrétaire de Raymond Garand qui, de toute évidence, n'avaient rien perdu de l'échange entre les deux hommes.

Au début de l'après-midi, Gilles découvrit sur son bureau de la salle des professeurs une note lui signalant que son matériel était prêt. Heureux d'entrer enfin en possession de ses documents, il se procura un chariot et se rendit sans perdre une minute à l'imprimerie. À son arrivée, Pascal Foligni lui envoya un regard mauvais, sans lui adresser la parole. Puis, il lui tourna ostensiblement le dos. Dubois l'avait probablement réprimandé.

L'enseignant fit lentement le tour des tables à la recherche de son matériel. Il découvrit sans mal ses vingt-cinq paquets de cent cinquante feuilles. Catastrophe ! L'imprimeur s'était vengé. Il regarda le premier paquet. Chaque feuille présentait de longues traînées d'encre qui la rendaient pratiquement inutilisable. Le même « accident » s'était produit pour chaque paquet. Le professeur de français observa les documents destinés aux autres enseignants : l'impression était parfaite.

Fou de rage, il plaça tant bien que mal toutes les feuilles sur son chariot. Il vit bien que Foligni le regardait de temps à autre d'un air narquois, mais il ne dit pas un mot. Lorsqu'il eut terminé le chargement, il quitta l'imprimerie en poussant son chariot jusqu'aux portes de l'ascenseur et descendit directement au secrétariat général.

Cette fois, il ne demanda pas la permission de se rendre au bureau de Henri-Paul Dubois. Il poussa le portillon avec son chariot et alla frapper directement à la porte de l'adjoint administratif.

— Qu'est-ce qu'il y a encore ? gronda ce dernier en voyant le chariot obstruer sa porte de bureau.

Gilles fit avancer le chariot dans la pièce et prit la première feuille qui lui tomba sous la main.

— Un beau travail, non ?

— C'est quoi, ça ? grogna l'homme.

— C'est le travail de l'imprimeur. Je viens de récupérer près de quatre mille feuilles. Elles sont toutes pareilles.

— Voyons donc, calvaire ! Qu'est-ce qui se passe encore avec lui ?

— Je ne sais pas. Tout ce que je sais, c'est que je ne peux pas utiliser ce matériel-là dans mes classes. Si encore c'était sa machinerie qui était défectueuse ! Mais non. J'ai regardé les feuilles qu'il venait d'imprimer pour d'autres ; elles étaient toutes impeccables.

— Peut-être que tes originaux...

— Mes originaux sont parfaits, le coupa l'enseignant avec humeur. Regarde-les, je te les laisse. Ils sont parfaitement propres et faciles à imprimer.

— Qu'est-ce que tu veux que j'en fasse ?

— Ce que tu voudras. Moi, je te laisse tout ça. Je pense que le mieux est de lui faire reprendre son travail. Ce qui est certain, c'est que j'en ai toujours besoin pour demain matin.

Une série de blasphèmes bien sentis accompagna la sortie de Gilles du bureau de l'adjoint administratif. L'enseignant regagna sa classe.

À trois heures quarante, Gilles revint à la salle des professeurs pour mettre ses couvre-chaussures et son manteau avant de partir. Il eut la surprise de trouver un chariot rempli de documents imprimés stationné près de son bureau.

— S'il m'a rapporté les feuilles sales, marmonna-t-il, ça va barder !

Pascal Foligni avait repris l'impression de tous ses documents. À sa plus grande satisfaction, Gilles découvrit des feuilles d'une propreté immaculée. Il apprit quelques jours plus tard que l'imprimeur avait d'abord refusé de réimprimer son travail malgré les menaces de Dubois. Il avait fallu l'intervention de Raymond Garand pour le faire obtempérer.

L'épisode de l'imprimeur avait laissé Gilles songeur. Il avait l'impression d'être poussé dans ses derniers retranchements et que ses ultimes forces l'abandonnaient. S'il n'y prenait garde, il allait sombrer dans le cynisme comme ses nouveaux collègues et il voulait éviter ça à tout prix. Il en discuta plusieurs fois avec la précieuse Mylène qui entreprit de le sortir de sa torpeur en trouvant les bons mots, comme toujours.

Au début de la semaine, tous les professeurs de la polyvalente reçurent un carton d'invitation pour le *party* de Noël. Le comité social avait décidé qu'il aurait lieu le vendredi 9 décembre, soit trois jours avant le début des examens. Gilles, sardonique, se demanda si le comité avait eu du mal à obtenir les cartons de l'imprimeur.

Un matin, chacun trouva sur son bureau un épais document dans lequel toutes les surveillances des examens étaient répertoriées.

— Veux-tu bien me dire pourquoi ils prennent dix jours pour dix examens ? demanda Gilles à Claude Loiselle, le seul enseignant présent dans la salle des professeurs lors de la distribution du document.

— Tu es dans une polyvalente ici, expliqua le professeur d'anglais. C'est gros.

— Je veux bien le croire, reconnut Gilles, mais deux examens par jour, ça n'aurait pas tué les élèves, et la période d'examens n'aurait duré que cinq jours... En tout cas, c'est comme ça qu'on procédait à René-Goupil.

— Relaxe, lui conseilla Loiselle. Oublie un peu ta petite école. Respire. À Montaigne, on donne un examen par jour durant la période d'examens des fêtes. Ça permet aux élèves de s'habituer aux vacances et les profs ont tout le temps qu'il faut pour corriger.

Gilles consulta le document d'une vingtaine de pages avant de questionner encore son collègue :

— Est-ce que c'est normal que je ne surveille que deux examens ?

— Oui. Et si tu faisais partie d'un comité de la polyvalente, tu n'aurais aucune surveillance.

— Qu'est-ce que je suis censé faire les autres jours ?

— Corriger chez toi. Qu'est-ce que t'as ? On dirait que tu n'es pas content de pouvoir souffler un peu ? Veux-tu faire les surveillances d'un autre ? plaisanta le professeur d'anglais. Dans ce cas-là, tu n'as qu'à rester assis ici durant la session et tu vas pouvoir faire toutes les suppléances que tu voudras. Tu vas t'apercevoir que plusieurs, même s'ils n'ont que deux surveillances à faire, ne se gênent pas pour s'absenter.

— Non, mais c'est la première fois que je vois ça ! Dans les petites écoles, on surveille presque tout le temps et on est obligés de se dépêcher pour finir de corriger nos examens avant les vacances.

— Pas ici.

Le vendredi soir, Gilles se fit violence pour participer à la fête de Noël. Tous les employés de la polyvalente avaient été conviés à ce souper et à cette soirée que le comité social de l'établissement avait longuement préparés.

Après quatre mois à Montaigne, Gilles ne se considérait toujours pas comme un membre à part entière du personnel. Il n'appartenait à aucun clan. Dans cette polyvalente, trop de choses l'exaspéraient et allaient à l'encontre de tout ce en quoi il croyait.

Ce soir-là, en entrant dans l'immeuble, il n'eut aucune difficulté à trouver le local où se déroulaient les festivités. À entendre les éclats de voix et la musique, la fête battait déjà son plein. Les organisateurs avaient abondamment décoré la salle à manger des enseignants située au rez-de-chaussée, près de la cafétéria. En plus, on avait annexé la salle voisine en ouvrant les portes en accordéon qui séparaient les deux pièces.

À l'avant, trois longues tables croulaient sous les victuailles et l'on avait installé dans un coin un bar bien approvisionné. Les deux barmen de l'occasion n'avaient pas l'air de chômer si on se fiait à la file d'assoiffés qui les assiégeaient.

Gilles fit lentement le tour des deux pièces à la recherche, parmi la centaine d'invités, d'un groupe d'enseignants de son niveau. À première vue, plusieurs d'entre eux n'avaient pas daigné honorer la soirée de leur présence. Il avait bien aperçu, à son arrivée, Tondreau, Rousseau, Brisset et Coulombe, mais le quatuor s'esquivait déjà dans un local voisin pour s'adonner à la passion de ses membres : le bridge. Il entrevit Denis Casavant faire le joli cœur auprès d'Anne Leduc. Il vit aussi Louise Kelly, la professeure d'anglais, qui s'entretenait avec des enseignants d'un autre niveau.

Dépité, il garnit rapidement son assiette de crudités et de quelques sandwichs avant de chercher des yeux un endroit où s'asseoir. Il venait de décider qu'une fois la dernière bouchée avalée, il partirait à l'anglaise.

— Si tu te cherches une place, viens t'asseoir avec nous autres, proposa une voix derrière lui.

Malgré la semi-obscurité de la pièce, Gilles reconnut sans peine Charles Roy, le professeur d'éducation physique avec qui il s'était entretenu quelquefois depuis la rentrée.

— Merci, accepta-t-il, reconnaissant, en déposant son assiette sur la table.

— Tu connais Pierre Lanctôt et Henri Duval ?

— Non, répondit Gilles en se tournant vers les deux hommes assis près du professeur d'éducation physique.

En regardant le figure ronde du premier et les lunettes à monture de corne du second, il se souvint vaguement de les avoir croisés dans les couloirs de la polyvalente à deux ou trois occasions depuis septembre.

— Ils enseignent au professionnel, lui apprit Roy. Pierre enseigne le français et Henri, les maths, aux élèves de soudure et d'esthétique.

Gilles tendit la main à ses deux confrères avant de s'asseoir. Soudain, il se rappela que le sympathique professeur d'éducation physique en était probablement à ses derniers jours d'enseignement.

— Alors, est-ce que vous partez toujours à la retraite avant Noël ? l'interrogea-t-il pour lancer la conversation.

Le visage de son interlocuteur se rembrunit.

— Penses-tu ! La bande d'écœurants ! Ils n'ont pas voulu que je parte avant la fin janvier. J'ai soixante-huit jours de congé de maladie accumulés. Je vais les perdre parce que je ne les ai jamais pris et ils ne me seront pas payés non plus quand je vais partir. J'aurais pu m'absenter deux jours par semaine depuis un an pour tous les utiliser, mais je ne suis pas comme ça. Je n'ai pas voulu pénaliser les élèves. Regarde comment on me remercie…

— Ne te plains pas, l'interrompit Pierre Lanctôt. Il te reste juste un mois à faire. Moi, j'en ai encore pour douze ans à endurer mes zozos.

— Quand même, ils sont un peu moins pires que ceux de l'année passée, intervint Henri Duval.

— Tu trouves, toi ? s'étonna Lanctôt.

Puis, s'adressant à Gilles, il ajouta :

— Qu'est-ce que tu dirais d'avoir des classes comme les nôtres ?

— Je ne connais pas votre clientèle, mais il paraît que vous n'en avez pas plus de seize par groupe. Moi, j'ai des groupes de trente-quatre élèves et…

— Oh ! le coupa Lanctôt. C'est supposé être un maximum de seize, mais devine ce qui se passe quand on reçoit des nouvelles inscriptions ? La direction n'ouvre pas de nouveaux groupes pour quelques élèves. Au moins, toi, tes élèves sont normaux.

— Normaux, c'est vite dit, commenta Gilles en riant.

— En tout cas, plus normaux que les nôtres. Sais-tu que, dans un de mes groupes, j'ai un élève qui s'assied en haut de mon armoire avant chaque cours et que je suis obligé de le faire descendre de force avant de commencer ?

— Voyons donc ! se troubla Gilles, incrédule.

— Ce n'est pas une blague. J'ai dû faire venir Martel, le gardien de sécurité, pas plus tard que la semaine passée pour le faire descendre. Ce jour-là, il ne voulait rien savoir.

— Moi, renchérit Duval, j'ai failli me faire assommer par un élève il y a quinze jours. Pendant que j'avais le dos tourné et que j'écrivais au tableau, le petit salaud m'a lancé une poignée de billes d'acier derrière la tête.

— Est-ce qu'ils sont tous comme ça ? s'informa Gilles qui n'avait qu'une très vague idée du genre d'élèves inscrits au cours professionnel.

— Non, mais disons que ceux-là n'aiment pas les matières académiques, et encore moins la discipline.

En général, ils ne s'intéressent qu'à leurs cours de soudure.

— Ça doit tout de même être moins pire avec les élèves des cours d'esthétique ? avança Gilles.

— Tu penses ça, toi ? Henri et moi, on a deux groupes de filles. Elles sacrent comme des charretiers et elles racontent leurs histoires de cul à tue-tête en classe. Elles sont même souvent pires que les gars de soudure. Eux, au moins, ils encaissent sans rechigner quand ils se font prendre.

Durant près d'une heure, chacun rivalisa d'humour en racontant les anecdotes les plus cocasses survenues depuis le début du mois de septembre dans ses classes.

— Dites donc, vous êtes chanceux que les autres ne vous entendent pas, les interrompit Claude Loiselle qui s'était arrêté à leur table.

— Pourquoi ? l'interrogea Gilles.

— Une des règles du comité social est d'imposer une amende à tout professeur pris à parler boutique pendant une fête, répondit Roy à la place de Loiselle.

— N'ayez pas peur, je ne vous stoolerai pas, comme on dit en latin, plaisanta Loiselle en s'éloignant déjà vers la table voisine.

— Tiens, voilà Tondreau au bar, remarqua Duval. Il vient faire le plein pas mal souvent depuis que la fête est commencée…

— J'ai des élèves qui disent qu'il a rapporté sa bouteille de Scope en classe, confia Roy.

— Une bouteille de Scope ? répéta Gilles, curieux.

— Il met son gros gin dedans. De temps en temps, il fait semblant de fouiller dans son armoire, en classe.

Il se cache derrière les portes entrouvertes pour s'en envoyer une bonne rasade.

— On m'avait dit qu'il avait été traité pour ça, émit Lanctôt.

— Faut croire que les effets du traitement n'ont pas duré bien longtemps, conclut Duval. Ce pauvre Michel, la boisson va finir par le tuer !

Quelques minutes plus tard, la musique cessa brusquement. Les gens se rendirent soudainement compte qu'ils parlaient tous très fort pour en couvrir le bruit. Armé d'un micro, Claude Loiselle annonça alors le début du concours de danse et encouragea tous les invités à y participer.

Gilles profita de l'occasion pour prendre congé, heureux d'échapper à la fumée de cigarette, au bruit et aux mauvaises langues. Il avait eu son compte de cancans pour la soirée. Lorsqu'il posa les pieds dehors, il retrouva avec joie un peu de calme et d'air frais.

Il neigeait doucement sur le vaste stationnement presque totalement occupé par les véhicules des invités à la fête. Gilles grimpa à bord de sa Chevrolet et s'empressa de rentrer chez lui. Comme il était tard, il se doutait bien que Mylène serait déjà couchée, à moins qu'une mauvaise nuit de leur fils ne l'ait maintenue éveillée, ce qui lui donnerait au moins l'occasion d'embrasser sa femme et son héritier.

La période d'examens débuta le lundi matin suivant. Gilles se présenta à Montaigne à l'heure habituelle, même s'il n'avait aucun examen à surveiller. Il avait choisi de travailler dans la salle des professeurs plutôt que de demeurer chez lui. Il pourrait ainsi préparer et imprimer le matériel pédagogique dont il aurait besoin à la rentrée, en janvier. Depuis son accrochage avec Foligni, il avait pris la ferme résolution de ne lui apporter que des documents de plusieurs pages. Lorsqu'il n'avait que quelques feuilles à reproduire, il avait décidé de les polycopier lui-même avec la vieille machine à alcool.

Dans la salle des professeurs, il n'y avait qu'une poignée de ses collègues. Chacun d'entre eux avait déjà pris possession d'une enveloppe remplie d'exemplaires d'examens au secrétariat général avant de monter à l'étage. Ils se tenaient assis à leur bureau, silencieux, attendant le début du premier examen.

Un peu avant neuf heures, ils quittèrent un à un la salle des professeurs et prirent la direction du local où ils devaient effectuer leur surveillance. Gilles venait à peine de s'installer devant la polycopieuse qu'une voix dans son dos le fit sursauter.

— Monsieur Provost, vous n'êtes pas en surveillance ?

L'enseignant se tourna brusquement pour découvrir derrière lui Michelle Larose, la secrétaire du directeur.

— Non, madame.

— Accepteriez-vous de faire un remplacement ? le pria-t-elle sur un ton légèrement suppliant. Georges Martin est en retard.

Gilles hésita. Il ne connaissait pas les groupes du professeur de géographie.

— Vous allez être payé comme pour une suppléance, spécifia la secrétaire, croyant ainsi le convaincre.

— Bon, très bien, accepta Gilles à contrecœur.

Sans perdre un instant, la femme lui tendit une grosse enveloppe.

— C'est au local 205. Tous les élèves doivent déjà être entassés devant la porte, ajouta-t-elle pour l'inciter à se presser.

L'enseignant s'empara de son porte-documents et alla déverrouiller la porte de la salle dans laquellle s'engouffrèrent une vingtaine d'élèves. À la vue d'un groupe aussi restreint, Gilles ne put s'empêcher d'envier son collègue.

Après avoir noté les présences, le surveillant s'empressa de distribuer les examens. Il avait jalousé Martin un peu trop rapidement : six élèves étaient absents.

À peine venait-il de regagner son bureau, à l'avant de la salle, que le comportement inhabituel d'un élève le poussa à se lever pour aller voir de plus près ce qu'il manigançait. À sa grande surprise, il constata que l'adolescent avait confectionné cinq petits billets sur lesquels il venait d'écrire les lettres A, B, C, D et E. Gilles se rapprocha encore de l'élève que sa présence ne troublait pas le moins du monde. Le garçon se mit à plier avec soin et sans se presser chacun des billets dont il fit un petit tas qu'il disposa au coin de son pupitre. Ensuite, il inscrivit posément son nom en haut de la feuille des réponses de son examen de géographie avant de faire une pause.

Gilles avait remarqué que l'examen était un test objectif de cent questions auxquelles les élèves devaient répondre par une lettre. Très intrigué, le surveillant s'appuya au mur, au fond de la pièce, pour mieux voir ce que l'adolescent comptait faire de ses billets. Il n'eut pas à attendre bien longtemps : sans même se donner la peine de lire la première question de l'examen, l'élève prit au hasard un billet, le déplia et écrivit la lettre comme réponse avant de replier le papier et de le mélanger aux autres. Avec l'air de s'amuser, il se mit ensuite à répéter la même opération pour chacune des autres questions.

Gilles était sur le point d'aller le semoncer quand il se rendit brusquement compte qu'il n'avait pas à se mêler de l'affaire puisque ce n'était manifestement pas un cas de plagiat. Il se contenta de noter le nom de l'élève : Pierre Chartrand.

Quelques minutes plus tard, l'enseignant entendit des cris dans le couloir. Il se rendit à la porte de la salle juste à temps pour voir passer une dizaine d'élèves qui se dirigeaient vers l'escalier en discutant bruyamment, à peine vingt minutes après le début de l'examen. Il se demanda ce que ces adolescents faisaient là, lorsqu'il vit passer d'autres jeunes non moins tapageurs. Ils venaient de sortir du local voisin. Comment était-ce possible ? L'examen devait durer quatre-vingt-dix minutes. Le règlement stipulait qu'on ne pouvait permettre à un élève de quitter la salle avant que les deux tiers du temps imparti à l'examen soient écoulés. « Quelle école de fous ! » songea Gilles.

Quand le jeune Chartrand se leva peu après pour lui remettre son examen, l'enseignant ne s'entêta pas à appliquer un règlement que personne autour de lui ne respectait. Il se contenta de lui montrer la porte. Peu après, une fille lui tendit à son tour sa copie. Un coup d'œil au document lui apprit qu'elle n'avait répondu qu'à un tiers des questions.

À dix heures, le dernier élève de Georges Martin quitta la salle et Gilles remit les examens dans l'enveloppe qu'il s'empressa d'aller porter au secrétariat, comme il était précisé dans les directives données aux surveillants. Quand il retourna dans la salle des professeurs, il découvrit l'enseignant de géographie confortablement installé devant une tasse de café, à son bureau.

— C'est toi qui m'as remplacé ? l'interrogea Martin en souriant de toutes ses dents.

— Oui.

— Je me suis levé en retard. Est-ce que ça s'est bien passé ?

— Ils ont fait ton examen pas mal vite. Il restait encore une demi-heure et le dernier élève avait quitté le local depuis presque dix minutes. En plus, six de tes élèves étaient absents.

Martin n'émit aucun commentaire et continua de sourire. Il n'avait pas l'air pressé d'aller récupérer ses copies au secrétariat.

— Ah oui ! Je voulais te parler de Chartrand, se rappela Gilles.

— Qu'est-ce qu'il a encore inventé ?

En quelques mots, Gilles raconta comment l'adolescent s'y était pris pour répondre à son examen.

— Le maudit niaiseux ! s'emporta Martin en se levant. Je vais aller chercher les examens et corriger tout de suite sa copie pour voir ce que ça donne.

Moins de vingt minutes plus tard, le professeur de géographie montra à son confrère les résultats de Chartrand.

— Tu ne me croiras pas, mais il a 63 %. Ça fait trois fois que je relis sa copie. C'est impossible ; il y a cinq choix de réponses à chaque numéro. Le p'tit crisse ! Si je l'avais devant moi, je lui ferais avaler sa feuille.

— Est-ce que tu corriges ton examen comme il doit l'être ? l'interrogea Gilles.

— Qu'est-ce que tu veux dire par là ?

— Est-ce que tu enlèves un point par mauvaise réponse ?

— Pourquoi je ferais ça ?

— D'après le ministère de l'Éducation, expliqua Gilles, ce n'est pas comme ça qu'un test objectif doit être corrigé. On doit enlever un point par mauvaise réponse, donner un point par bonne réponse et ne rien enlever ni donner quand l'élève n'a rien répondu à une question.

— Es-tu malade, toi ? Si je faisais ça, pas un de mes élèves passerait. Ils couleraient tous. En plus, je te garantis que ça ne prendrait pas de temps avant de me faire taper sur les doigts par la direction.

— Ben, cherche pas plus loin pourquoi ton Chartrand réussit sans même avoir lu les questions de ton examen, répliqua Gilles.

Cette dernière remarque mit fin à l'échange entre les deux enseignants. Gilles se promit de ne jamais présenter un test objectif à ses élèves. S'il était impossible de le corriger comme il devait l'être, il valait mieux s'en tenir à des examens conventionnels.

Deux jours plus tard, Gilles surveillait l'un de ses propres groupes pendant un examen de français. À la fin de sa surveillance, il se rendit aussitôt au secrétariat pour prendre possession de ses autres enveloppes de copies. Un coup d'œil à la liste des présences de chacun de ses groupes lui fit découvrir avec stupeur que quinze de ses élèves ne s'étaient pas présentés.

— Qu'est-ce qui se passe, d'après toi ? demanda-t-il à Sylvain Brisset qui était sur le point de quitter la salle des professeurs. On dirait qu'il y a une épidémie de grippe.

— Bof, ça ne me surprend pas, lui confia l'enseignant de religion en mettant ses bottes.

— Ah bon ? Explique-toi.

— Voyons ! Tu n'as pas entendu les élèves parler entre eux avant la période d'examens ? Moi, oui. Il y en avait beaucoup qui disaient qu'ils ne se présenteraient pas aux examens. Ils aimaient mieux venir à la reprise en janvier, après les vacances.

— La reprise ?

— Ben oui, la reprise ! Oublies-tu qu'ils ont droit à une reprise s'ils échouent ?

— Mais ils ne reprennent pas leur examen puisqu'ils ne l'ont jamais fait. Ils étaient absents !

— Ici, c'est la même chose, lui apprit Brisset. En plus, il y en a qui ne se sont pas gênés pour dire qu'ils demanderont à leurs copains de prendre des notes sur l'examen qu'ils viennent de passer.

— C'est inutile. Ce ne sera sûrement pas le même examen qui va leur être donné en janvier.

— Es-tu bien sûr de ça, toi ? l'interrogea Brisset en ricanant. Tu sauras que bien des profs ne se donnent même pas la peine de produire un autre examen pour les absents.

— Mais il n'y a pas une limite à la note qu'on donne pour une reprise ? À René-Goupil, un élève qui reprenait son examen ne pouvait pas avoir plus de 60 %. Puis, c'était une vraie reprise, pas un cas d'absence. Ici, tous les profs acceptent ça sans rien dire ?

— Pas tous, loin de là, le rassura son collègue.

Il y eut un court silence entre les deux hommes. Gilles commençait à bien connaître ses confrères. Depuis longtemps, il les avait classés en trois catégories plus ou moins bien définies. Quelques indifférents se moquaient éperdument de la réussite de leurs élèves et n'exerçaient leur profession que pour le chèque de paye. D'autres, dégoûtés ou amers pour diverses raisons, en faisaient le moins possible et trouvaient le plus souvent une explication *a posteriori* pour justifier leur façon d'agir. Enfin, il y avait les « zélés », comme les appelaient certains avec un certain mépris. Ces derniers croyaient encore en leur mission d'éducateur et faisaient des pieds et des mains pour que leurs élèves réussissent. Gilles, comme Brisset, Loiselle, Rivest et quelques autres, était un « zélé ».

— Et il n'y a aucun moyen de faire autrement ? voulut savoir Gilles.

— Il y a bien un moyen, mais c'est vraiment chercher les problèmes, avança Brisset en hésitant.

— Lequel ?

— Dans les règlements de l'école, c'est écrit qu'une absence à un examen doit être motivée par un billet médical. Sauf que je peux te dire que je ne connais pas beaucoup d'enseignants prêts à se battre pour faire respecter ce règlement-là. Ils aiment mieux donner l'examen et se fier à un billet d'absence rédigé la plupart du temps par l'élève lui-même.

— Eh bien, moi, je peux te dire qu'en janvier, je vais exiger un billet du médecin pour donner droit à la reprise !

— Je te souhaite bonne chance, déclara le professeur de religion en quittant la pièce.

Gilles était déterminé. Il n'allait pas se laisser avoir par le système ; il lui restait encore sa conscience professionnelle et, même s'il n'avait pas prêté de serment d'Hippocrate, il considérait que la profession d'enseignant était noble et qu'elle venait avec des responsabilités. Non, il n'allait pas devenir comme « eux », aigri et blasé, comptant les jours avant la retraite.

Il parvint à corriger ses examens avant le début des vacances de Noël. Le 22 décembre, il quitta Montaigne avec la ferme intention de profiter pleinement, avec sa famille, des deux semaines de vacances auxquelles il avait droit. Il se promettait de passer du temps avec les siens et d'en profiter pour faire des activités avec les enfants et offrir un peu de répit à Mylène. Mais il s'agissait de vœux pieux. En réalité, il travailla plusieurs heures chaque jour à la préparation de son matériel pédagogique en vue de la rentrée de janvier.

9
La nouvelle directrice

Le 6 janvier, la rentrée à Montaigne eut lieu par un froid sibérien. Le mercure indiquait vingt-quatre degrés sous zéro. Comme si cela ne suffisait pas, les enseignants pestèrent en découvrant un stationnement qui n'avait été que partiellement déblayé de la neige tombée durant les vacances. Par conséquent, nombreux étaient les véhicules qui s'enlisaient à plusieurs endroits et leurs conducteurs, impatients, finirent par les abandonner quand ils ne pouvaient les dégager seuls.

Le visage d'un bon nombre de professeurs portait les marques de la fatigue et des excès des semaines de congé. C'était sans grand enthousiasme que la plupart revenaient au travail. Certains affichaient une mine de condamné qui en disait long sur leur envie de reprendre le collier.

Dans la salle des professeurs de secondaire 3, les enseignants se retrouvaient pourtant avec plaisir. On se serrait la main et on échangeait des souhaits de bonne année entre collègues dès que quelqu'un arrivait. Ensuite, on s'empressait d'aller se verser une tasse de café dans la salle voisine, qu'on revenait boire en compagnie de ses pairs.

Personne ne songeait à enlever les décorations de Noël hâtivement installées au début du mois de décembre. Quelques-uns avaient entrepris de raconter à leurs voisins de bureau les événements marquants de leurs vacances. L'heure était à l'échange des nouvelles. Et ce matin-là, elles allaient être de taille.

— Une chance qu'on commence par une journée pédagogique, déclara Denis Casavant après avoir embrassé Anne Leduc à qui il venait de présenter ses vœux.

— C'est une très bonne chose, releva Claude Loiselle. Ça va me donner le temps de dégarnir l'arbre de Noël dans ma classe.

— Oui, et toutes tes petites lumières aussi, mon Claude. Je ne sais pas si tu t'en es aperçu, mais ta classe ressemblait assez à un bordel avec tes petites lumières rouges..., le taquina Louise Kelly.

— Est-ce que tu serais jalouse ? se rebiffa le professeur d'anglais, piqué au vif par la remarque.

— Pantoute, mon Claude. Je trouvais même ça bien beau, ton affaire, pouffa sa consœur.

Loiselle préféra ne rien ajouter. L'imposante femme était capable d'être mordante quand elle s'en donnait la peine, et elle avait la réputation de ne jamais reculer. Elle n'avait rien en commun avec Mary Bello, leur collègue timide et effacée assise devant eux.

En réalité, on entendait rarement le son de la voix de cette enseignante d'origine égyptienne dans la salle des professeurs. Plus d'un se demandait même comment elle parvenait à tenir les groupes difficiles dont elle avait la charge. Personne ne l'aurait remarquée si elle n'avait pas reçu deux appels téléphoniques quotidiennement. Selon Loiselle, c'était son mari, un homme particulièrement jaloux, qui l'appelait pour vérifier si elle était bien à l'école.

— En tout cas, moi, dans ma classe, ça ne sent rien, répliqua le professeur d'anglais, changeant brusquement de cible.

Gilles eut de la difficulté à réprimer un sourire. Il savait que Loiselle venait de s'attaquer à la chef de groupe, Gisèle Tremblay, qui, pour faire « dans le vent » et se faire remarquer par ses patrons, avait décidé, dès septembre, de créer un climat différent dans sa classe.

Ainsi, depuis le début de l'année, Gilles avait dû apprendre à vivre avec les effluves d'encens et la musique de salle d'attente envahissant sa classe dès que la porte de celle de sa collègue s'ouvrait.

— Claude, tu commences bien mal ton année, le sermonna la religieuse défroquée.

— OK, je disais ça juste pour parler, lança Loiselle, faussement contrit.

C'est alors que Jean-Paul Rousseau pénétra dans la pièce, apparemment dans tous ses états.

— J'arrive du secrétariat. Vous connaissez la nouvelle ? lança-t-il d'une voix nerveuse.

— Quoi ? Qu'est-ce qu'il y a ? l'interrogea Brisset.

— Charles Roy est mort hier.

— Voyons donc ! s'exclama Prosper Desjean, incrédule.

— Je vous le dis. J'étais à côté de madame Larose quand sa femme a appelé tout à l'heure pour annoncer qu'elle avait trouvé son mari mort dans son lit hier matin.

— Oh non, c'est pas vrai ! s'écria Michel Tondreau, qui avait l'air abasourdi. Je lui ai parlé au *party* de Noël. Il lui restait juste trois semaines à faire avant sa retraite.

— Ben, ça a tout l'air qu'il n'en profitera pas, de sa retraite, fit remarquer Georges Martin, faisant preuve d'un manque d'empathie assez déconcertant.

Gilles, lui, était secoué par la triste nouvelle. Roy était un des rares collègues qu'il estimait. Un professeur de la vieille école, comme lui, qui tentait tant bien que mal d'exercer son métier malgré les conditions parfois absurdes de cette polyvalente. Il enchaîna :

— Le plus écœurant, c'est que la commission scolaire avait refusé sa demande de retraite anticipée pour Noël. Il m'en avait parlé au *party* et il le prenait plutôt mal.

— Est-ce qu'on sait de quoi Charles est mort ? voulut savoir Claude Loiselle qui paraissait sincèrement désolé. Il n'était jamais absent. Il ne devait pas être malade, non ?

— Sa femme a dit à la secrétaire qu'il était mort d'un arrêt cardiaque.

— Au fond, c'est une belle mort, commenta Gisèle Tremblay rêveusement. Il n'a pas eu le temps de souffrir…

« Voilà pour son oraison funèbre… », songea Gilles, offusqué devant le manque de sensibilité de sa collègue. En viendrait-il un jour à être à ce point déshumanisé ? Était-ce là le lot de tous ceux qui enseignaient trop longtemps dans cet établissement ? L'indifférence, le détachement, la petite mort de l'âme ? Il ne put s'empêcher de frissonner.

Puis, la porte de la salle des professeurs s'ouvrit sur Raymond Garand, le directeur de Montaigne. Il arborait une mine grave et était accompagné d'une inconnue.

— Chers amis, annonça-t-il en se plaçant au centre de la pièce, je suppose que vous êtes déjà au courant de la triste nouvelle. Notre collègue, Charles Roy, est décédé hier. Son épouse nous l'a appris, il y a quelques minutes à peine. Charles sera exposé au salon Urgel Bourgie, coin Beaubien et 5e Avenue, à compter de sept heures, ce soir. Le service funèbre sera célébré jeudi matin, à l'église Christ-Roi. Le comité social de l'école verra à envoyer des fleurs en votre nom. Madame Larose est en train de préparer un mémo pour vous transmettre les coordonnées nécessaires. Il vous sera remis avant la fin de la matinée.

Des murmures s'élevèrent dans la salle.

— Même si la situation ne s'y prête pas beaucoup, je profite de l'occasion pour souhaiter à chacun d'entre vous une bonne et heureuse année. Je voudrais aussi vous présenter votre nouvelle directrice de niveau, madame Hélène Vallée.

Toutes les têtes des enseignants se tournèrent en même temps vers la jeune femme qui s'était tenue, discrète et silencieuse, dans l'ombre du directeur de la polyvalente.

Grande et mince, elle devait avoir trente-cinq ans tout au plus. Elle était très jolie. Ses cheveux bruns coupés court mettaient en valeur l'ovale de son visage aux traits fins. Le « bonjour » qu'elle adressa à ses collègues fut souligné par un charmant sourire.

Ensuite, elle suivit docilement Raymond Garand qui lui présenta un à un tous les professeurs présents dans la pièce. À chacun, elle tendit la main et se déclara heureuse de le rencontrer sans laisser paraître le moindre signe de timidité.

— Notre première réunion aura lieu dans trente minutes au local habituel, dit-elle aux enseignants avant de quitter la salle en compagnie de Garand.

Après leur sortie, les commentaires ne se firent pas attendre.

— Je ne savais pas que la nomination avait déjà été faite, maugréa Jean-Paul Rousseau.

Tout, dans sa physionomie, trahissait sa déception. Même s'il ne l'avait dit à personne, ses pairs savaient qu'il aspirait au poste.

— Les commissaires l'ont nommée hier, précisa Denis Casavant.

Lui aussi était amèrement déçu. Seul son ami Sylvain Brisset était au courant de sa candidature, rejetée une fois de plus.

— D'où elle sort ? s'enquit Louise Kelly.

— Pas de la commission scolaire en tout cas, attesta Germain Coulombe qui se vantait volontiers de connaître tous les enseignants et les directeurs de Des Érables. Je ne me rappelle pas l'avoir déjà vue quelque part.

— Celle-là, je la trouve forte en maudit ! explosa Georges Martin dont la candidature n'avait pas été moins secrète que celles de Rousseau et de Casavant.

— Pourquoi tu dis ça ? le questionna Michel Tondreau.

— Bâtard ! Il paraît qu'il y avait au moins vingt profs de la commission scolaire qui voulaient la *job*. Tu ne me feras pas croire qu'ils ne pouvaient pas choisir parmi ceux-là. C'est pas une *job* de premier ministre, hostie ! jura l'homme, vraiment furieux. Après tout, ça ne demande pas la tête à Papineau pour faire fonctionner un niveau. Un prof d'expérience est capable de faire ce travail-là. Il y a juste à voir les questions niaiseuses que le comité de sélection pose pour s'en rendre compte.

— T'as l'air d'être pas mal au courant, Georges, insinua Loiselle, sarcastique.

— C'est vrai que t'es bien informé, renchérit Brisset en riant. On dirait bien que tu faisais partie des zouaves qui voulaient devenir notre *boss*.

— Commencez pas à m'écœurer, vous autres ! s'emporta le professeur de géographie.

— Remarquez, l'interrompit Jacqueline Saint-Onge, la commission scolaire a peut-être voulu donner une chance à une femme, pour une fois.

— Des femmes ! Des femmes ! répéta Carlos Pereira, le professeur de sciences, avec une mine un peu dégoûtée. Il ne faut pas exagérer non plus. Je ne vois pas pourquoi on donnerait une chance à une femme parce que c'est une femme. On travaille pour une commission scolaire. On a des salaires égaux et des tâches identiques. Pourquoi une femme plus qu'un homme ? Pourquoi faudrait-il absolument qu'une femme devienne notre directrice de niveau ?

— Elle a peut-être de l'expérience comme directrice, suggéra Jérôme Rivest en tordant nerveusement les extrémités de sa longue moustache du bout des doigts.

— Si elle a de l'expérience, ce n'est pas à la commission scolaire Des Érables qu'elle l'a acquise, en tout cas, laissa tomber Germain Coulombe.

Quelques minutes plus tard, Claudette Labonté, la secrétaire du niveau, invita les enseignants à se rendre au local 203 pour une courte réunion avec leur nouvelle supérieure.

Quand les professeurs entrèrent dans la salle, Hélène Vallée était occupée à noter au tableau des pourcentages à côté de chacune des matières enseignées en troisième année du secondaire.

— Je ne sais pas si elle a de l'expérience comme directrice de niveau, mais je peux te dire qu'elle a de maudites belles jambes, murmura Jean-Paul Rousseau à Denis Casavant en prenant place à ses côtés.

— Peut-être, répliqua son collègue, mais à l'étage au-dessus, il y a une absence pénible.

L'enseignant de mathématiques faisait allusion à la poitrine plutôt plate de la jeune femme.

Après avoir obtenu l'attention de ses nouveaux collègues, Hélène Vallée se mit à débiter un discours de toute évidence appris par cœur. Elle commença par dire à quel point elle était heureuse de venir diriger une aussi belle équipe. Elle en profita aussi pour saluer le travail que ses deux prédecesseurs avaient accompli depuis le mois de septembre à titre de directeurs de niveau intérimaires. Ensuite, elle parla de la discipline qu'elle voulait imposer aux élèves ainsi que du climat de collaboration qu'elle entendait établir avec ses enseignants. Rien de bien nouveau, en somme.

— J'ai écrit ici le taux d'échec pour chaque matière, indiqua-t-elle en se tournant vers le tableau. Les chiffres sont plutôt inquiétants. À ce sujet, j'aurai probablement à rencontrer chacun d'entre vous pour savoir ce qu'il compte faire pour améliorer le rendement des élèves. Il ne faut pas oublier que nous favorisons une pédagogie du succès. L'élève a le droit de connaître la réussite et c'est notre devoir de l'aider à y parvenir.

— C'est ça, ma belle, chante-nous donc ta chanson, grommela Rousseau entre ses dents.

— Bon, je ne veux pas vous retenir trop longtemps, conclut Hélène Vallée. Je crois que vous ne manquez pas de travail.

Un parfait silence accueillit cette dernière phrase.

— Avant de vous laisser aller, est-ce qu'il y a des questions ?

— Moi, j'en ai une, madame, se lança Gilles. J'aimerais savoir si vous avez l'intention de faire quelque chose pour contrer l'absentéisme des élèves.

— On ne m'a pas parlé d'un problème particulier d'absentéisme, répliqua-t-elle.

— C'était probablement une surprise qu'on voulait vous faire, ironisa le professeur de français. En fait, c'est peut-être le problème majeur à Montaigne... à moins que vous ne trouviez normal qu'à toute heure du jour, la cafétéria soit pleine d'élèves qui devraient être en cours.

— Qu'est-ce qu'ils font là ? s'enquit-elle, interloquée.

— Si je me fie à ce que j'ai vu, ils jouent aux cartes, ils sacrent, ils s'amusent et ils "font du social", comme ils disent.

— Quelles mesures ont été prises depuis le début de l'année à ce sujet ?

— Il faudrait peut-être le demander à monsieur Garand. À première vue, je dirais : aucune.

— Je vais en discuter avec lui et je vous reviendrai là-dessus, promit Hélène Vallée. Autre chose ? demanda-t-elle en regardant les enseignants assis devant elle.

— Oui, déclara Sylvain Brisset. J'aimerais savoir ce qui a été prévu pour le décès de notre confrère, Charles Roy. La direction a-t-elle l'intention de suspendre les cours jeudi matin pour permettre à tous les élèves de la polyvalente d'assister à ses funérailles ? Est-ce que seuls les élèves de Charles pourront y aller ? Qu'est-ce qui a été décidé ?

La nouvelle directrice de niveau sembla d'abord un peu désarçonnée par le ton direct et peu diplomatique employé par le professeur de religion.

— Tout à l'heure, monsieur Garand a réunis tous les directeurs de niveau. Il a été convenu que nous n'annulerions aucun cours pour permettre aux élèves de se rendre à la cérémonie.

— Quoi ? Es-tu en train de nous dire que non seulement les élèves ne pourront pas aller aux funérailles, mais que les professeurs non plus ne seront pas libérés ?

La jeune femme sourcilla en entendant le tutoiement qui lui était réservé.

— Il paraît que ce n'est pas possible. Monsieur Garand pense que les professeurs qui n'auront pas de cours à donner à l'heure des funérailles pourront facilement s'y rendre. Si d'autres tiennent à y aller, ils pourront s'arranger avec des collègues pour se faire remplacer.

Cette mise au point souleva un tollé de protestations.

— Ah, ben, j'ai mon maudit voyage ! s'enflamma Brisset. Un de nos camarades meurt, mais ce n'est pas assez important pour suspendre les cours une matinée.

— C'est... odieux ! l'appuya Claude Loiselle.

— Au fond, si on tient à aller à cet enterrement-là, émit la forte voix de Louise Kelly, on n'a qu'à y aller sans permission. Le pire qui peut arriver, c'est qu'on nous coupe du salaire.

Plusieurs affirmèrent haut et fort que c'était ce qu'ils allaient faire.

— Moi, je n'ai fait que vous rapporter ce qui a été décidé, se justifia piteusement Hélène Vallée, apparemment insatisfaite de la tournure que prenait sa première réunion. Autre chose ? S'il n'y a pas d'autre question, on se retrouvera cet après-midi, à deux heures, pour une courte réunion, ici même.

Les enseignants, qui avaient déjà commencé à se lever, murmurèrent leur mécontentement.

— Pourquoi ne pas en finir tout de suite ? demanda Georges Martin.

— En finir avec quoi, monsieur ?

— Avec les réunions de la journée, s'impatienta Martin.

— Parce que je n'ai pas toutes les données pour traiter du point qui sera discuté et j'ai autre chose au programme ce matin, rétorqua-t-elle, agacée par l'intervention.

— C'est bien beau, ça, marmonna Jean-Paul Rousseau, mais nous autres, on n'a pas que ça à faire, assister à des réunions.

— À moins que je ne me trompe, l'horaire d'aujourd'hui est de neuf heures à trois heures quarante, non ?

Sur cette sèche mise au point, Hélène Vallée sortit de la salle, mécontente, en emportant la chemise cartonnée dans laquelle elle avait pris des notes.

Les enseignants, frustrés, regagnèrent la salle des professeurs en maugréant.

— La maudite, elle commence bien ! s'écria Rousseau en se laissant tomber sur sa chaise. Si elle s'imagine qu'elle va nous faire suer, j'ai des petites nouvelles pour elle.

— Qu'est-ce qu'il y a, Jean-Paul ? le railla Jacqueline Saint-Onge, suave, en passant devant lui. On dirait que tu n'aimes déjà pas notre nouvelle directrice de niveau. Donne-lui une chance. Elle vient juste d'arriver. Elle ne peut pas deviner que tu avais prévu jouer au bridge toute la journée.

— Eille, toi, c'est pas le temps de m'écœurer ! la mit en garde le petit homme, visiblement de très mauvaise humeur.

— Ce n'est pas ce que tu avais l'intention de faire ? s'entêta l'enseignante de religion en lui adressant un clin d'œil complice.

— C'est sûr que c'est ça qu'on va faire et il n'y a personne qui va nous en empêcher, aboya le professeur de mathématiques en sortant d'un tiroir de son bureau le jeu de cartes utilisé depuis des années par le quatuor d'habitués. C'est même ici qu'on va jouer, à part ça, ajouta-t-il avec un air de défi en se levant.

Tondreau, Casavant et Coulombe lui emboîtèrent le pas et allèrent s'installer à leur table favorite, au fond de la salle des professeurs. Pendant ce temps, Sylvain Brisset téléphona au syndicat pour savoir ce qu'il convenait de faire à propos des funérailles de Charles Roy. Lorsqu'il raccrocha, deux minutes plus tard, le professeur de religion se contenta de rapporter:

— D'après le syndicat, la direction a le droit de décider ce qu'elle veut. Si Garand ne veut pas nous libérer pour nous laisser aller aux funérailles de Charles, rien ne peut le forcer à le faire.

— Comme ça, au moins, c'est clair, déclara Anne Leduc avant de se replonger dans les feuilles étalées devant elle.

— Anne, tu devrais venir t'asseoir ici, l'invita Casavant, toujours aussi don Juan. Je pourrais te montrer à jouer au bridge.

— Merci, mais j'ai vraiment trop de travail, déclina la jeune femme sous le regard taquin de quelques collègues.

— En tout cas, c'est bien triste pour ceux qui pensaient aller se reposer cet après-midi à la maison, commenta Brisset en faisant un clin d'œil à Gilles. Ç'a tout l'air qu'ils vont être obligés de nous tenir compagnie au moins jusqu'à trois heures quarante.

— Ça va, Sylvain, tu n'es pas obligé de tourner le fer dans la plaie, tempéra Gaétane Rioux.

— En tout cas, intervint Carlos Pereira, qui sortait de la salle voisine, déjà vêtu de son paletot, moi, je ne serai pas là. Vous me direz ce qui s'est passé.

— Moi non plus, décida Prosper Desjean. Je pars.

Les deux hommes se dirigèrent vers la sortie.

— Ils s'en vont ? demanda Gilles, incrédule.

— Desjean, sûrement, mais Pereira va être à la réunion comme un seul homme, tu vas voir, lui confia Jacqueline Saint-Onge. Il est bien trop peureux pour ne pas y assister. En plus, il faut tout de même qu'il s'habitue, le pauvre, à ce qu'une femme lui donne des ordres. Et ça, ça va être beau à voir la première fois que notre directrice de niveau va s'en charger.

À midi, quelques enseignants de secondaire 3 partagèrent leur repas autour de la grande table placée au centre de la pièce située derrière les laboratoires. Depuis le début du mois de novembre, l'endroit était devenu, sans qu'on sache très bien pourquoi, le lieu de rencontre où l'on aimait bavarder en buvant une tasse de café. Peut-être les enseignants appréciaient-ils le fait de se retrouver dans une pièce moins passante que la salle des professeurs. À moins que la popularité de cette petite pièce encombrée ne vienne tout simplement de la cafetière louée et exploitée depuis quelques semaines par Georges Martin.

— Eille ! N'oubliez pas de mettre votre vingt-cinq cennes dans le pot quand vous prenez un café, leur rappela le professeur de géographie, ce jour-là. Commencez l'année du bon pied. Avant les fêtes, j'ai remarqué que la cafetière se vidait et qu'il n'y avait même pas une piastre dans le pot.

Les enseignants se regardèrent. Certains avaient déjà la réputation de venir remplir leur tasse de café plusieurs fois par jour sans qu'on les voie déposer leur quote-part dans le pot commun.

— Tu ferais mieux de demander un montant fixe par mois, proposa Louise Kelly. Comme ça, tu n'aurais qu'à afficher la liste de ceux qui ont payé et qui ont le droit de se servir.

Un silence embarrassé accueillit d'abord la suggestion. Bientôt, ceux qui avaient l'habitude de verser fidèlement leur obole se rendirent brusquement compte qu'ils n'auraient plus à se mettre à la recherche de monnaie chaque fois qu'ils voulaient une tasse de café. Ceux-là approuvèrent bruyamment la proposition de l'enseignante d'anglais.

— Tout le monde paierait le même montant ? voulut savoir Joseph Comtois, le professeur d'arts plastiques, reconnu pour être aussi près de ses sous que grand consommateur de café. Ce ne serait pas bien juste pour ceux qui n'en prennent qu'une tasse par jour. Ceux-là paieraient le même montant que ceux qui n'arrêtent pas d'en boire toute la journée...

— Comme toi, par exemple, le coupa Louise Kelly. N'aie pas peur, mon Joseph, si tu calcules bien, tu vas t'apercevoir que ça va te coûter moins cher qu'avant.

— Moins cher qu'avant... si tu payais chacune de tes tasses de café, le taquina Claude Loiselle.

Cette remarque déclencha un rire général autour de la table ; Joseph Comtois passa une main sur sa calvitie naissante et se tut. Tous savaient à quel point il était difficile de lui faire cracher le moindre sou noir. Quand il s'agissait de lui faire payer sa cotisation annuelle pour le comité social de l'école ou pour une fête, les responsables finissaient toujours par perdre patience tant ils étaient obligés de lui courir après.

— OK, approuva Georges Martin. Si vous êtes d'accord, je vais demander huit piastres par mois à partir de demain pour le café. Le pot servira seulement à ceux qui veulent un café de temps en temps. Le prix va rester à vingt-cinq cennes la tasse pour ceux qui ne veulent pas payer au mois. Est-ce que ça convient à tout le monde ?

En signe d'acceptation, la plupart des enseignants regroupés autour de la table s'empressèrent d'ouvrir leur sac à main ou de fouiller dans une poche de leur pantalon. Ils tendirent la somme demandée à Martin qui nota les noms au fur et à mesure que les cotisations lui étaient versées. Avant de se lever pour afficher la liste près de la cafetière, il ne put s'empêcher de lancer à Comtois :

— Et toi, Joseph, tu ne boiras plus de café ?

— Sais-tu, je pense que j'en bois trop, répondit le professeur d'arts plastiques. À bien y penser, ça va être meilleur pour ma santé de me modérer un peu. J'aime mieux continuer de donner vingt-cinq cennes chaque fois.

— Oui, mais les oublie pas, tes vingt-cinq cennes, le piqua encore une fois Loiselle. Moi, je n'ai pas l'intention de te payer le café.

— Ah ! Ferme-la un peu, Claude, tu me fatigues, répliqua Comtois d'une voix exaspérée.

À deux heures, on convoqua les professeurs de secondaire 3 à une brève réunion dans la salle qui les avait accueillis le matin même. Hélène Vallée passa outre la mauvaise humeur affichée par plusieurs enseignants. Pendant que ces derniers s'installaient bruyamment aux pupitres occupés habituellement par leurs élèves, la jeune femme s'entretenait à voix basse avec Claudette Labonté, sa secrétaire.

Lorsque tout le monde eut pris place, elle se leva et alla fermer la porte de la salle pendant que son assistante prenait des notes.

— Est-ce qu'on peut savoir ce que Claudette écrit ? intervint, intrigué, Jean-Paul Rousseau, assis au fond de la classe.

La secrétaire leva les yeux et attendit que sa nouvelle directrice parle.

— Elle prend les présences, déclara Vallée.

— Elle prend les présences des professeurs ! s'exclama le petit homme en feignant la stupéfaction. Ça fait dix-huit ans que j'enseigne et c'est la première fois que je vois ça.

Quelques murmures se firent entendre dans la salle.

— Eh bien, monsieur… ?

— Jean-Paul Rousseau.

— Eh bien, monsieur Rousseau, c'est comme ça qu'on va procéder dorénavant pour s'assurer que tout le monde assiste aux réunions ! C'est une question de justice pour ceux qui sont là.

— J'aurai tout vu, laissa échapper l'enseignant d'un air dégoûté.

Quelques-uns tentèrent des conversations privées, mais Hélène Vallée frappa du plat de la main sur la table où étaient déposés ses documents pour obtenir le silence.

— Bon. On va passer à l'objet de notre réunion, si vous le voulez bien. Je n'ai pas pu vous en parler ce matin parce que le directeur n'avait pas encore reçu la confirmation que les fonds avaient été débloqués. La commission scolaire vient de nous accorder le petit budget demandé pour célébrer le cinquième anniversaire de la polyvalente. Je n'ai pas pris part aux discussions qui ont eu lieu avant Noël entre les adjoints et monsieur Garand. Cependant, on m'a dit qu'on avait décidé, avec l'accord du CPE, d'organiser une sorte de grande fête portes ouvertes fin février.

— Dis donc, Jérôme, tu ne nous as jamais parlé de ça, l'apostropha Michel Tondreau.

— C'étaient juste des discussions et il n'y avait rien de décidé encore. Ça dépendait de l'argent qu'on nous donnerait, se justifia le représentant des enseignants du niveau au CPE.

— On dirait bien que c'était plus que ça, le contredit Jacqueline Saint-Onge.

— Écoutez, se défendit Jérôme Rivest, vous n'avez qu'à lire les comptes rendus des réunions du CPE.

C'était écrit noir sur blanc dans le dernier qu'on pensait à organiser quelque chose pour le cinquième anniversaire de la polyvalente.

— Les commissaires feraient bien mieux de nous acheter du matériel et des livres pour nos classes plutôt que de dépenser de l'argent dans une fête, commenta Gaétane Rioux avec à-propos.

— On n'a même pas une grammaire par élève et il manque des pages à la moitié des *Bescherelle*... Sans parler des *Larousse* qui datent de presque dix ans, souligna Gilles.

— Est-ce qu'on peut savoir ce qui a été prévu ? réclama Carlos Pereira, qui venait d'entrer dans la pièce.

— Rien de précis encore, indiqua la directrice de niveau en regardant sa montre pour lui signifier qu'il était en retard. Tout ce qu'on désire, c'est un représentant par niveau au comité spécial que monsieur Garand veut créer.

Un silence complet se fit dans la salle.

— Y a-t-il quelqu'un qui se porte volontaire ? lança Hélène Vallée en s'efforçant de sourire.

Personne ne broncha.

— J'ai le regret de vous dire que cette réunion ne prendra fin que lorsque j'aurai un ou une représentante pour ce comité, décréta-t-elle, avec un rictus plus crispé.

— Je m'excuse, s'insurgea Jean-Paul Rousseau qui venait de se lever, rouge de colère, mais le chantage, ça ne marche pas ici. Je pense que tu es mieux de te dépêcher de l'apprendre.

La directrice de niveau pâlit sous l'attaque. Cette fois, elle avait complètement perdu son sourire.

— Jean-Paul, je n'ai jamais eu l'intention de faire du chantage. Je n'ai dit ça que pour vous faire comprendre que j'étais prête à vous accorder tout le temps nécessaire pour réfléchir à la question.

— Ça suffit ! tonna Louise Kelly, impatientée par cette passe d'armes. On n'est pas pour s'engueuler pour ça. Je me propose.

Des applaudissements saluèrent le dévouement de la professeure d'anglais.

— Je pense que je peux compter sur Mary pour me remplacer à une réunion si je suis absente, ajouta-t-elle en se tournant vers l'enseignante d'origine égyptienne.

Celle-ci, toujours aussi discrète, se contenta de hocher la tête en signe d'approbation.

— Merci, madame, fit Hélène Vallée qui n'avait pas encore retrouvé son sourire. N'oubliez pas de remettre votre planification d'étape à ma secrétaire avant de partir à trois heures trente, rappela-t-elle en s'adressant cette fois à tous les professeurs déjà debout, prêts à quitter les lieux.

Les enseignants regagnèrent la salle des professeurs avec des sentiments partagés à l'endroit de la nouvelle directrice de niveau.

— Veux-tu bien me dire ce qu'on a fait au Bon Dieu pour tomber sur une folle pareille ? s'enflamma Jean-Paul Rousseau qui s'adressait à Michel Tondreau en s'affalant sur sa chaise.

— Je sais pas. Elle n'a pas l'air de comprendre comment ça se passe dans une polyvalente. Elle ressemble plus à une mère supérieure qui dirige une école primaire.

— Qu'est-ce que vous avez contre les religieuses, vous autres ? proféra Claude Loiselle, assez fort pour viser Gisèle Tremblay.

Cette dernière ignora volontairement la provocation.

— En tout cas, elle est mieux de ne pas venir me casser les pieds, prévint Carlos Pereira. Je te garantis qu'elle va vite rentrer dans son bureau.

— Eille, les petits gars ! Vous ne pensez pas que vous vous énervez un peu vite pour rien ? observa Gaétane Rioux, excédée. Laissez-lui une chance. Elle vient d'arriver.

— Moi, je vous dis tout de suite qu'elle est plutôt mon genre, affirma Georges Martin en se joignant au groupe. C'est une belle grande femme. Avez-vous vu ses jambes ? Magnifiques ! On en mangerait, ajouta-t-il, transporté.

— Woh ! Woh ! le calma Louise Kelly en riant. Est-ce qu'il va falloir te surveiller pour que tu ne lui sautes pas dessus ?

— Maudits hommes ! s'exclama Jacqueline Saint-Onge. Ils sont tous pareils. Ils ne pensent qu'à ça.

— Ne te fâche pas, ma belle Jacqueline, commenta Denis Casavant, mielleux. Toi, est-ce qu'on peut te demander à quoi tu penses tout le temps ?

— Non ! Ça ne te regarde pas.

Un éclat de rire général salua cette sortie.

10
La reprise

Par une soirée glaciale de janvier, plusieurs enseignants se déplacèrent pour rendre un dernier hommage à Charles Roy au salon funéraire. Même s'il connaissait peu le disparu, Gilles s'y présenta, lui aussi. Il estimait son ex-collègue dont il avait apprécié la conscience professionnelle, rare à Montaigne. Lorsqu'il arriva au salon, une trentaine de personnes chuchotaient entre elles dans une atmosphère feutrée. Il régnait dans la pièce une moiteur à peine supportable, que l'odeur entêtante dégagée par les arrangements floraux disposés près du cercueil rendait encore plus pénible.

Gilles alla s'agenouiller un instant près du défunt avant d'aller présenter ses condoléances à une poignée de personnes qui entouraient une femme en fauteuil roulant.

Quelques instants plus tard, Gilles aperçut Gisèle Tremblay, Gaétane Rioux et Sylvain Brisset assis à l'écart, au fond de la pièce. Il s'empressa d'aller les rejoindre.

— C'est bien pour dire, murmura Gisèle Tremblay en lui faisant signe de s'asseoir dans un fauteuil libre près d'elle, j'ai travaillé pendant douze ans avec lui et je me rends compte que je ne le connaissais pas du tout.

— Moi non plus, reconnut Sylvain Brisset.

Gaétane Rioux opina et, s'adressant à Gilles, chuchota avec émotion :

— On vient d'apprendre que Charles n'a pas eu une vie facile. C'est fou, parce que rien ne le laissait deviner : il était toujours prêt à raconter des blagues. Bien sûr, il gueulait de temps en temps, mais c'était plus pour faire rire que pour réellement se plaindre.

— Qu'est-ce que vous avez appris ?

— Tu as vu sa femme ? Celle qui est en fauteuil roulant ? lui demanda Brisset.

— Ah, c'est sa femme ! fit Gilles, surpris. Je lui ai présenté mes condoléances, mais je n'ai pas entendu son nom quand je l'ai saluée.

— On a parlé avec un des frères de Charles avant que tu arrives, continua Brisset. Il nous a expliqué qu'elle est comme ça depuis quinze ans. Elle n'est pas capable de bouger. Son frère nous a dit que Charles a toujours refusé qu'elle soit placée dans une institution. Tout au long de ces années, il l'a soignée et en a pris soin tout seul. En plus, il faisait tout chez lui : la cuisine, le ménage et le reste...

— Si le directeur du personnel de la commission scolaire était au courant, il a été un beau salaud de ne pas lui accorder sa préretraite avant Noël, comme il le demandait, s'indigna Gilles.

— En tout cas, nous autres, on ne le savait pas, avoua Gaétane Rioux, visiblement émue. Il ne nous a jamais parlé de sa femme ni de sa vie privée. Il était toujours tellement de bonne humeur qu'on ne se doutait de rien.

— Le plus triste dans tout ça, commenta Gisèle Tremblay, c'est qu'il n'aura même pas profité d'une seule journée de sa retraite.

Le lendemain matin, les élèves reprirent le chemin des classes après leurs vacances. Même si le congé avait duré plus de deux semaines, ils ne manifestaient aucune envie de se remettre au travail et ils le faisaient savoir clairement. Au son de la cloche, ils entrèrent dans leur classe de mauvaise grâce.

Au premier coup d'œil, Gilles remarqua qu'il ne manquait personne dans le groupe 11. C'était bien la première fois depuis le début du mois de septembre que chaque pupitre était occupé.

L'enseignant commença par offrir ses vœux de bonne année aux adolescents avant de leur présenter le programme du mois de janvier. Ensuite, il fallut bien dire quelques mots de l'examen de français plus ou moins bien réussi.

— Nous donnes-tu notre note ? le pressa Frédéric Dupuis, le meilleur élève du groupe 11.

La plupart de ses camarades appuyèrent sa demande avec impatience.

— Pas de problème, accepta Gilles en ouvrant son registre de notes.

Il remit les résultats obtenus par chacun. Cette divulgation fut accompagnée par des « Hein ? », des

« Ayoye ! » et des « C'est pas juste ! » qui firent sourire Gilles.

— Est-ce qu'on va pouvoir voir notre examen corrigé ? réclama Karine Gagnon, une petite blonde à l'esprit vif.

— Peut-être, mais pas avant la reprise, éluda Gilles. Il n'y a pas grand intérêt à revoir tout ça.

— Ça nous donnerait la chance de voir où sont nos erreurs, répliqua-t-elle avec à-propos.

— Ça, c'est vrai, reconnut-il de bonne grâce.

— Gilles, quand est-ce qu'on va pouvoir reprendre notre examen de français ? l'interrogea le grand Éric Gauthier.

— Lundi après-midi, le prochain jour 4. J'espère que vous vous rappelez tous que la reprise est un privilège et non un droit.

Les élèves regardèrent leur professeur sans bien comprendre où il voulait en venir.

— Comme le prévoit le règlement de la polyvalente, la reprise n'est possible que lorsque tous les travaux et devoirs de l'étape ont été remis, expliqua-t-il.

Certains adolescents en situation d'échec se dévisagèrent avec un air abattu.

— Oui, mais c'est pas la même chose pour les absents, affirma avec aplomb Éric Gauthier en jetant un coup d'œil à ses deux complices habituels qui, comme lui, ne s'étaient pas présentés à l'examen.

— Non, bien sûr, admit Gilles en lui adressant son sourire le plus chaleureux. Pour les absents, il n'y a pas de problème. Ils n'ont qu'à me présenter un billet du médecin.

— Un billet du docteur! s'exclama l'élève, outré. J'avais le rhume le jour de l'examen. Je ne suis pas allé voir le docteur pour ça!

L'enseignant s'empara aussitôt de son registre des présences et le consulta brièvement avant de rétorquer:

— Si je me fie à mon cahier de présences, je ne t'ai pas vu depuis le 2 décembre. L'examen a eu lieu le 20. Dix-huit jours pour un rhume! Es-tu sûr que ce n'était pas plutôt la peste bubonique ou le choléra?

Éric Gauthier demeura sans voix.

— Remarque, moi, je sais ce que c'est, une maladie grave. Je comprends que tes amis Brunet et Lussier se soient sentis obligés de t'aider en restant à côté de toi à la cafétéria tous ces jours-là, au cas où ton état aurait empiré.

— Ce n'est marqué nulle part qu'on doit présenter un billet du docteur, osa contester Karl Lussier.

— Alors là, mon garçon, tu devrais peut-être venir plus souvent à ton cours de français pour apprendre à lire. Les règles pour la reprise sont écrites dans le livre des règlements de la polyvalente à la page 6. En plus, ça figure en grosses lettres en bas du dernier échéancier que je vous ai remis à la fin du mois de novembre.

— Ben, qu'est-ce qu'on fait si on n'a pas de billet du docteur? questionna plus poliment Étienne Brunet.

— On fait dur, plaisanta Gilles. Sérieusement, il n'y a pas grand-chose à faire.

— Dans ce cas-là, quelle note on va avoir en français pour l'étape? s'affola l'élève sur un ton où perçait une inquiétude certaine.

— La note des travaux. Et comme les travaux ne représentent que 40 %, ta note ne peut pas être supérieure à 40 %.

Des coups discrets frappés à la porte de la salle de classe obligèrent l'enseignant à aller ouvrir. Il se retrouva face à face avec une Hélène Vallée discrètement maquillée et vêtue d'une longue jupe noire ainsi que d'un chemisier pêche qui mettaient en valeur sa silhouette élancée. Gilles fut frappé par sa beauté.

— Je m'excuse de vous déranger, monsieur Provost. Je fais la tournée des classes ce matin pour me présenter et pour souhaiter une bonne année aux élèves.

— Vous pensez en avoir pour combien de temps ? s'enquit assez abruptement Gilles, agacé par le contretemps.

— Oh, dix minutes, pas plus !

Il s'effaça devant la jeune femme et referma doucement la porte derrière elle avant de prendre le chemin de la salle des professeurs.

Quand il retourna à son local quelques minutes plus tard, il entendit des éclats de voix à travers la porte fermée. Il s'empressa d'entrer. Hélène Vallée, le visage pâle, était aux prises avec des élèves surexcités et tentait tant bien que mal de se faire entendre en parlant plus fort que les adolescents.

L'enseignant fit un pas dans la pièce et frappa à deux reprises sur le pupitre situé le plus près de la porte avec son porte-clés en métal. Il n'eut pas un mot à dire. Il se contenta de fixer ses étudiants, le regard dur. Un lourd silence tomba instantanément sur le groupe quand les élèves l'aperçurent.

La directrice de niveau, surprise, sursauta en remarquant Gilles dans l'embrasure de la porte. Elle profita du silence qui venait d'être rétabli pour annoncer aux élèves qu'elle reviendrait les voir bientôt, puis elle prit la direction de la sortie sans demander son reste. En franchissant la porte, elle se retourna et, les sourcils froncés, demanda sèchement à l'enseignant, sur un ton de reproche :

— Où étiez-vous passé ?

— À la salle des professeurs. Pourquoi ? Aviez-vous des renseignements à me demander ?

— Non, mais j'aurais préféré que vous restiez.

— Je ne voulais pas vous gêner. J'étais certain que vous étiez capable de tenir une classe…

— J'aimerais qu'on se voie en fin de matinée, le coupa Hélène Vallée en ne relevant pas l'impertinence.

— Je n'ai pas de cours à la dernière période. Si ça vous convient, je passerai vous voir à votre bureau.

— Parfait, dit-elle avant de tourner les talons pour aller frapper à la porte de la classe de Gaétane Rioux.

Juste avant midi, Gilles s'arrêta au bureau de sa nouvelle supérieure. C'était une pièce exiguë, dépourvue de fenêtres et située à l'extrémité d'un long couloir. Pour y accéder, il fallait traverser le bureau de Claudette Labonté, sa secrétaire, qui, elle, jouissait d'une pièce éclairée par une large baie vitrée.

Hélène Vallée avait retrouvé toute sa superbe quand Gilles vint frapper à sa porte.

— Asseyez-vous, monsieur Provost, l'invita-t-elle en lui désignant une chaise placée devant son bureau.

— Vous vouliez me rencontrer ?

— Oui. C'est à propos des reprises. Vos élèves n'ont pas l'air d'être contents de votre politique à ce sujet. Ils vous trouvent trop dur, trop rigide. C'est pour cette raison qu'ils étaient si agités lorsque vous êtes revenu à la fin de ma visite dans votre classe.

Gilles se sentit rougir de colère. Il parvint néanmoins à se contenir et expliqua simplement :

— Madame, je ne fais qu'appliquer le règlement de la polyvalente, c'est tout.

— Je comprends, sauf que rien ne vous empêche de faire preuve d'un peu de souplesse, avança Hélène Vallée. Vous pourriez, par exemple, donner un travail supplémentaire.

— Sûrement pas, madame.

— Il faut se montrer humain, monsieur Provost. Ce sont des jeunes ; ils ont droit à l'erreur.

— Je comprends tout ça, mais il y a un règlement. On l'applique ou on le fait disparaître, madame. En ce qui me concerne, je n'ai pas l'intention de changer de politique. J'ai dit aux élèves qu'il n'y aurait pas de reprise de l'examen de français si on ne me présentait pas un billet de médecin. Par contre, je suis prêt à faire une concession. Si vous êtes en mesure de me certifier par un billet que tel ou tel élève était vraiment malade le jour de l'examen, je le lui ferai reprendre.

— Bon, c'est déjà mieux, accepta la directrice de niveau en exhibant un demi-sourire.

— Pas nécessairement, madame, enchaîna le professeur de français, toujours aussi furieux. Si vous le faites pour le français, n'oubliez pas que vous devrez le faire pour toutes les autres matières. Vous allez vous rendre compte que ça fait pas mal de billets à rédiger. Je peux vous garantir qu'à la prochaine réunion générale, vous devrez expliquer à tous les enseignants de Montaigne pourquoi vous refusez d'appliquer ce règlement de la polyvalente.

Hélène Vallée réfléchit quelques instants. Gilles apprécia ce qu'il considérait comme une petite victoire : de toute évidence, elle n'avait pas saisi toutes les implications de sa démarche. Peut-être prenait-elle soudain conscience des conséquences d'un maternage mal placé.

— Vous savez, madame, on n'enseigne jamais pour gagner un concours de popularité auprès des élèves.

— Je sais.

— Comme les reprises ont lieu lundi prochain, est-ce que je dois vous envoyer dès demain tous mes élèves qui désirent un billet ? Il y en a quinze.

— Non, attendez. Je vais examiner plus à fond la situation avant, recula-t-elle sur un ton beaucoup moins assuré.

Elle se leva pour signifier que l'entrevue était terminée.

Lorsqu'il retourna dans la salle des professeurs, Gilles, encore furieux, lança violemment son porte-documents sur son bureau.

— Bon, qu'est-ce que t'as ? l'interrogea Sylvain Brisset en le regardant par-dessus ses lunettes perchées au bout du nez.

— Je sors du bureau d'Hélène, lui apprit l'enseignant avec humeur. On est chanceux ; on est tombés sur une maman qui veut materner nos adolescents. Ça va être beau à voir.

— Qu'est-ce qu'elle a fait ? Raconte !

Gilles narra à Brisset et aux enseignants présents sa rencontre avec Hélène Vallée. Il n'omit aucun détail.

— Ça ne lui a pas pris de temps pour commencer à nous pomper l'air, celle-là, releva Jean-Paul Rousseau qui ne l'aimait vraiment pas.

— En tout cas, on dirait qu'elle n'a pas compris son rôle, commenta Germain Coulombe. Son travail est d'être au service des professeurs, pas à celui des élèves.

Gilles raconta alors la visite mouvementée de la femme aux élèves de son groupe 11.

— Avant de partir, elle m'a reproché de ne pas être resté dans la classe pour tenir les élèves tranquilles pendant qu'elle leur parlait. Une directrice incapable de se faire écouter par les jeunes...

— Moi, je suis restée dans ma classe pendant sa visite, fit savoir Gaétane Rioux, demeurée silencieuse jusque-là. Je l'ai regardée faire. On aurait juré une bonne maman qui cherchait à rassurer ses petits. Elle leur a dit que la porte de son bureau serait toujours ouverte pour eux et que, s'ils avaient le moindre problème, elle était prête à les écouter et à les aider.

— Je ne sais pas ce qu'elle a raconté à mes élèves, reprit Gilles. En tout cas, elle est mal partie pour se faire respecter par eux.

— Il ne nous manquait plus qu'une directrice de niveau qui cherche à être populaire, se découragea Brisset en secouant la tête. Qu'est-ce qu'elle va faire quand elle va être obligée de sévir ?

Le lendemain matin, les enseignants profitaient des quelques minutes de repos de la récréation lorsqu'ils virent Jérôme Rivest entrer dans la salle des professeurs en compagnie d'un inconnu qui portait dans ses bras une distributrice d'eau. Sans prendre la peine d'enlever ses couvre-chaussures et son manteau, Rivest indiqua un endroit près de son bureau à l'homme qui y déposa l'appareil. Il alla ensuite accrocher son manteau dans le vestiaire, pendant que l'inconnu revenait avec une grosse cruche d'eau. Ce dernier l'installa sur l'appareil et, après l'avoir branché, repartit sans autre cérémonie.

Les professeurs, intrigués, avaient assisté à toute la scène dans le silence le plus complet. Le départ du livreur déclencha les commentaires.

— La commission scolaire a décidé de nous payer de la bonne eau ! s'écria Claude Loiselle.

— Il faut que je goûte à ça, annonça Georges Martin, s'avançant déjà vers la petite merveille.

— Pourquoi le gars l'a installée là ? demanda Jacqueline Saint-Onge. Ça aurait été bien plus pratique de la mettre à côté des armoires.

— Ne touchez pas à ça ! ordonna Rivest en se plaçant devant la distributrice pour en interdire l'accès. C'est à moi.

— Comment ça, *à toi* ? questionna Denis Casavant.

— Moi, je ne bois pas de café. Je ne bois que de l'eau, alors j'ai décidé de louer cette machine. C'est mon appareil et c'est mon eau. Je ne veux voir personne s'en servir.

— On ne peut même pas y goûter ? fit Étienne Marquis, déçu.

— Non. Si vous en voulez, vous n'avez qu'à vous en louer une, comme moi.

— Si on te donnait un beau cinq cennes par verre ? plaisanta à demi Claude Loiselle.

— Non.

— Mais ça va te prendre une éternité pour boire toute une cruche ! plaida Gaétane Rioux.

— Ça prendra le temps qu'il faudra. Je ne suis pas pressé.

Inutile de préciser que l'histoire de la cruche d'eau de Rivest fit le tour de la polyvalente la journée même et que plusieurs enseignants se déplacèrent pour venir la voir, bien installée près de son bureau. C'était en quelque sorte devenu un objet de curiosité.

— Il faut le comprendre, expliqua sans grande conviction Louise Kelly à Jacqueline Saint-Onge en sortant de Montaigne. C'est un vieux garçon ; il n'est pas habitué à partager.

— Quand même ! protesta la professeure de religion. C'est un bel exemple d'égoïsme.

En rentrant chez lui, Gilles s'empressa de raconter l'événement à Mylène qui, occupée à allaiter son nouveau-né, eut bien du mal à interrompre les soubresauts de ses épaules. Cette histoire abracadabrante provoqua chez elle un tel fou rire que le bébé peina à prendre le sein. De plus, Mylène était vraiment heureuse de voir Gilles aussi amusé par sa nouvelle école.

Même si cette joie était due à une bizarrerie qui confirmait que cette polyvalente était un bien étrange endroit, au moins, son Gilles riait ! À cheval donné, on ne regarde pas la bride, comme disait sa grand-mère.

À la première période, le lendemain matin, Gilles vit entrer dans sa classe un adolescent de taille moyenne aux cheveux bruns très longs. Le garçon portait un chandail au message provocateur et ses pieds étaient chaussés de lourdes bottes d'hiver. L'enseignant connaissait assez ses élèves pour savoir que ce jeune-là n'appartenait pas au groupe 14. Cependant, il le regarda passer devant lui et s'installer à un pupitre au fond de la classe sans émettre la moindre objection ni le moindre commentaire.

Une minute plus tard, le grand Pascal Déry s'arrêta devant ce qui était son pupitre et fit signe à l'intrus de déguerpir. L'autre n'eut pas le choix. Il se leva et, sous le regard goguenard des élèves, il se dirigea vers Gilles qui lui faisait signe de venir le voir.

Sans un mot, l'enseignant se contenta de tendre la main vers le nouvel arrivé pour qu'il lui remette sa feuille d'inscription.

— Tu t'appelles André Labonté ?

L'adolescent le toisa avec un air effronté avant de laisser tomber sur un ton excédé :

— C'est ça qui est marqué sur la feuille.

— C'est pas à ta feuille que je parle, c'est à toi, le houspilla Gilles, les dents serrées et l'air mauvais. Vous autres, occupez-vous de vos affaires et répondez au questionnaire que j'ai mis sur votre bureau, ordonna-t-il sèchement aux élèves qui avaient levé la tête pour voir ce qui se passait. Ton nom ? demanda de nouveau Gilles.

— André Labonté, énonça l'adolescent, désarçonné par cet accueil agressif.

— D'où est-ce que tu sors en plein mois de janvier ? Dans quelle classe de français étais-tu ?

— J'étais dans un collège privé, signala l'élève en prenant un air supérieur assez déplaisant.

La question de l'enseignant n'était pas innocente : il savait par expérience que certains collègues du privé avaient tendance à se débarrasser de leurs « cas problèmes » en allant se plaindre au bureau du directeur qu'ils ne venaient pas à bout de tel ou tel élève à cause d'un conflit de personnalités. Dans ces situations, le directeur choisissait la solution facile : le renvoi.

— Ils t'ont mis dehors ? Pourquoi ? Parce que tes notes étaient trop faibles, pour indiscipline ou les deux ?

— À cause de mes notes, admit l'élève à contrecœur.

Gilles se leva et lui désigna un pupitre à l'avant de la salle.

— C'est ta place. Essaye de répondre aux questions, l'invita-t-il en lui indiquant les documents qui étaient déjà sur le pupitre. Oh ! En passant, tes bottes, tu les laisseras dans ton casier, la prochaine fois. Il ne neige pas à l'intérieur, ici.

À la fin du cours, l'enseignant s'arrêta au secrétariat pour obtenir plus de renseignements sur ce nouvel élève qu'on lui avait envoyé.

— C'est mon fils, lui avoua Claudette Labonté sans manifester beaucoup de fierté.

— Votre fils ?

— Oui, je l'ai retiré du collège début décembre. Il ne faisait rien. De toute façon, le directeur m'avait prévenue qu'il ne le reprendrait pas après les fêtes. Je n'avais pas le choix.

— Il m'a l'air d'avoir un sacré caractère, avança prudemment Gilles.

— Il a une tête de cochon, oui ! Et en plus, il est paresseux, confia sa mère. J'ai demandé qu'il soit dans votre classe, monsieur Provost, parce que je sais que vous avez assez de poigne pour le casser.

— Vous savez, je ne fais pas de miracles, protesta mollement le professeur de français.

— Moi, j'ai confiance. Je sais qu'avec vous, il va apprendre.

Lorsque Gilles raconta la nouvelle à ses confrères, le seul commentaire qu'il eut vint de Claude Loiselle qui plaisanta :

— Le pauvre petit gars ! Il va avoir de la misère à s'absenter sans motivation. Avec sa mère au secrétariat, ça va être facile de savoir pourquoi il n'est pas à ses cours.

Le lundi suivant, la cloche annonçant la fin du dernier cours de la matinée provoqua une ruée des élèves vers les casiers. Pour la majorité d'entre eux, les après-midi de récupération constituaient des congés, malgré toutes les mesures incitatives utilisées par certains enseignants pour les pousser à y participer.

Cependant, en ce premier jour 4 de l'année, un bon nombre d'élèves dînèrent à la cafétéria parce qu'ils devaient reprendre, à une heure de l'après-midi, l'un de leurs examens.

Dans la salle des professeurs de secondaire 3, l'atmosphère était presque à la fête. Les quatre joueurs de bridge étaient déjà réunis à une table et discutaient de contrat tout en déballant leurs sandwichs. Quelques enseignants corrigeaient des copies à leurs bureaux pendant que d'autres s'étaient déplacés dans la salle voisine pour manger autour de la grande table.

Il ne restait que Gilles, Jérôme Rivest et Gaétane Rioux en compagnie des joueurs de bridge dans la salle des professeurs.

— Combien de tes élèves vont en reprise ? voulut savoir Gaétane Rioux en s'adressant à Rivest.

— Oh, une bonne douzaine !

— Est-ce qu'ils avaient tous des certificats médicaux ? lui demanda Gilles.

— Je ne me suis pas occupé de ça, répliqua Rivest avec condescendance.

— Et toi, Gaétane, combien avais-tu d'élèves absents à ton examen de Noël ?

— Autant que Jérôme, mais il n'y en a qu'un seul qui veut le reprendre.

Gilles se leva pour s'approcher des joueurs de cartes.

— Est-ce que c'est aujourd'hui que vous faites la reprise de vos examens ?

— Oui, répondirent en chœur Tondreau, Coulombe et Casavant.

— Exigez-vous un certificat médical ?

— Évidemment, confirma Coulombe.

Tondreau et Casavant se contentèrent de hocher la tête. Gilles était convaincu qu'ils ne le réclameraient pas à leurs élèves.

— Et toi, Jean-Paul ?

— Pas de reprise.

— Tous tes élèves ont réussi et il n'y avait pas d'absents à ton examen ?

— J'avais des absents, mais je m'en sacre. Je n'ai pas le goût de faire passer un autre examen et d'être obligé de le corriger. J'ai dit aux élèves que je me fierais à leur prochaine évaluation et que je leur attribuerais deux fois cette note-là.

— Alors, si je comprends bien, notre directrice de niveau n'a cherché à motiver aucune absence ? réfléchit Gilles à voix haute.

Personne ne lui répondit. Satisfait, il regagna sa place pour attendre l'heure de son examen.

— Pstt ! fit discrètement Gaétane Rioux quelques instants plus tard.

Gilles tourna la tête vers elle pour s'apercevoir qu'elle lui désignait Jérôme Rivest qui traçait un trait sur sa cruche d'eau.

Lorsque Rivest quitta la pièce cinq minutes plus tard, Gilles interrogea sa voisine :

— Qu'est-ce qu'il faisait sur sa cruche ?

— Tu n'as pas remarqué ? Il marque le niveau de son eau avec un crayon chaque fois qu'il sort de la salle tellement il a peur qu'on en prenne.

À une heure précise, Gilles ouvrit son local à sept des quinze élèves absents à son examen du mois de décembre. Ils étaient les seuls à avoir droit à la reprise.

L'enseignant venait à peine de finir de distribuer les copies d'examen que des éclats de voix en provenance du couloir l'attirèrent à la porte de la salle demeurée ouverte. Il aperçut alors, debout, au centre du couloir, Hélène Vallée faisant face à un Jean-Paul Rousseau apparemment hors de lui. Vêtu de son manteau et la tête couverte de son chapeau, il s'apprêtait, selon toute vraisemblance, à quitter la polyvalente. Le directrice de niveau l'avait intercepté juste au moment où il allait emprunter l'escalier menant au rez-de-chaussée.

— Ça ne te regarde pas ! tonna le professeur de mathématiques.

— Et aucun de tes élèves n'avait besoin de récupération ? insista-t-elle en haussant le ton.

De toute évidence, la dernière réplique de l'irascible quadragénaire lui avait fait perdre un peu de son sang-froid.

— On dirait bien puisque personne n'est venu.

— Leur en as-tu offert au moins ?

— Eille ! J'enseignais déjà quand tu étais encore sur les bancs d'école.

— Ça ne prouve rien, Jean-Paul. Ce n'est pas normal que pas un seul de ta centaine d'élèves n'ait besoin d'aide… Surtout que tes moyennes de classe sont toutes en dessous de 60 %.

— Je ne choisis pas mes élèves et ça ne me servirait à rien de les obliger à venir en récupération s'ils ne veulent pas apprendre.

— Bon, on en reparlera, concéda la jeune femme, mais il n'est pas question que tu partes avant trois heures quarante. Les après-midi des jours 4 et 8 ne sont pas des congés.

— Si je comprends bien, comme tu n'es pas capable de contrôler les élèves, tu essayes de contrôler les professeurs à la place, l'insulta Rousseau, perfide.

— C'est ça, Jean-Paul, c'est ça... Je te préviens que si tu quittes Montaigne avant l'heure cet après-midi, tu auras une lettre de blâme et une coupure de salaire.

Sans attendre de réponse, Hélène Vallée s'engouffra dans son bureau dont elle claqua violemment la porte.

Amusé, Gilles vit Rousseau promener un regard circulaire sur le couloir pour vérifier si la scène dont il avait été l'un des protagonistes avait eu des spectateurs. En apercevant son collègue de français, debout, les bras croisés, à la porte de sa classe, il fit une grimace éloquente avant de réintégrer la salle des professeurs qu'il avait tenté de fuir prématurément.

À la fin de l'après-midi, Gilles aperçut Rousseau sagement assis à son bureau, la mine renfrognée. Il se garda bien de faire la moindre allusion à l'altercation à laquelle il avait assisté. Ce fut plutôt Rousseau lui-même qui aborda le sujet :

— La maudite ! explosa-t-il soudain.

— De qui tu parles, toi ? s'enquit Louise Kelly sur un ton qui laissait présager que son humeur était aussi sombre que la sienne.

— De l'autre, en avant…

— Vallée ? Qu'est-ce qu'elle t'a encore fait ? compatit Sylvain Brisset qui arrivait de la salle voisine, une tasse de café à la main.

Rousseau s'empressa de tout raconter à ses collègues, cherchant de temps à autre l'approbation de Gilles, qui avait été témoin de la querelle. Ce dernier se garda bien de montrer qu'il avait tout entendu.

— Au fond, elle a eu raison, affirma Claude Loiselle, toujours aussi provocateur. Je ne vois pas pourquoi tu pourrais te payer une demi-journée de congé pendant que nous autres, on travaille.

Le visage de Rousseau tourna au rouge foncé. Gilles eut peur qu'il ne fasse une crise d'apoplexie.

— Claude, arrête, c'est pas le temps, lui souffla Jacqueline Saint-Onge.

— Toi, tu t'engueules avec la directrice de niveau, mais moi, dans ma classe, j'ai affaire à un petit baveux, exposa Louise Kelly. Savez-vous ce qu'André Brodeur a répondu à ma question : "Quelle est la capitale de la Grèce ?"

— Non, répondit Germain Coulombe, par pure politesse.

— "Louise Kelly", s'emporta la grosse femme de sa voix tonnante.

— Ayoye ! émit Loiselle en pouffant.

— En tout cas, le petit maudit, je l'ai ramassé par une oreille et je l'ai sorti par les cheveux.

— Il ne devait pas en mener large ! commenta Brisset.

— Il commençait à avoir le teint vert quand je l'ai lâché.

11
René Martel

Quelques jours plus tard, Gilles aperçut, depuis l'escalier, René Martel qui se tenait debout devant les portes de la polyvalente, son poste habituel à l'heure de l'entrée et de la sortie des élèves. L'agent de sécurité tourna la tête dans sa direction en l'entendant arriver.

— T'es pas chanceux, Provost, il neige depuis une heure. Tu vas avoir du *fun* pour t'en retourner chez vous, lança-t-il à l'enseignant avec un grand sourire.

— Ça ne me dérange pas, répliqua Gilles. Nous autres, les professeurs, on est faits forts. On est capables d'en prendre. On n'est pas des petites natures comme certains gardiens.

— Ouais, ouais... On vous connaît, vous autres. Vous êtes juste une bande de vantards. Et toi, Provost, je pense que tu es le pire de la *gang*!

— Bonsoir quand même, René, le salua Gilles en éclatant de rire avant de pousser la porte pour sortir de Montaigne.

« C'est drôle, songea Gilles, c'est avec le portier que je m'entends le mieux, ici... »

Depuis la fête organisée à l'occasion de l'Halloween, Gilles avait appris à mieux connaître René Martel. Le solide gaillard, célèbre à Montaigne pour ses coups de sang et ses airs de matamore, était au fond un brave homme qui appréciait particulièrement les professeurs qui ne le regardaient pas de haut.

Ainsi, chaque jour, Gilles prit l'habitude de discuter quelques instants avec le doyen des agents de sécurité de la polyvalente. Martel, confortablement assis dans le petit espace utilisé comme salle de repos par les gardiens, avait toujours en réserve une plaisanterie ou une remarque à propos des enseignants.

Un matin, Gilles passa devant le bureau des agents de sécurité après avoir conversé quelques instants avec René Martel, debout devant les portes d'entrée. Par le plus grand des hasards, il entendit un jeune gardien dire à son confrère que leur chef avait encore apporté deux œufs durs pour son dîner et qu'il était prêt à parier qu'ils allaient avoir droit, une fois de plus, à un cours sur la manière de briser la coquille sans abîmer l'œuf, ce qui donna une idée à l'enseignant.

Il se rendit aussitôt à la cafétéria où il se procura deux œufs frais, avant de retourner frapper à la porte du petit local qui faisait office de poste de garde.

—J'aimerais jouer un tour à René, expliqua-t-il au jeune gardien venu lui ouvrir. Qu'est-ce que vous diriez de remplacer ses œufs durs par des crus ?

Ce disant, l'enseignant tendit les deux œufs que le cuisinier lui avait donnés.

Le jeune homme décocha un clin d'œil complice à son compagnon de travail, demeuré assis à la petite table qui occupait la moitié de la pièce.

— Pourquoi pas ? Ça va être trop drôle !

L'autre agent de sécurité sortit précipitamment le sac de papier brun dans lequel était rangé le repas de Martel et s'empressa de faire la substitution.

— À quelle heure mange René ? s'informa Gilles.

— Toujours à onze heures et quart, avant le dîner des élèves.

— Je vais venir voir le spectacle. Essaye de ne pas fermer la porte du bureau, lui suggéra Gilles avant de regagner la salle des professeurs, à l'étage.

L'enseignant s'empressa de mettre Sylvain Brisset au courant du tour qu'il s'apprêtait à jouer à Martel. Brisset trouva l'idée géniale. Un peu avant l'heure dite, ils descendirent tous les deux et se postèrent d'un air faussement nonchalant à proximité de la porte ouverte du poste de garde.

Leur attente fut de courte durée. Tout à coup, il y eut un : « Ah ben, maudit Hérode ! Veux-tu ben me dire ce qu'elle a fait là, elle ? » Une explosion de rires dans la petite pièce suivit l'exclamation de surprise de René Martel.

Brisset et Gilles tendirent le cou pour voir ce qui se passait. Le colosse, les mains couvertes de jaune d'œuf, se levait précipitamment pour aller se laver. En les apercevant en train de se tordre de rire, il comprit alors qu'il avait été l'objet d'une farce de la part de ses collègues.

— Mes maudits comiques, vous autres, vous allez me payer ça ! Il faut ben être des profs pour perdre son temps à faire des niaiseries pareilles.

— C'est pas grave, René, le consola le plus jeune des gardiens. On n'a pas jeté tes œufs durs. Tiens, les voilà, dit-il en déposant sur la table deux œufs intacts.

— Je mangerai après les avoir étranglés, ces deux-là, grogna Martel en faisant un pas vers la porte.

Les deux enseignants tournèrent les talons en riant, ravis de leur mauvais coup.

Une semaine plus tard, René Martel avait déjà oublié la facétie dont il avait été la victime. Un matin, il intercepta Gilles dans le couloir pour lui apprendre une grande nouvelle : la commission scolaire lui avait enfin acheté un chariot pour faire ses livraisons de courrier et de papier à travers la polyvalente. L'homme faisait presque pitié tant cette nouvelle le réjouissait.

— Tu ne me croiras pas, révéla l'agent à Gilles, mais ça faisait trois ans que j'en demandais un.

— Pourquoi ils ne te l'achetaient pas ?

— Comment veux-tu que je le sache, moi ? s'écria le corpulent gardien. Pour eux, on est juste d'la merde. On n'est pas importants, nous autres ! Y en a juste pour les professeurs.

— Ben oui, ben oui…

— En tout cas, que j'en voie un seul essayer de mettre la main sur mon chariot. Je te garantis que je lui arrache un bras. Pas plus tard que tout à l'heure, je vais graver mon nom dessus.

— Tu ne le prêteras même pas à la bibliothécaire, si elle te le demande ? le questionna Sylvain Brisset qui venait d'arriver.

— Elle, elle est mieux de pas s'en approcher. Si elle y touche, sa mère ne la reconnaîtra plus quand je vais en avoir fini avec elle... En tout cas, ça tombe bien ; je vais avoir pas mal de papiers à passer dans les salles de professeurs à la fin de l'avant-midi.

À l'heure de la récréation, Gilles et son collègue virent René Martel en train de surveiller l'agora. Devant le minuscule poste de garde, ils aperçurent le fameux chariot neuf rangé à côté de la porte. Le gardien avait tenu parole et il avait collé dessus une étiquette noire portant la mention *René Martel* qu'on ne pouvait ignorer.

— On s'en occupe ? proposa Brisset.

— Pourquoi pas, accepta Gilles, guilleret.

Brisset sortit sa clé de l'ascenseur, fit signe à son complice d'y monter et ils y tirèrent sans bruit le chariot. À l'étage, les deux enseignants le poussèrent jusqu'à la porte de la bibliothèque, à l'autre extrémité du long couloir.

— Ouvre-moi la porte, le pria Brisset.

Il tira le chariot jusque dans l'entrée de la bibliothèque, derrière les deux vieux chariots, sans que la bibliothécaire, occupée au fond de la pièce avec une élève, s'en rende compte.

— Attends, fit Gilles en se penchant.

Il enleva l'une des roues du chariot et cala ce dernier avec deux livres pris sur le chariot voisin pour l'empêcher de basculer.

Quelques minutes plus tard, Gilles venait à peine de mettre ses élèves au travail quand il vit passer devant sa salle de cours un René Martel furieux et inquiet. Il s'approcha de la porte de sa classe aussi vite qu'il put.

— Est-ce qu'il y a quelque chose qui ne va pas ? demanda-t-il au gardien de son air le plus angélique.

Martel s'arrêta brusquement, comme frappé par une idée soudaine.

— J'espère que c'est pas toi qui as touché à mon chariot ! fulmina-t-il, soupçonneux, en tendant le cou pour voir si le véhicule n'était pas quelque part dans la classe de l'enseignant.

— Voyons, René, tu me connais mieux que ça ! Tu sais bien que je ne te ferais jamais ça.

— Ouais, justement, je te connais, tempêta l'agent de sécurité avec une grimace pleine de sous-entendus. En attendant, mon chariot est disparu et j'en ai besoin, viarge ! Ça fait dix minutes que je le cherche partout.

Aussitôt, il repartit à grandes enjambées dans le couloir, s'arrêtant devant chaque porte de classe ouverte pour regarder s'il n'était pas dans la pièce.

Gilles aperçut Sylvain Brisset qui se dirigeait vers la bibliothèque avec un groupe d'élèves et il lui montra René Martel du doigt. Son collègue se contenta d'un vague hochement de tête avant d'entrer dans la grande pièce ensoleillée.

Peu après, il vit revenir le gardien, rouge de colère, qui marmonnait entre ses dents tout en faisant avancer difficilement son chariot.

— Tiens, tu l'as finalement retrouvé, s'écria Gilles qui se contenait pour ne pas éclater de rire.

— Une vraie folle !

— De qui parles-tu ?

— De la bibliothécaire. Mon chariot neuf est dans SA bibliothèque et elle a le front de me dire qu'elle ne sait pas comment ça se fait qu'il est là ! Comme si elle n'en avait pas assez de deux ! Je lui ai dit ma façon de penser à la maudite vieille fille ! Elle n'est pas près d'y retoucher, je te le garantis.

— T'as l'air d'avoir de la misère à le faire avancer.

— Tu parles ! En plus, elle a perdu une de mes roues. J'en aurais bien pris une de ses chariots, mais elles ne sont pas de la même grandeur.

— Hum... Ç'a pas l'air très pratique un chariot à trois roues, hein ?

Martel lui jeta un regard assassin avant de poursuivre sur un ton bourru :

— Je vais en trouver une autre et je te promets qu'il n'y a plus personne qui va pouvoir y toucher. C'est dans la cave que je vais le descendre et je vais l'attacher avec une chaîne et un cadenas.

À ces mots, Martel se dirigea péniblement vers l'ascenseur en grommelant, tandis que Gilles riait dans sa barbe.

Quelques instants plus tard, celui-ci sortit d'un tiroir de son bureau la roue manquante du chariot et la remit à un de ses élèves en le priant d'aller la porter à l'agent de sécurité et de lui affirmer qu'il l'avait trouvée dans le couloir du deuxième étage. Il lui fit jurer de garder le secret. Le garçon, amusé ou craignant l'autorité, obtempéra.

À l'heure de la récréation, Brisset attendait son comparse dans la salle des professeurs, impatient de lui raconter la scène à laquelle il avait assisté, un peu plus tôt, à la bibliothèque.

Les enseignants du niveau, mis au courant du mauvais tour joué au gardien, ne perdirent pas un mot du récit.

— Tu aurais dû le voir quand il a vu son chariot derrière les deux autres dans la bibliothèque ! Ce pauvre René était blanc comme un drap et j'ai bien cru qu'il allait sauter par-dessus le comptoir pour s'en prendre à Denise qui, bien sûr, ne comprenait pas ce que Martel voulait exactement. Quand il lui a demandé ce que son chariot neuf faisait là, elle a regardé autour d'elle. Elle ne l'avait pas encore remarqué et elle le lui a dit. Il l'a traitée de menteuse et elle l'a envoyé au diable. Elle lui a même conseillé d'aller se faire soigner. Le pire, c'est quand il a voulu partir. Là, il s'est rendu compte qu'il manquait une roue à son chariot. J'ai pensé qu'il allait avoir une attaque.

— Il faut dire qu'attendre un chariot neuf pendant trois ans et ne pas être capable de s'en servir, c'est enrageant, réussit à articuler Gilles, hilare.

— Mets-en ! Tu ne l'as pas entendu crier à la bibliothécaire : "Et ma roue ! Où est-ce qu'elle est ma roue ?" Elle lui a répondu qu'elle ne le savait pas et qu'il était mieux de s'en aller avant qu'elle demande à Henri-Paul

Dubois de venir le chercher avec une camisole de force. Il est sorti de la bibliothèque en lui promettant de lui faire payer. Tu aurais dû voir la tête des élèves qui ont assisté à tout ça : ils n'en revenaient pas !

À la fin des cours cet après-midi-là, Gilles s'arrêta un instant près de l'agent de sécurité en train de surveiller la sortie des élèves.

— Dure journée, René ?

— Ouais, pas mal, grommela l'homme.

Martel scruta un instant le visage de son interlocuteur d'un air suspicieux.

— Je suis certain que Brisset ou toi avez quelque chose à voir dans le vol de mon chariot. Je ne sais pas comment ça s'est passé, mais quand je le saurai, il y a quelqu'un qui va me le payer.

— Voyons, René, tu sais bien que je ne te ferais jamais ça ! Un si beau chariot !

— Ouais ! Tu peux rire, Provost, mais si c'est toi qui m'as fait ça, je t'étripe.

Le temps arrangeant tout, René Martel finit par renoncer à se venger. Par contre, il n'oublia jamais de mettre son chariot en sécurité dans la cave de l'édifice lorsqu'il ne l'utilisait pas.

L'histoire fit rapidement le tour de la polyvalente et valut au gardien une foule d'allusions et de moqueries durant quelques jours.

Quand Gilles raconta à Mylène toutes ces frasques, elle resta d'abord interdite. Son esprit oscillait entre la franche réprobation devant ces plaisanteries de carabins et le soulagement qu'elle ressentait de voir son homme de bonne humeur, ce qui avait été rare ces derniers mois. Elle réagit donc peu pendant que son mari lui narrait en long, en large et en travers les menus détails de ces coups montés qu'elle jugeait enfantins et cruels.

Gilles, cherchant son approbation, sembla déçu qu'elle n'applaudisse pas à ces tours de force de créativité et d'humour. Alors, Mylène, en femme d'expérience, s'obligea à sourire, ce qui parut satisfaire son interlocuteur. Car, elle savait que la vie de couple exige beaucoup d'amour, de compromis et de diplomatie.

12
Incidents de couloirs

Un mois à peine après l'arrivée d'Hélène Vallée, l'atmosphère dans la salle des professeurs de secondaire 3 avait passablement changé. Les enseignants s'étaient inconsciemment divisés en trois groupes bien distincts. Certains jours, une tension presque palpable sévissait. Des rumeurs ne cessaient de se répandre selon lesquelles la nouvelle directrice de niveau encourageait la délation.

Jean-Paul Rousseau et Carlos Pereira avaient pris la tête des insurgés et ils critiquaient systématiquement le travail d'Hélène Vallée. Gisèle Tremblay, Jérôme Rivest et quelques autres, eux, se rendaient dans le bureau de la belle Hélène pour un oui ou pour un non, à la recherche de son assentiment et de son soutien. Les autres prenaient garde de n'être identifiés ni à l'un ni à l'autre des groupes, se contentant d'observer ce qui se passait et se tenant prudemment loin des intrigues.

Le second lundi de février, un accident survint dans le stationnement de la polyvalente. L'après-midi de la veille, le mercure était subitement monté au-dessus du point de congélation et la neige s'était transformée en glace. À la faveur de la nuit, le froid était revenu et la neige s'était remise à tomber.

Ce matin-là, Louise Kelly gara sa voiture près de celles de ses collègues. Elle eut à peine le temps d'en descendre et de faire quelques pas qu'elle glissa sur une plaque de verglas dissimulée par la neige. La professeure d'anglais s'écrasa lourdement sur le sol.

Germain Coulombe, arrivé en même temps qu'elle dans le stationnement, la vit tomber au moment où il verrouillait la portière de sa voiture. Il se précipita pour l'aider à se relever. Impossible ! Tout laissait croire qu'elle était sérieusement blessée. Coulombe cria à un adolescent qui s'apprêtait à s'engouffrer dans la polyvalente de dire à l'agent de sécurité de sécurité d'appeler les secours.

Quelques minutes plus tard, deux ambulanciers écartaient la foule d'élèves curieux pour transporter l'enseignante à l'hôpital Maisonneuve. Au début de l'après-midi, les professeurs apprirent de la bouche d'Hélène Vallée que leur consœur avait dû être opérée pour une hanche fracturée. Il fallait donc embaucher d'urgence un suppléant.

Le lendemain matin, dans la salle des professeurs, Claude Loiselle était en train de raconter sa visite à Louise Kelly, à l'hôpital, quand la directrice de niveau entra en compagnie d'un inconnu à la taille impressionnante.

L'homme, au début de la trentaine, mesurait plus de six pieds trois et devait peser près de trois cents livres. Sa longue moustache tombante lui donnait l'allure d'un morse surpris hors de l'eau. Debout à ses côtés, la toute menue Hélène Vallée avait l'air bien fragile.

— Je vous présente Benoît Corriveau, dit-elle à la cantonade. Il va remplacer Louise Kelly, dont l'absence risque de durer près de deux mois. Pourriez-vous lui indiquer le bureau de Louise ?

Puis, elle abandonna le nouveau venu au centre de la pièce sans plus de cérémonie et retourna à son bureau. Le suppléant, un peu intimidé par tous ces regards braqués sur lui, ne savait pas quelle attitude adopter.

Claude Loiselle, trop heureux de se sentir important, s'empressa de lui désigner le bureau voisin du sien.

— Tu peux venir t'installer ici, proposa-t-il au nouvel enseignant. C'est le bureau de celle que tu remplaces.

Ensuite, Loiselle lui expliqua l'emploi du temps de sa consœur hospitalisée et il quitta les lieux en sa compagnie pour l'escorter jusqu'à sa classe.

Dès leur sortie, Sylvain Brisset ne put s'empêcher de faire remarquer :

— Il n'y a pas à dire, il était écrit dans le ciel que les élèves de Louise n'auraient que des professeurs d'anglais format géant, cette année.

— Disons que celui-là est tout un spécimen, renchérit Gaétane Rioux. Avez-vous vu la pièce d'homme ? Debout, je ne lui arrive même pas à l'épaule.

— En tout cas, nota Gilles, je suis sûr qu'il ne doit pas avoir de difficulté avec la discipline...

— Avez-vous vu ses mains ? intervint Jean-Paul Rousseau. Ce gars-là a de vrais battoirs. Ses mains sont au moins deux fois plus grosses que les miennes.

La cloche annonçant le premier cours de la journée mit fin à ces considérations physionomiques. Tous les enseignants se levèrent, prêts à entreprendre une autre journée de travail.

Ce matin-là, il s'échappait tant de bruit de la classe voisine que Gilles eut bien envie, à plusieurs reprises, d'aller exiger qu'on fasse moins de tapage. Lorsqu'il revint à la salle des professeurs à midi, il était presque aphone tant il avait dû parler fort pour que ses élèves l'entendent.

— Voulez-vous bien me dire ce qui se passait ce matin dans les classes d'anglais ? demanda-t-il en ne s'adressant à personne en particulier. Il n'y avait pas moyen de donner un cours tellement il y avait de chahut.

Un coup de coude de Gaétane Rioux attira son attention. Elle se contenta ensuite de lui indiquer de la tête le suppléant de Louise Kelly.

— Je suis allée voir d'où venait le bruit ; ça venait de son local, murmura-t-elle. Je te dis qu'il en a arraché.

— Voyons donc ! Tu ne me feras pas croire qu'il ne fait pas peur aux élèves, s'étonna Gilles en observant à la dérobée le nouveau venu qui, assis à son bureau, l'air affairé, manipulait des feuilles en fumant une cigarette.

— On le dirait bien. Il va certainement les mettre à sa main, et ça ne sera pas long. Bon, c'est bien beau tout ça, mais mon mari doit m'attendre, ajouta-t-elle en se levant après avoir pris un sac déposé devant elle sur son bureau.

Quand Claude Loiselle revint de son dîner, il se garda bien de commenter la performance de celui qui enseignait dans la pièce voisine de la sienne. Il se contenta de parler à Benoît Corriveau à voix basse avant de retourner en classe.

Le charivari reprit de plus belle dans l'après-midi, à tel point que Gilles renonça aux explications orales et donna plutôt un travail écrit à ses élèves pour éviter d'avoir à parler. À la dernière période, l'enseignant finit par perdre patience. Il ne pouvait tout de même pas tolérer autant de bruit tout le temps, surtout si Louise Kelly devait être absente longtemps.

Alors, il se décida – c'était la première fois que ça lui arrivait de toute sa carrière – à aller sommer son confrère d'empêcher ses élèves de déranger son cours. Il sortit de sa classe et alla frapper à la porte du local d'anglais attenant au sien. Le vacarme était absolument étourdissant. Personne ne vint lui répondre. Il frappa plus fort: aucun résultat. Il entendait des cris et des bruits de bousculade, mais personne ne venait lui ouvrir. Subitement inquiet, Gilles prit sa clé et déverrouilla la porte du local, croyant que les élèves avaient peut-être été laissés sans surveillance.

Le spectacle qu'il découvrit le laissa pantois. Benoît Corriveau, blanc de terreur, était tapi dans un coin de la classe, cerné par une meute d'adolescents qui hurlaient et s'agitaient autour de lui. Complètement dépassé, l'enseignant avait l'air de Gulliver assiégé par les Lilliputiens.

Les jeunes, survoltés, n'avaient pas entendu Gilles ouvrir la porte. Le professeur de français reconnut immédiatement les élèves de son groupe 12. Il fit un pas dans la pièce et donna un vigoureux coup de poing sur le premier pupitre qu'il trouva.

— ASSIS ! cria-t-il.

La réaction ne se fit pas attendre. Quelques-uns tournèrent brusquement la tête dans sa direction et l'aperçurent. Immédiatement, ils se turent et se glissèrent le plus furtivement possible à leur place. Le visage impassible, Gilles attendit que la brève cavalcade vers les pupitres s'achève. Puis, un silence pesant tomba sur la salle pendant que le suppléant essayait de reprendre contenance.

— Excusez-moi de vous déranger, affirma sèchement Gilles aux élèves, mais j'aimerais être capable de donner mon cours sans avoir à hurler. Vous serait-il possible de vous conduire en êtres civilisés ? Nous aurons sûrement l'occasion de parler de votre comportement au prochain cours, promt-il d'un ton glacial.

On aurait entendu voler une mouche dans la classe.

Sur ces entrefaites, Gilles salua d'un signe de tête le remplaçant demeuré silencieux et sortit de la pièce en refermant doucement la porte derrière lui.

Au son de la cloche annonçant la fin de la journée, les élèves se précipitèrent dans les couloirs et s'élancèrent vers les cages d'escaliers. Gilles prit quelques minutes pour effacer le tableau et ramasser les documents éparpillés sur son bureau avant de retourner à la salle des professeurs où, déjà, plusieurs collègues étaient en train de mettre leur manteau.

Le suppléant arriva en même temps que lui dans la pièce. De toute évidence, il venait du secrétariat ou du bureau de la directrice de niveau. Le pauvre homme avait l'air épuisé.

— Désolé de t'avoir importuné durant ton dernier cours, l'aborda Gilles, sans croire un seul mot de ce qu'il disait, mais je pensais que les jeunes étaient seuls.

— Non, c'est moi qui te remercie. Je n'ai jamais eu des élèves aussi sauvages et ça fait trois ans que je fais de la suppléance. En tout cas, je ne reviens pas demain. J'en ai eu assez comme ça.

— C'est peut-être parce qu'ils ne te connaissaient pas, voulut le rassurer Gilles, soudain empathique.

— Non. C'est la première fois que je fais de la suppléance au secondaire, et c'est la dernière, tu peux en être certain. Je viens d'aller le dire à madame Vallée.

Aussitôt, Benoît Corriveau se dirigea vers le porte-manteau où il s'empara de sa canadienne avant de quitter la pièce. Ce fut la dernière fois qu'on le vit à Montaigne.

La semaine suivante, les élèves de Louise Kelly n'eurent pas de cours d'anglais. Le chef de groupe d'anglais avait demandé à Claude Loiselle, à Mary Bello et à Étienne Marquis de fournir des travaux aux enseignants qui acceptaient d'aller faire des suppléances occasionnelles dans les groupes de leur consœur absente, mais comme la plupart se contentaient de surveiller, sans se préoccuper des travaux donnés, ils se lassèrent et les adolescents eurent congé pendant presque une semaine.

Un lundi matin, Sylvain Brisset entra dans la salle des professeurs en compagnie d'une toute petite femme qui mesurait à peine cinq pieds trois et devait peser tout au plus cent livres.

— Voici Carole Allen, la présenta Brisset sans cérémonie aux trois enseignants déjà installés à leur bureau. C'est elle qui va assurer la suppléance dans la classe de Louise.

La jeune femme salua ses nouveaux collègues de la tête et eut un timide sourire pour eux avant de s'asseoir au bureau de Louise Kelly que le professeur de religion venait de lui désigner.

— J'espère pour elle qu'elle a déjà enseigné à des élèves de secondaire 3, laissa tomber Gisèle Tremblay après le départ de la suppléante pour sa première période de cours.

— Elle commence avec le pire groupe de Louise, remarqua Mary Bello qui cessa un instant de corriger les travaux de ses élèves.

— En plus, c'est sûr qu'une semaine sans professeur d'anglais n'a pas dû les améliorer, commenta Germain Coulombe avec une pointe de compassion dans la voix.

À la fin de la matinée, les enseignants durent reconnaître que le calme était revenu dans le petit couloir au bout duquel se trouvait la salle de cours de Louise Kelly. En fait, c'était même plus tranquille que lorsque la forte femme enseignait, parce qu'on n'entendait pas résonner sa grosse voix.

— On dirait que la petite nouvelle a de la poigne, avança Gilles, soulagé d'avoir pu donner ses cours sans crier.

— Tu parles ! apprécia Claude Loiselle en souriant. T'as pas vu comment elle est entrée dans la classe avec le pire groupe de Louise, à la première période !

— Non. Raconte !

— Elle est peut-être petite, mais elle a du nerf. En entrant, le grand Béliveau a fait une farce plate.

— Et puis ?

— Elle n'a pas perdu une seconde. Elle te l'a accroché par une oreille et il avait affaire à suivre quand elle est allée le reconduire jusqu'à la porte.

— J'aurais voulu voir la tête de ce grand veau, s'amusa Gilles qui essayait d'imaginer la scène.

— Il n'en menait pas large, raconta Loiselle. Elle s'est contentée de lui dire sans hausser la voix : "Toi, l'insignifiant, je ne veux plus te voir la face aujourd'hui dans ma classe. Dégage !"

— Sérieux ? Oh là là ! Et les autres élèves n'ont rien dit ?

— Je ne pense pas. En tout cas, elle a enseigné avec sa porte de classe ouverte toute la matinée et je n'ai rien entendu, termina Loiselle, visiblement partagé entre l'admiration et la surprise.

Le lendemain midi, les enseignants commencèrent à se plaindre du bruit que faisaient les élèves d'Andrée

Jutras et de Joseph Comtois qui avaient commencé à peindre les deux murales dans le grand couloir de l'étage.

—Je commence à en avoir assez de les entendre s'amuser dans le corridor, confia Jérôme Rivest à Gisèle Tremblay. Ça fait un mois qu'ils traînent là toute la journée. Avant, c'était pour dessiner la murale ; maintenant, c'est pour la peindre. Si encore ils faisaient ça en silence…

— C'est vrai que c'est agaçant !

— En tout cas, je suis allé voir Hélène. Elle est censée s'en occuper, affirma l'enseignant de français sur un ton satisfait.

— Elle m'a dit la même chose quand je suis allée me plaindre, il y a deux jours, rapporta la chef de groupe, à mi-voix.

— Les élèves de Jutras ne peuvent pas être pires que ceux de Comtois, intervint Michel Tondreau qui n'avait pas perdu un mot de la conversation des deux professeurs de français. Je suis comme vous autres, moi aussi. Je suis fatigué de les entendre jacasser et se disputer dans le couloir. C'est rendu que je ne peux plus jamais laisser la porte de ma classe ouverte.

— L'as-tu dit à Hélène ? lui demanda Rivest.

— Non. J'aime autant régler mes problèmes sans qu'elle s'en mêle.

Peu après le dîner, Tondreau s'en prit sans grande diplomatie aux deux enseignants d'arts plastiques qui venaient de s'installer à leur bureau dans la salle des professeurs.

— Hé, vous deux, est-ce que ça achève vos histoires dans le corridor avec vos élèves ? Moi, j'aime autant vous prévenir tout de suite : j'en ai par-dessus la tête d'endurer tout ce bruit-là ! C'est comme si les étudiants étaient sans surveillance.

— Écoute, Michel, répliqua Joseph Comtois. On fait ce qu'on peut. On envoie six élèves peindre dans le couloir, jamais plus. Le reste du groupe est en classe et il faut qu'on s'en occupe aussi. On ne peut pas être à deux places à la fois. On fait notre possible pour surveiller, mais on n'est pas toujours collés sur eux.

— Est-ce que ça va durer encore longtemps ?

— Dans trois semaines au plus tard, ça va être terminé, signala Andrée Jutras. Soyez un peu patients, ajouta l'enseignante à l'endroit des autres professeurs présents, vous allez voir que les résultats vont être fabuleux. Les élèves ont tellement travaillé sur les murales ; ils veulent en être fiers.

On entendit quelques murmures approbateurs.

— Je sais que certains sont allés se plaindre du bruit à la direction. Joseph et moi, on aurait préféré qu'ils viennent plutôt nous voir directement. En tout cas, soyez sûrs qu'on fait vraiment de notre mieux pour que vous soyez dérangés le moins possible. On va parler encore aux élèves cet après-midi pour qu'ils fassent plus attention.

En quittant la salle des professeurs à la fin de la pause du dîner, Gilles vit Gisèle Tremblay s'approcher d'Andrée Jutras et de Joseph Comtois, encore assis à leur bureau.

— Ne vous laissez pas décourager par les chialeux, leur confia-t-elle à mi-voix. Continuez. Moi, je suis certaine que ça vaut la peine de laisser les élèves finir leurs murales.

Les deux enseignants la remercièrent de ses encouragements.

Gilles n'en revenait tout simplement pas de l'hypocrisie de sa collègue qui avait été la première à aller se plaindre à Hélène Vallée du bruit causé par les élèves dans le couloir. Après tout ce qu'il avait vu depuis son arrivée, plus rien ne le surprenait, mais quand il sortit de la salle des professeurs, il était un peu plus dégoûté encore par la vie à Montaigne.

Or, il était écrit quelque part que les murales seraient le sujet de préoccupation de la journée. À la fin du premier cours, un accident se produisit: d'habitude, les professeurs d'arts plastiques voyaient à ce que les peintres amateurs libèrent le corridor des toiles couvrant le plancher et des pots de peinture au moins cinq minutes avant la fin de chaque cours, de manière à ce qu'aucun incident ne survienne lorsque les élèves changeaient de local au son de la cloche. De plus, des peintres demeuraient sur place pendant la pause pour éviter que des étourdis ne se tachent avec la peinture fraîchement étalée sur le mur.

Mais Andrée Jutras oublia de prévenir ses peintres avant la fin du premier cours et ces derniers se firent surprendre par le déferlement d'élèves libérés des classes par la cloche. En quelques secondes, le couloir fut envahi par des adolescents pressés de se rendre à leur cours suivant. Comme d'habitude, certains couraient, d'autres se querellaient. Un garçon fit un brusque écart pour éviter d'être heurté par un camarade lancé en pleine course et il renversa par inadvertance un gallon de peinture jaune. Ceux qui furent éclaboussés poussèrent des cris, engendrant un début de panique parmi ceux qui tentaient, tant bien que mal, de ne pas se salir. Avant que l'artiste en herbe songe à relever son pot de peinture, la moitié du contenu s'était étalée sur le plancher et s'écoulait hors de la toile protectrice. Les adolescents se remirent en mouvement en longeant le mur opposé pour éviter la flaque qui s'élargissait sur le parquet. Cependant, des élèves marchèrent tout de même dans la peinture sans le vouloir.

Quand la cloche annonça le début du cours suivant, Andrée Jutras put enfin évaluer l'ampleur des dégâts. Hélène Vallée, agacée, vint la rejoindre près des classes de français : devant la porte de son bureau, une demi-douzaine d'élèves aux vêtements maculés de peinture demandaient la permission de retourner chez eux.

—Je peux savoir ce qui s'est passé ? demanda la directrice à l'enseignante abattue.

Celle-ci, contrite, ne put que reconnaître son erreur et s'en excusa.

—Fais nettoyer le plus gros par tes élèves, lui ordonna sèchement Hélène Vallée en lui montrant le plancher couvert de peinture. Je vais dire au concierge de venir s'occuper de ça. Et, de grâce, arrange-toi pour surveiller l'heure. Je ne sais pas ce que je vais bien pouvoir raconter aux parents des élèves qui ont gâché des vêtements avec la peinture… En tout cas, organise-toi pour que ça ne se reproduise pas.

La directrice de niveau reprit le chemin de son bureau.

Dès le lendemain, les professeurs d'arts plastiques firent en sorte que les peintres n'aient plus entre les mains que des minicontenants qu'ils devaient aller remplir en classe plusieurs fois par période.

Quelques jours plus tard, Hélène Vallée convoqua une réunion du personnel le lendemain, à quatre heures.

S'il était quelque chose que les professeurs ne supportaient pas, c'étaient ces réunions après les journées d'enseignement.

— Bâtard ! proféra Georges Martin en lisant la convocation écrite au tableau de la salle des professeurs. Elle ne me fera pas croire qu'elle ne peut pas faire ses maudites réunions un après-midi de jour 4 ou 8, quand les élèves ne sont pas là.

— Ou à l'heure du dîner, appuya Jean-Paul Rousseau, aussi mécontent que son confrère.

— Qu'est-ce qu'il y a à l'ordre du jour de si important ? questionna Denis Casavant, interrompant durant quelques instants la conversation qu'il tenait à mi-voix avec Anne Leduc.

— La Saint-Valentin et, encore une fois, les cas de discipline, l'informa Michel Tondreau.

— L'indiscipline des élèves ou celle des professeurs ? le nargua Claude Loiselle.

— On ne sait pas. Chose certaine, ça va être encore des discussions à n'en plus finir qui ne mèneront à rien, prédit Rousseau, désabusé.

Après le départ des derniers élèves, ce jeudi-là, les enseignants se rendirent dans la salle de réunion habituelle en traînant les pieds.

— Envoyez, les gars, les pressa Jacqueline Saint-Onge en houspillant Rousseau, Loiselle et Casavant avant de passer la porte. Dépêchez-vous de finir de fumer votre cigarette et venez. J'ai hâte qu'on en finisse, moi ! Après quatre heures, je suis plus capable de voir la polyvalente. J'ai besoin d'en sortir et de respirer un peu d'air pur, pour changer.

— On arrive, on arrive, énerve-toi pas, répondit Loiselle. La belle Hélène n'aura pas à nous attendre trop longtemps.

Lorsque les trois professeurs entrèrent dans la pièce, de nombreux applaudissements saluèrent leur arrivée tardive. La directrice de niveau se contenta d'un regard mécontent.

— Bon, maintenant que ces messieurs ont bien voulu se joindre à nous, nous allons pouvoir commencer. Quelqu'un a-t-il quelque chose à ajouter à notre ordre du jour ?

— Oui, moi, s'écria Rousseau.

Hélène Vallée se leva pour ajouter un troisième point à son ordre du jour transcrit au tableau. La craie en main, elle invita d'un geste l'enseignant à formuler sa pensée.

— Les réunions de professeurs après la classe, se contenta-t-il de grommeler.

— On peut commencer par ce point si ça peut être utile, proposa la jeune femme en s'asseyant à son bureau. Quel est le problème ?

Rousseau demanda pourquoi ces réunions ne se tenaient pas les après-midi des jours 4 ou 8.

— La réponse est évidente, déclara Hélène Vallée avec une joie mauvaise. Premièrement, ces réunions relèvent du droit de gérance de la direction qui peut choisir quand elle désire les tenir. Deuxièmement, les après-midi des jours 4 et 8 appartiennent aux élèves qui ont besoin de récupération. Est-ce que ça répond à la question ?

— Naturellement, c'est non négociable ? s'enquit Rousseau, agressif.

— Naturellement. Bon, passons, si vous le voulez bien, au point 1, la Saint-Valentin. Le conseil étudiant a demandé à organiser une fête mercredi prochain. Comme d'habitude, nous sommes prêts à accorder la permission si vous êtes d'accord pour assurer la surveillance de la fête.

La main de Denis Casavant se leva immédiatement.

— Oui, Denis ?

— Est-ce que ça va être encore une danse dans le gymnase avec de la musique à tue-tête ? En tout cas, moi, je t'avertis : je ne peux plus endurer ça.

— Les élèves ont demandé la permission de venir aux cours du matin vêtus en rouge et ça va être une danse durant l'après-midi.

— Pauvre Denis ! le plaignit Sylvain Brisset, assis au fond de la pièce. C'est dommage que les jeunes n'aiment plus le menuet qui était à la mode dans ton temps.

— Ça n'a rien à voir avec la sorte de musique, rétorqua Casavant. C'est uniquement que le son est trop fort. Ça me donne mal à la tête.

— C'est quand même un signe que tu vieillis, laissa tomber Claude Loiselle.

L'ancien directeur de niveau jeta un regard à Anne Leduc qui n'avait même pas tourné la tête vers lui.

— Bon, messieurs, si on revenait à nos moutons ? suggéra Hélène Vallée qui sentait sa réunion lui échapper. Quels sont ceux qui sont d'accord avec la demande du conseil étudiant ?

La majorité des mains se levèrent avec plus ou moins de spontanéité.

— C'est bien joli de lever la main, mais il faudra aussi, par exemple, faire ses surveillances, glissa Gisèle Tremblay, acide.

Cette remarque jeta un froid dans l'assemblée.

— Gisèle a raison, approuva Carlos Pereira. Quand il y a des activités étudiantes, certains oublient un peu facilement de faire leur surveillance parce qu'ils sont trop pris par des corrections… ou des parties de bridge, ajouta-t-il, perfide.

— Eille ! T'es pas mal effronté, Pereira, se rebiffa Michel Tondreau qui se sentait visé. Nos surveillances, on les fait, tu sauras.

— Gisèle ne manque pas d'air d'attaquer ceux qui ne font pas leurs surveillances, murmura Loiselle à Gilles, assis au pupitre voisin du sien. S'il y en a une qu'on ne voit pas souvent les faire, c'est bien elle.

— Ne vous tracassez pas avec ça, reprit Hélène Vallée. Je verrai personnellement à ce que chacun se souvienne de son horaire de surveillance.

Cette déclaration sans équivoque provoqua une certaine stupeur chez les enseignants qui échangèrent des regards interrogateurs.

Gilles, un petit sourire en coin, se disait qu'il fallait tout de même reconnaître que leur nouvelle supérieure avait du cran et qu'elle ne craignait pas de prendre des mesures impopulaires quand c'était nécessaire.

— Il est déjà quatre heures trente. J'aimerais passer au dernier point pour ne pas étirer inutilement la réunion, annonça Hélène Vallée. Il s'agit des cas de manquement à la discipline. J'ai demandé à Claudette de faire un relevé des noms des élèves que vous m'envoyez le plus souvent depuis début janvier. J'ai ici une liste et on va s'occuper de ça.

— Enfin ! s'exclama Gilles à voix basse et en levant les yeux au ciel.

— Avant de commencer, je tiens à préciser que j'ai éliminé tous les noms de ceux envoyés à mon bureau pour des raisons aussi peu sérieuses que des devoirs qui n'ont pas été faits ou du matériel oublié dans les casiers. Je n'ai conservé que ceux qui sont trop souvent absents et les cas d'impolitesse grave. La liste est passée de quarante-deux noms à douze. Avant d'examiner chacun de ces cas-là, j'aimerais que vous vous interrogiez. Que vous fassiez un petit examen de conscience et que vous vous demandiez si vous n'êtes pas un peu responsables du comportement de ces douze élèves.

— Ah ben ! C'est la meilleure, celle-là ! s'indigna Georges Martin. Est-ce que je peux savoir ce que tu entends exactement par là ?

Un silence complet tomba sur la salle de réunion.

— Si certains élèves s'absentent si souvent et si facilement de certains cours, est-ce que ça ne pourrait pas être dû à un manque d'intérêt pour le cours ?

— N'importe quoi ! laissa tomber Jean-Paul Rousseau.

— Quand un adolescent explose et manque de politesse, est-ce que ça ne pourrait pas être évité si le professeur se montrait plus humain, plus compréhensif ?

Des murmures s'élevèrent dans l'assemblée.

— Eille, là ! Il y a toujours bien des limites ! explosa Michel Tondreau. On n'est pas dans une maternelle, à Montaigne ! On n'est pas payés pour chouchouter les jeunes. Ils le sont bien assez quand ils vont à ton bureau. On n'est pas leur mère, nous autres. On est payés pour leur apprendre quelque chose, pas pour les dorloter.

— Michel a raison, le soutint Sylvain Brisset, plus calme. Tout est toujours la faute des professeurs. Les élèves ne savent pas lire et écrire ? C'est la faute des professeurs de français. Ils ne savent pas compter ? C'est la faute de la maudite calculatrice que les professeurs de mathématiques acceptent dans leurs cours...

— Je ne veux pas faire le procès de l'éducation de nos élèves, le coupa Prosper Desjean sur un ton encore plus modéré. On en aurait pour toute la nuit. Il faut tout de même reconnaître que les adolescents ont aussi des responsabilités dans tout ça, comme leurs parents, d'ailleurs, qui rejettent tout sur le dos de l'école. C'est plus facile que d'assumer leurs responsabilités. Après, ils viennent nous blâmer de ne rien apprendre à leurs enfants. Il faut qu'ils les éduquent, eux aussi. Ce n'est pas à nous de tout faire à leur place.

— Bon, avec tout ça, peut-on savoir quelles mesures vont être prises pour régler les douze cas difficiles ? voulut savoir Claude Loiselle, excédé par la tangente prise par la réunion.

Un peu désarçonnée par la vive réaction de la plupart des enseignants, Hélène Vallée mit quelques instants avant de répondre.

— Je crois que le mieux serait que je vous remette la liste des douze noms et que les professeurs de ces élèves-là me fassent parvenir demain matin une note sur ce qu'ils ont à leur reprocher. Dès que l'aurai en main, je vais rencontrer ces jeunes et prendre des mesures.

— Merveilleux ! souffla Georges Martin. On n'est pas plus avancés qu'avant. Ça va tourner en eau de boudin et il ne se fera rien, encore une fois.

— Pour les autres ? l'interrogea Jacqueline Saint-Onge.

— Quels autres ?

— Tu as parlé de quarante-deux élèves au début. Ceux-là aussi nous causent des problèmes dans nos classes.

— Oui, je sais, admit la directrice, agacée. Il faut que vous compreniez une fois pour toutes que je ne suis pas là pour faire la discipline à votre place. Des cas semblables, vous devriez être en mesure de les régler vous-mêmes. Gardez l'élève en retenue. Invitez-le à passer l'après-midi du jour 4 ou du jour 8 avec vous, dans votre classe… Bref, vous avez tous assez d'expérience pour savoir que si c'est toujours moi qui punis, vous n'aurez plus aucune autorité dans vos groupes.

Plusieurs enseignants se mirent à chuchoter entre eux.

— Elle a raison, confia Gilles à Prosper Desjean.

— Tout à fait. Tu aurais dû voir combien d'élèves on m'envoyait pour des peccadilles certains après-midi, au bureau, quand je jouais au directeur de niveau, avant Noël.

— C'est bien beau, ça ! s'exclama Jacqueline Saint-Onge. En fin de compte, quand doit-on t'envoyer un élève ?

— Je dirais que c'est lorsque vous sentez que vous perdez patience et que vous allez finir par faire quelque chose que vous allez regretter, énonça Hélène Vallée, faisant preuve d'un peu plus de compréhension. Si vous craignez que vos nerfs lâchent, il vaut mieux expulser l'élève.

La professeure de religion se contenta de hausser les épaules.

— Écoutez, je vais être franche avec vous, déclara la directrice de niveau. J'ai l'intention de réagir fermement dans le cas des douze dossiers disciplinaires les plus lourds. Demain matin, dès le premier cours, je les ferai venir un à un à mon bureau pour leur faire signer un contrat…

— Un contrat ? s'étonna Claude Loiselle. Quel contrat ?

— Si tu veux bien me laisser finir, Claude, tu vas comprendre, s'impatienta-t-elle, irritée par l'interruption. Dans ce contrat, l'élève s'engage à respecter les règlements de l'école et à faire son travail correctement. À la moindre infraction ou expulsion d'un cours, il sera suspendu automatiquement trois jours et devra se présenter à mon bureau avec ses parents après sa suspension.

— Et si un élève refuse de signer le contrat ? la relança Michel Tondreau.

— Il sera suspendu et ne rentrera en classe que lorsqu'il l'aura signé, indiqua-t-elle avec détermination.

— Magnifique ! approuva Jérôme Rivest.

— Enfin, une directrice de niveau efficace ! renchérit une Gisèle Tremblay rayonnante qui adressa à Hélène Vallée son plus chaleureux sourire.

— Bon, ça va faire, les téteux ! les interrompit Georges Martin en consultant sa montre. Moi, Hélène, je te féliciterai quand j'aurai constaté les résultats concrets de ta politique. Je ne suis pas sûr que ça va fonctionner. En tout cas, j'ai ben hâte de voir ça !

— Est-ce qu'on a fini ? voulut savoir Jean-Paul Rousseau en se levant. Il est cinq heures et dix. J'ai pas envie de coucher ici, moi.

— S'il n'y a pas d'autre question, conclut la directrice de niveau sans tenir compte de l'intervention du petit professeur de mathématiques, je pense qu'on peut clore la réunion.

Le lendemain matin, à la récréation, Gilles demanda à Gaétane Rioux si Hélène Vallée avait commencé à rencontrer les indisciplinés chroniques.

— Oui. Tu as combien d'élèves dans la douzaine qu'elle a convoquée ? le questionna sa collègue.

— Aucun.

— Ah bon ? Comment ça se fait ?

— J'essaye de régler mes problèmes tout seul. Je pense que la belle Hélène a raison de dire qu'on ne résout rien quand c'est elle qui sanctionne. Il me reste mes absents chroniques, mais elle ne les a pas mis sur sa liste prioritaire.

— T'as de la chance ! Tu n'as pas de cas graves dans tes classes, toi, nota Gaétane Rioux qui sentait une sorte de reproche dans la déclaration de son collègue.

— Peut-être, reconnut prudemment Gilles.

À la fin de la journée, les douze élèves visés avaient signé le contrat imposé et promis de s'amender, du moins selon Hélène Vallée, fière de prouver aux enseignants l'efficacité de sa méthode.

Dès le lendemain matin, pourtant, Christine Béland, l'une des signataires, fit preuve de grossière impolitesse à l'égard d'Andrée Jutras. Cette dernière, hors d'elle, l'expulsa tambour battant et lui ordonna de se rendre au bureau de la directrice de niveau.

À midi, l'enseignante alla rencontrer Hélène Vallée pour lui expliquer la situation. Les deux femmes découvrirent alors que la fautive ne s'était jamais présentée au bureau de la directrice. Cette dernière appela immédiatement chez l'élève : aucune réponse. Elle prévint ensuite tous ceux qui enseignaient à la jeune fille de la lui envoyer si jamais elle se présentait à l'un de ses cours. L'adolescente, retrouvée au milieu de l'après-midi, fut dûment sermonnée par Hélène Vallée et renvoyée chez elle avec une suspension de trois jours.

Le lendemain, deux garçons du groupe 9, signataires eux aussi du contrat, se battirent dans un couloir. Ils furent conduits au bureau de la directrice de niveau par René Martel, et Hélène Vallée les expulsa sans la moindre hésitation.

Deux jours plus tard, la fête de la Saint-Valentin eut lieu et rassembla moins de trois cents élèves sur les mille neuf cents inscrits à Montaigne. Pourtant, même si cette journée ne représentait que la deuxième de leur suspension, les trois élèves renvoyés chez eux participèrent sans vergogne à la danse et s'amusèrent tout l'après-midi.

Lorsque Hélène Vallée apprit la chose, elle vit rouge et promit d'ajouter un jour supplémentaire à leur suspension dans le but de faire un exemple.

Le lundi matin, l'école ne reçut aucune nouvelle des élèves suspendus. Claudette Labonté fut priée de téléphoner chez eux pour savoir ce qui empêchait les trois adolescents de se présenter à la polyvalente en compagnie de leurs parents. Personne ne put être joint.

— Ce sera une absence de plus à faire motiver, conclut la directrice de niveau, dépitée. Tu ne les rappelles pas, ordonna-t-elle à sa secrétaire. On va attendre qu'ils se pointent le bout du nez.

L'attente dura une semaine entière et ne prit fin que grâce à Gaétane Rioux qui avait aperçu Christine Béland en train de jouer aux cartes avec des amis à la cafétéria. Motivée par son sens du devoir beaucoup plus que par son désir de revoir l'adolescente semer le désordre dans sa classe, l'enseignante prévint la directrice de niveau.

Sans perdre un instant, Hélène Vallée descendit chercher la jeune fille à la cafétéria en se promettant de la suspendre une semaine. Elle n'eut pas la chance de passer à l'acte : Christine Béland avait disparu.

Cet épisode marqua la fin des contrats dans lesquels la directrice avait placé tant d'espoirs. Sans le crier sur les toits, la jeune femme décida d'abandonner ce projet, après s'être rendu compte qu'il créait plus de problèmes qu'il n'en réglait.

Aucun des trois élèves n'avait réintégré l'école depuis sa suspension. Hélène Vallée et sa secrétaire durent appeler à maintes reprises chez eux pour enfin entrer en contact avec les parents à qui elles apprirent que leur enfant avait été suspendu trois jours et qu'ils devaient la rencontrer pour qu'il soit réintégré. La directrice de niveau précisa aux parents que leurs enfants n'avaient pas été vus à leurs cours depuis près de deux semaines.

La réaction la plus vive qu'elle suscita fut celle d'un père qui promit de parler à son fils, mais aucun parent n'accepta de se déplacer pour venir à l'école. Les deux autres la menacèrent même de faire appel à un commissaire pour défendre les droits de leur enfant.

En somme, le projet fut abandonné sans tambour ni trompette. Les indisciplinés, préoccupés quelques jours, relevèrent la tête et n'en furent ensuite que plus difficiles à contenir. En réalité, la proportion d'élèves de secondaire 3 préférant fréquenter la cafétéria plutôt que leurs cours augmenta même sensiblement en cette fin février.

13
Journée pédagogique

Si l'arrivée de mars devait laisser espérer un printemps prochain, le premier lundi du mois marqua tout le contraire. La nuit, il était tombé près de dix centimètres de neige et, ce matin-là, le mercure était descendu à quinze degrés sous zéro, sans compter que le vent soufflait en rafales.

En entrant à Montaigne, Gilles secoua avec humeur la neige qui collait à ses bottes, accordant à peine un regard à René Martel, campé tel un sphinx devant les portes d'entrée, comme chaque matin de la semaine.

— T'as l'air de bien mauvais poil, le taquina l'agent de sécurité, goguenard. On dirait que quelqu'un t'a jeté en bas de ton lit.

— Si tu penses qu'il y a de quoi être de bonne humeur quand ça te prend une heure pour venir travailler et qu'en plus, tu vas passer la journée en réunion…

— Ne viens pas te plaindre ; tu n'auras pas un élève de la journée. C'est comme un jour de congé. Encore une autre journée où tu vas être payé à ne rien faire. Vous autres, les profs, juste l'idée de venir à l'école vous fatigue.

— C'est ça, mon René, ricana Gilles. Toi, de ton côté, essaye de ne pas te faire une hernie en te levant de ton siège.

Cette petite joute oratoire avec Martel avait réussi à sortir de son marasme l'enseignant – il adorait ces petites piques qui étaient devenues une habitude entre eux – qui monta l'escalier et entra dans la salle des professeurs encore déserte à cette heure matinale. Il n'y avait rien qu'il détestait plus que d'enchaîner des réunions durant des heures. Or, il était prévu que la matinée serait consacrée à une réunion avec Pierrette Maisonneuve, la conseillère pédagogique, et l'après-midi, à une réunion générale des enseignants de Montaigne à la bibliothèque.

Qu'est-ce que « la Maisonneuve », comme les enseignants l'appelaient entre eux, pouvait bien leur vouloir ? Gilles s'en moquait comme de sa première chemise. Il n'appréciait guère cette femme aux manières frustes qu'il connaissait déjà quand il enseignait à René-Goupil. En poste depuis cinq ans, la conseillère s'était entourée d'une petite coterie de professeurs de français et elle ignorait ostensiblement les autres. Chef de groupe de français à son ancienne école, Gilles avait été appelé à la rencontrer trop souvent à son goût les années précédentes, et il en avait conservé une impression pénible que les derniers mois sans la voir n'étaient pas parvenus à estomper.

Quelques minutes plus tard, Sylvain Brisset entra dans la salle des professeurs, porteur d'un sac qui, selon Gilles, devait contenir une bouteille de brandy. Depuis le début de l'année, Brisset avait pris l'habitude – fort appréciée par certains collègues – d'arroser leur café d'un peu de brandy avant de commencer une journée pédagogique.

— J'ai fait une rencontre surprenante au restaurant hier soir, révéla-t-il à Gilles à mi-voix en fouillant dans l'un des tiroirs de son bureau.

— Ah oui ? Qui donc ? questionna ce dernier, peu intéressé.

— J'étais en train de souper au Saint-Hubert de la rue Sherbrooke quand j'ai vu arriver notre ami Denis.

— Qu'est-ce qu'il y avait de surprenant là-dedans ?

— Il n'était pas seul. Il tenait la main de notre belle Anne et ils allaient souper en amoureux.

— Il est pas marié, lui ?

— Il est marié et il a deux grands enfants.

— Qu'est-ce qu'ils ont dit quand ils t'ont vu ?

— Ils ne m'ont pas vu. Je me suis fait tout petit et je ne suis pas allé les saluer. Ils se sont installés à une table au fond du restaurant et j'ai eu le temps de les voir se faire des mamours.

— Sacrifice ! Denis a presque l'âge d'être son père, s'insurgea Gilles.

— Il faut croire que ça n'empêche rien. En tout cas, ça explique ce que m'a raconté Gaétane, il y a quelque temps. Elle a entendu dire que Denis s'était séparé de sa femme aux fêtes... Mais je ne me doutais pas que c'était pour filer le parfait amour avec Anne Leduc.

— Elle est bonne, celle-là ! commenta Gilles, pensif.

— Remarque, reprit Brisset, ce n'est pas la première fois que ça arrive à Montaigne. Des petites histoires comme celle-là, c'est déjà arrivé. Je pourrais te nommer un prof de français d'un autre niveau qui est demeuré avec trois enseignantes différentes en cinq ans. Ce n'est peut-être pas un record, mais c'est une maudite bonne moyenne.

— Je le connais ?

— Tu lui as déjà parlé, c'est certain, mais je ne suis pas encore assez mémère pour te révéler son nom. On a aussi un directeur qui s'entend très bien, mais vraiment très bien avec sa secrétaire…

— Ah oui ?

— Et je connais aussi un prof de secondaire 5 qui fréquente une de ses élèves.

— Non !

— Je te jure. Remarque que c'est peut-être moins surprenant que d'apprendre que l'une de nos consœurs est en ménage avec une amie, non ?

— Tu en sais des affaires, toi !

— J'ai des grandes oreilles, mon enfant, et j'ai surtout des grands yeux pour voir, rétorqua en riant le professeur de religion, apparemment satisfait d'avoir suscité une telle stupéfaction à son collègue.

— Je vois bien ça.

— Qu'est-ce que vous faites aujourd'hui, les profs de français ?

— Réunion avec notre chère conseillère pédagogique, marmonna Gilles, sans enthousiasme.

— Tiens, ça fait longtemps qu'on n'a pas vu son air bête ici à celle-là, laissa tomber Brisset. Tu n'es pas chanceux. Nous autres, les profs de religion, on n'a qu'une courte réunion avec l'aumônier.

L'arrivée subite de quatre enseignants mit fin à la conversation. Peu à peu, la salle des professeurs reprit vie et, comme lors de chaque journée pédagogique, il régnait une atmosphère de vacances qui n'était pas étrangère au fait que les élèves étaient absents de la polyvalente.

Quelques minutes avant neuf heures, Pierrette Maisonneuve entra en coup de vent dans la salle. L'air affairé, elle se dirigea, sans saluer qui que ce soit, directement vers la chef de groupe de français. Elle ne fit même pas mine de reconnaître Gilles, assis en face de Gisèle Tremblay.

Vêtue d'une jupe et d'un chemisier gris, la jeune femme avait remonté sa chevelure brune en un chignon sévère et son visage en lame de couteau était aussi peu souriant que d'habitude.

Au moment où elle se penchait vers la chef de groupe pour lui glisser quelques mots à l'oreille, tous les enseignants présents purent entendre la voix de stentor de Sylvain Brisset.

— Tu pourrais nous dire bonjour en entrant.

L'apostrophe de l'enseignant provoqua un silence immédiat dans la pièce et toutes les têtes se tournèrent vers Pierrette Maisonneuve, interdite d'être ainsi prise à partie.

— Bonjour, tout le monde, les salua-t-elle à contrecœur.

— Bonjour, Pierrette, lui répondit cérémonieusement Brisset.

La conseillère pédagogique murmura quelques mots à Gisèle Tremblay et les deux femmes sortirent ensemble de la salle.

La réunion des professeurs de français commença à neuf heures précises dans la classe de Jérôme Rivest. La vue des dictionnaires et des grammaires en excellent état et soigneusement alignés sur un chariot suscita l'envie de Gilles qui n'avait à sa disposition que des ouvrages couverts de graffitis et dont la couverture avait été arrachée.

— Rivest est chanceux d'avoir du beau matériel comme ça, murmura-t-il à Gaétane Rioux venue s'asseoir à ses côtés. Regarde sur le chariot, en avant.

— Il a des beaux dictionnaires et des bonnes grammaires parce qu'en septembre, il fait le tour des classes de français et il en profite pour faire des "échanges" quand on n'est pas là. Je l'ai déjà vu faire. Ça ne me surprendrait pas que tu aies dans ton armoire une demi-douzaine de dictionnaires amochés qui viennent de son local.

— Il ne manque pas de front, lui ! s'offusqua Gilles.

— T'as juste à te défendre, lui conseilla sa collègue. Fais comme moi. Demande que le numéro de ton local soit écrit au feutre noir sur la tranche de chacun de tes livres. Comme ça, il ne pourra pas venir se servir dans ton matériel.

— Bof... De toute façon, conclut Gilles, tous mes livres sont maganés.

Promenant son regard sur la vingtaine d'enseignants assis dans la classe, il se rendit brusquement compte qu'il n'en connaissait pas le quart. Il était vrai que Gisèle Tremblay n'avait tenu aucune réunion générale des professeurs de français depuis septembre. Elle se contentait de rencontrer les enseignants d'un niveau lorsque cela s'imposait.

Pour l'heure, la conseillère pédagogique était en grande conversation avec Jérôme Rivest et leur chef de groupe.

— J'ai l'intention d'aller passer mes vacances d'été en Inde, déclara-t-elle d'une voix assez forte.

Gilles entendit un enseignant de secondaire 5 assis derrière lui chuchoter à ses voisins :

— C'est pas trop grave pour l'Inde ; ça leur fera toujours qu'un fléau de plus à endurer.

Il y eut quelques éclats de rire tandis que Pierrette Maisonneuve allait fermer la porte de la salle, signifiant ainsi qu'elle commençait la réunion.

— J'ai demandé à votre directeur la permission de vous rencontrer aujourd'hui, indiqua la conseillère en prenant un air important, parce que je n'ai pas eu l'occasion de venir vous voir depuis le début de l'année.

— C'est vrai, ça, confirma une voix venue du fond de la pièce. On commençait à se demander si tu n'étais pas morte ou si tu avais oublié qu'on existait.

La voix appartenait à un homme portant un bandeau fleuri et une chemise en toile écrue qui lui donnaient une allure hippie.

— Ben non, Raymond, protesta la femme, agacée par l'interruption. Tu me connais assez pour savoir que je n'oublie jamais personne.

— Ah ! C'est bizarre que tu n'aies pas trouvé une minute pour venir nous voir en six mois, feignit de regretter Raymond Crevier. Je commençais à croire que certains étaient plus près de ton cœur que nous... En tout cas, on aurait peut-être été intéressés de connaître, par exemple, les priorités de cette année en français.

— Peut-être qu'elle n'aime tout simplement pas nous voir la face, supposa un homme rond, professeur en secondaire 4.

— Ou qu'on lui fait peur, renchérit en ricanant une enseignante de secondaire 2, aux cheveux poivre et sel.

Il était notoire que Pierrette Maisonneuve préférait les enseignants de certaines écoles et qu'elle avait tendance à beaucoup moins fréquenter celles où elle se sentait contestée. Or, tout laissait croire à Gilles que Montaigne faisait partie de cette dernière catégorie, et il n'allait sûrement pas s'en plaindre.

Avant même que la conseillère ait eu l'occasion d'expliquer la raison de sa réunion, Gilles devina qu'il n'y avait que deux motifs possibles à sa présence : soit quelqu'un s'était plaint en haut lieu de ses trop rares visites à la polyvalente, soit elle avait un projet important auquel les enseignants de français de Montaigne devaient absolument participer.

— Je n'ai peur d'aucun d'entre vous et je vous aime tous, déclara la conseillère pédagogique, avec un sourire contraint.

— Ah ! Là, tu nous soulages, plaisanta Crevier en feignant d'essuyer des gouttes de sueur imaginaires sur son front.

— Est-ce qu'on ne pourrait pas arrêter ces niaiseries et commencer ? les pria Jérôme Rivest d'un ton excédé.

— On attend juste que tu sois prêt, répliqua Crevier avec une certaine malignité.

En effet, l'enseignant à la moustache avantageuse, dissimulé derrière le vaste dos de son voisin, s'était mis à corriger des copies dès qu'il s'était assis.

— Je vais commencer par ouvrir une parenthèse, annonça Pierrette Maisonneuve. Je croyais que je n'aurais pas à venir vous parler encore une fois de la priorité qu'on s'était fixée en juin dernier. Il avait été décidé que les professeurs de toutes les matières tiendraient compte de l'orthographe des élèves dans la correction de leurs travaux. De mon côté, j'ai rencontré toutes les directions d'école pour qu'elles persuadent leurs enseignants d'accorder 10 % des points à l'orthographe. Elles ont toutes accepté.

— Je ne sais pas ce qui a été fait aux autres niveaux, intervint une femme, mais je peux te dire qu'en 4 et en 5, on a essayé de convaincre nos collègues de suivre cette politique.

— Et ils nous ont envoyés promener, précisa Crevier.

— Nous aussi, en 3, confirma Gisèle Tremblay.

— Je n'étais pas au courant que Gisèle avait fait des pressions pour convaincre les autres professeurs de tenir compte de l'orthographe, murmura Gilles à l'oreille de Gaétane Rioux.

— Tu ne connais pas Gisèle, toi, répliqua sa voisine. Elle ne fait pas un dixième de ce qu'elle dit. Elle n'a jamais parlé de ça aux profs des autres matières.

— Ils nous répondent tous, enchaîna un grand enseignant maigre et triste comme un jour sans pain, que l'orthographe ne les regarde pas et qu'ils ne voient pas pourquoi ils pénaliseraient leurs élèves en leur enlevant des points pour ça.

— Germaine Lauzon, en religion, a décidé de corriger les fautes d'orthographe, annonça une jeune femme rousse. La direction a reçu des plaintes des parents et lui a demandé d'arrêter !

— Il ne faut pas lâcher, martela la conseillère. Si on veut que l'orthographe des élèves s'améliore, il faut que tous s'en occupent. C'est difficile d'imaginer que certains ne comprennent pas encore que plus l'élève va soigner ses travaux écrits, plus ils vont être faciles à lire et à corriger.

Quand arriva l'heure du dîner, l'humeur de Gilles ne s'était pas améliorée. Il avait assisté à la réunion jusqu'à la fin sans prononcer un seul mot. Il mangea seul à son bureau.

À une heure trente, les enseignants se dirigèrent vers la bibliothèque pour la réunion générale. Lorsqu'il pénétra dans le local, Gilles remarqua qu'il n'y avait rien de nouveau. Comme d'habitude, tous les membres de la direction s'étaient entassés à une grande table placée à l'avant et la plupart des professeurs avaient évité de s'asseoir aux premières tables devant les directeurs. Il y avait une sorte de *no man's land* entre les deux groupes.

Raymond Garand prit la parole, alors qu'un bon quart du personnel enseignant de la polyvalente était absent.

— Il manque pas mal de monde, fit remarquer Gilles à Claude Loiselle venu s'asseoir près de lui.

— Pas plus que d'habitude, constata ce dernier après avoir regardé l'assemblée. Tout le monde sait que la direction ne vérifie jamais les présences dans ces réunions-là. Certains restent dans les salles de professeurs ; d'autres s'en vont chez eux.

Le directeur de la polyvalente parla de l'importance des festivités du cinquième anniversaire de Montaigne, festivités qui allaient avoir lieu du 15 au 17 avril, insistant surtout sur les répercussions que ces célébrations allaient avoir sur la réputation de l'établissement.

— Les autorités de la commission scolaire, en plus de nous avoir accordé un petit budget, ont accepté que les cours soient suspendus toute la semaine du 14 avril, comme l'avait demandé notre comité organisateur.

Une salve d'applaudissements nourris ponctua la fin de l'annonce.

— Je laisse la parole à madame Gisèle Tremblay, déclara le directeur. Comme vous le savez, elle a bien voulu prendre la relève de notre consœur, Louise Kelly, présentement en convalescence. Madame Tremblay a accepté de diriger le comité du cinquième anniversaire.

Il y eut quelques réactions pour saluer la chef de groupe de français quand elle s'avança pour prendre le micro que lui tendait le directeur.

— Je ne savais pas qu'elle remplaçait Louise, chuchota Loiselle. On dirait que notre Gisèle a encore trouvé le moyen de bien se faire voir.

— Rien de nouveau sous le soleil, commenta Gilles.

— Si je ne me trompe pas, elle va faire travailler les autres, mais elle, elle ne fera rien de ses dix doigts. Elle a dû apprendre ça chez les sœurs.

Gisèle Tremblay expliqua que le comité avait demandé une semaine complète d'arrêt des cours, même si les festivités ne devaient durer que trois jours. On voulait une journée pour installer les stands et une autre pour tout remettre en ordre à la fin. C'était ce qui avait été accepté sans discuter par la direction de la commission scolaire.

Ensuite, la présidente du comité organisateur indiqua qu'un stand était prévu pour chaque matière enseignée à la polyvalente.

— Ces stands seront décorés grâce aux bons soins des professeurs d'arts plastiques et de leurs élèves. Dans certains, on se contentera d'afficher des travaux remarquables des jeunes, tandis que dans d'autres, on offrira des démonstrations de soudure, de coiffure, de mécanique, etc.

— J'ai l'impression qu'il n'y aura pas trop de travaux de mes élèves dans le stand de français, confia Gilles sur un ton ironique à son voisin. Comme par hasard, notre stand va surtout présenter les travaux des groupes forts… comme les siens et ceux de Rivest.

Durant une quinzaine de minutes, Gisèle Tremblay décrivit les activités prévues pendant les trois jours. Elle s'étendit longuement sur la visite du maire d'Anjou et des autorités de la commission scolaire, et elle parla du buffet offert aux personnalités. Finalement, elle mentionna que les stands seraient ouverts au public de neuf heures du matin à neuf heures du soir lors de ces trois jours de fête et que les professeurs seraient tous appelés à venir animer le stand de leur matière durant deux ou trois heures.

On entendit des protestations dans la salle. Pour rétablir l'ordre, le directeur chargea le président du CPE de diriger les discussions qui venaient de s'amorcer.

— Merde ! cracha Loiselle. On n'est pas sortis du bois avec Bélanger. Là, on va avoir droit aux amendements, aux sous-amendements, aux droits de parole, aux propositions et aux contre-propositions... Je ne sais pas à quelle heure on va sortir d'ici.

Malgré la prise en main de l'assemblée par Bélanger, la bibliothèque devint rapidement une véritable foire où il était difficile de se faire entendre. Des conversations à voix haute se déroulaient dans tous les coins et l'on ne se gênait pas pour s'interpeller d'une table à l'autre. De plus, un va-et-vient ininterrompu entre le couloir et la bibliothèque s'établit. Certains sortaient pour aller fumer et d'autres pour aller aux toilettes, ou tout simplement pour rentrer chez eux. Quelques-uns, étrangers à tout ce charivari, corrigeaient des copies, lisaient leur journal ou faisaient des mots croisés sans se préoccuper le moins du monde des discussions qui battaient leur plein autour d'eux.

Durant les deux heures suivantes se tinrent des votes à main levée ou secrets. Plusieurs exprimèrent leurs points de vue ; d'autres, leurs états d'âme. Finalement, à cinq heures, la séance se termina sans que les points de friction entre tenants et opposants aux festivités soient résolus.

— Je me sens plus vidé que si j'avais enseigné toute la journée, avoua Gilles à Sylvain Brisset qu'il croisa dans la salle des professeurs.

— Tu parles d'une idée aussi d'aller à ces réunions-là ! commenta l'enseignant de religion. Moi, c'est rare que je m'y présente. Je me trouve toujours quelque chose à faire.

— Tu y arrives ?

— On dirait bien, ricana son collègue. Tu vas apprendre que les assemblées générales à Montaigne ne servent strictement à rien. Chaque fois qu'il y a un vote, 49 % sont pour la proposition et 51 % sont contre. En plus, tu auras un compte rendu écrit de la réunion demain, dans ton casier. Explique-moi alors à quoi ça sert d'aller se faire casser les pieds pendant des heures.

14
Le temps des sucres

Une semaine plus tard, les professeurs de Montaigne découvrirent dans leur casier un message qui souleva immédiatement un tollé de protestations de leur part. Raymond Garand prévenait les enseignants de la mise en place d'une nouvelle politique concernant les suppléances qui entrerait en vigueur à compter du 17 mars.

Depuis les débuts de la polyvalente, les autorités de Montaigne s'étaient montrées tolérantes au sujet des suppléances: elles avaient toujours accepté que les périodes de cours d'un enseignant absent soient prises en charge par un professeur intéressé par un salaire d'appoint, sans chercher à savoir s'il se donnait un cours ou pas.

En réalité, le suppléant n'était qu'un surveillant qui laissait le plus souvent les élèves jouer aux cartes ou discuter entre eux durant la période. Aucun cours n'avait lieu et, dans le meilleur des cas, les jeunes restaient dans la classe à ne rien faire. Ce qui était à peine acceptable pour une courte absence d'un enseignant devenait intolérable, aux yeux de beaucoup de parents, quand cette absence se prolongeait plusieurs jours – voire plusieurs semaines – ou lorsque plus d'un enseignant s'absentaient le même jour. Entendre leurs enfants se vanter de n'avoir eu qu'un ou deux cours de toute la journée avait probablement poussé des dizaines de parents à se plaindre aux autorités. Tout laissait croire que la multiplication des récriminations à ce sujet avait finalement forcé la main de la direction générale de Des Érables qui exigea de Raymond Garand qu'il rectifie la situation.

En somme, la nouvelle politique annoncée par le directeur s'articulait autour de deux volets qui suscitèrent la colère des professeurs. Tout d'abord, à compter du 17 mars, le corps enseignant dans son ensemble était tenu de laisser des travaux à exécuter au secrétariat de leur niveau, travaux qui seraient utilisés lors de leur prochaine absence. Ensuite, chaque chef de groupe devenait responsable du remplacement des enseignants absents de sa matière. Il devait faire en sorte qu'un professeur sous sa responsabilité prenne la place de l'absent et se charge des travaux laissés par ce dernier. Bien sûr, l'élu recevrait la rémunération habituelle du suppléant, mais il n'avait plus le choix d'effectuer ou non un remplacement, et c'était là que le bât blessait le plus.

La majorité des enseignants ne faisaient jamais de suppléance parce que, sans le dire ouvertement, ils craignaient d'affronter des élèves qui n'étaient pas les leurs. Les problèmes disciplinaires de l'époque étaient tels qu'ils renonçaient volontiers au salaire qu'ils auraient pu en retirer.

La semaine précédant la mise en place de la mesure, Hélène Vallée rappela plusieurs fois à certains professeurs qu'on attendait encore leurs travaux au secrétariat. Les plus récalcitrants furent les enseignants de mathématiques qui arguèrent, non sans une certaine logique, qu'ils progressaient si rapidement dans leur matière que les travaux laissés devenaient caducs trois jours plus tard. Leur raisonnement laissa toutefois la directrice de niveau de glace et ils durent s'exécuter, même en rechignant.

Le lundi suivant, Gilles venait à peine de s'asseoir à son bureau dans une salle des professeurs étrangement déserte qu'il vit passer quelques chefs de groupe affichant un air affairé. Ces derniers, armés de l'horaire de chaque enseignant de leur matière et de celui des absents, étaient déjà à la recherche de suppléants, malgré l'heure matinale.

— Une chance que j'ai les cinq périodes de la journée, dit Gilles, quelques instants plus tard, à Sylvain Brisset qui était en train d'enlever son manteau.

— Pas moi, répliqua son collègue, visiblement pressé. Je n'ai que trois périodes. En passant, j'ai demandé à madame Larose, au secrétariat, combien il y avait d'absents aujourd'hui.

— Combien ?

— Quatorze. Là-dessus, il y a les deux professeurs de religion de secondaire 2. Par conséquent, je vais faire ce que d'autres font déjà, d'après ce que je vois. Je vais disparaître pour ne pas être obligé de remplacer.

Dès la première journée de l'application de la nouvelle politique, la plupart des enseignants comprirent qu'il ne faisait pas bon traîner dans la salle des professeurs quand ils n'avaient pas de cours. Lorsque leur chef de groupe les voyait, il s'empressait de leur demander de remplacer un collègue, une requête qu'ils ne pouvaient refuser. Si certains trouvèrent un refuge précaire à la bibliothèque, d'autres optèrent pour leur voiture, en dépit du froid, pour échapper à cette obligation déplaisante.

Ainsi, en ce début du mois de mars, le taux d'absentéisme des professeurs était particulièrement élevé. Pire, les mêmes noms revenaient un peu trop souvent sur la liste des absents au goût de leurs collègues.

— Il faut que la direction se grouille et engage des suppléants extérieurs, déclara Georges Martin à ses confrères, quelques jours plus tard. On ne peut pas continuer comme ça. Il y a bien trop de suppléances à faire. On peut toujours se débrouiller avec les remplacements de ceux qui ne viennent pas une journée ou deux, mais pour plus que ça, on devrait refuser de les faire.

— D'autant que c'est travailler presque pour rien, exposa Prosper Desjean. Quand l'impôt est passé, plus de la moitié du montant a disparu.

— C'est aux membres du CPE de parler à Garand, affirma Jacqueline Saint-Onge.

— Vas-tu le faire, Jérôme ? demanda Claude Loiselle à Jérôme Rivest, qui écoutait.

— Oui, quoique si le directeur refuse, on ne pourra rien faire.

— En tout cas, on peut toujours dire deux mots à ceux qui s'absentent un peu trop souvent, proposa Carlos Pereira.

— Ça, c'est plutôt délicat, objecta Sylvain Brisset.

— Comment ça, *délicat*? protesta Jean-Paul Rousseau. On n'est pas fous! Il y en a qui sont toujours absents le même jour de la semaine, surtout le lundi ou le vendredi. Je voudrais bien savoir le nom de leur maladie pour tomber malades toujours les mêmes jours de la semaine, moi.

— Il n'y a qu'à se plaindre à la direction, laissa tomber Rivest.

— De toute façon, si Garand pensait régler le problème des suppléances en nous obligeant à les faire, remarqua Gaétane Rioux, il s'est fourré le doigt dans l'œil. À cette heure, les élèves savent qu'il y aura toujours un suppléant qui va arriver avec du travail quand leur prof n'est pas là. Ça fait qu'ils ne se présentent pas en classe pour ne pas avoir à travailler. Ils vont s'asseoir à la cafétéria ou ils s'en retournent chez eux. J'ai remplacé hier dans une classe de secondaire 2, il y avait sept élèves.

— On pourrait fournir une liste d'élèves au suppléant, suggéra Gisèle Tremblay.

— Ne fais pas de zèle, toi! lui reprocha Georges Martin. Il y a déjà bien assez qu'on est obligés de remplacer. S'il y a juste deux ou trois élèves dans la classe, je ne me plaindrai pas, moi.

— Tout ça à cause des suppléants qui se traînent les pieds assez longtemps pour arriver quatre ou cinq minutes en retard au cours, clama Rivest, l'air réprobateur. Évidemment, les élèves en profitent pour décamper. C'est un manque de professionnalisme. Ils font ça pour permettre aux jeunes de se perdre dans la nature avant le début du cours.

— J'espère que tu ne feras pas le téteux et que tu n'iras pas rapporter ça à la direction, lança Loiselle, un rien menaçant.

Rivest se contenta de hausser les épaules. Il se pencha vers sa cruche d'eau et remplit son verre avant de retourner à la correction des travaux à laquelle il était occupé lorsque la discussion avait commencé.

En réalité, même si la nouvelle politique n'était pas parfaite, force était d'admettre qu'elle avait apporté un début de solution au problème des suppléances. Les élèves perdaient beaucoup moins de temps lors des absences de leurs professeurs et la discipline s'en trouva d'autant améliorée.

Par ailleurs, les membres du CPE parvinrent à convaincre sans trop de difficulté le directeur des avantages de faire appel à des suppléants extérieurs lorsqu'une absence dépassait deux jours. Dès qu'on eut recours à ces remplaçants, l'atmosphère de Montaigne devint meilleure. À compter de ce jour-là, on en revint sensiblement à la situation antérieure.

Les directeurs de chaque niveau évitèrent de faire des vagues et se remirent à utiliser d'abord les services des enseignants volontaires pour remplacer leurs collègues absents avant de sommer les chefs de groupe d'obliger quelqu'un à le faire. Au fond, les effets bénéfiques de la nouvelle politique découlaient plus des travaux laissés par les enseignants absents que de la qualité de celui ou de celle qui les remplaçait.

Cette même semaine de mars, Gisèle Tremblay laissa un message dans le casier des enseignants de français de secondaire 3 afin de leur rappeler de demander à chacun de leurs élèves la somme de cinq dollars pour un dîner dans une cabane à sucre de Saint-Eustache, prévu le 22 du mois.

— Pourquoi les professeurs de français ? s'informa Gilles auprès de Gaétane Rioux. C'est le travail des responsables des activités, ça.

La demande de la chef de groupe tombait mal. Gilles croulait sous les corrections.

— Parce que c'est une activité de français.

— Une activité de français ? Explique-moi donc ça !

— Depuis cinq ans, Gisèle présente la sortie à la cabane à sucre comme faisant partie de notre programme. Elle est même libérée d'une période par semaine toute l'année pour l'organiser.

— Ça se peut pas ! réagit Gilles, choqué. Tu sais aussi bien que moi que la cabane à sucre n'a rien à voir avec notre programme. Non seulement la Gisèle n'a que des beaux groupes et un groupe de moins parce qu'elle est chef de groupe, mais en plus, elle se fait enlever une période par semaine pour ça ! Elle est bonne, celle-là ! Une période pour organiser quoi ? Elle n'a qu'à téléphoner pour réserver la cabane et les autobus, et voir à ce que deux profs montent dans chacun des autobus pour assurer la surveillance.

— C'est devenu une tradition, plaida mollement Gaétane Rioux.

— Rivest et toi, vous n'avez jamais rien dit ?

— Bof…

— Eh ben, moi, ça me dérange !

Gilles sortit de la salle des professeurs et s'arrêta au bureau de sa directrice de niveau, une pièce où il n'avait mis les pieds qu'une seule fois depuis l'arrivée de la jeune femme.

— J'aimerais faire une mise au point, réclama-t-il à Hélène Vallée sans prendre la peine de s'asseoir.

— Je t'écoute, lui assura-t-elle, un peu désarçonnée, en levant les yeux vers lui.

— Est-il vrai que la sortie de la cabane à sucre est présentée comme une activité faisant partie du programme de français ?

— C'est exact.

— Non, c'est faux. Je ne sais pas qui a osé prétendre ça, mais vous devriez exiger de voir où c'est écrit dans le programme. Je sais qu'il y a une libération accordée pour l'organisation de cette sortie-là, mais ça ne concerne absolument pas ma matière.

La directrice sembla si déroutée par cette mise au point que Gilles se demanda si celle-ci ne feignait pas. Si la jeune femme ignorait vraiment le privilège accordé, l'enseignant devinait facilement que sa chef de groupe aurait des explications embarrassantes à fournir pour se justifier. Il connaissait assez Gisèle Tremblay maintenant pour savoir que son orgueil n'avait d'égal que son ambition. Si on se moquait d'elle, elle faisait habituellement payer rapidement la note au coupable, et par un moyen détourné en plus. Quoi qu'il en soit, s'il y eut bel et bien une explication entre les deux femmes, personne n'en entendit parler et la sortie fut organisée.

La veille du départ à la cabane à sucre, Gilles imita Carlos Pereira en n'acceptant d'aller à Saint-Eustache qu'à bord de sa voiture. Ce choix ne posa cependant aucun problème parce qu'il y avait suffisamment de surveillants dans chacun des huit autobus nolisés.

Le matin, la nature semblait disposée à faire de cette sortie une réussite. La température s'éleva de quelques degrés au-dessus de zéro et le soleil était au rendez-vous. Gilles eut beau partir un peu après les élèves, il fut tout de même sur place près d'une heure avant que le premier autobus jaune arrive à la cabane à sucre.

— Avez-vous eu une panne ? se renseigna-t-il auprès de Georges Martin, le premier enseignant qu'il vit descendre de l'autobus dans le vaste stationnement boueux de la cabane Lagacé.

— Non, juste des problèmes avec quelques imbéciles.

— Que s'est-il passé ?

— Dans deux autobus, il y en avait qui avaient apporté des bouteilles d'alcool et de la mari. On a été obligés de faire descendre tous les élèves de ces autobus-là et de fouiller leurs sacs avant de partir. On a en laissé six à la polyvalente. Ils avaient des quarante onces de gin et de l'herbe.

— Où est-ce qu'ils avaient déniché ça, d'après toi ?

— Pour l'herbe, ils l'ont achetée quelque part. Pour la boisson, je suis prêt à te gager un petit deux qu'ils l'ont volée dans le bar de leurs parents.

Dans les minutes suivantes, les sept autres autobus vinrent se garer près du premier et les élèves envahirent le vaste édifice en bois séparé en deux grandes pièces : une salle à manger et une salle de danse. Si quelques-uns choisirent de se diriger en petits groupes vers le boisé pour vérifier si l'eau d'érable coulait dans les chaudières, la plupart préférèrent s'entasser dans la salle de danse où le niveau sonore était très élevé.

Quelques surveillants affichaient un faux air bon enfant et discutaient entre eux dans un coin de la salle en tenant à l'œil les adolescents les plus agités. D'autres, entourés d'une petite cour formée par leurs élèves, se promenaient dans le vaste stationnement en évitant le plus possible les flaques d'eau.

Vers midi, Gisèle Tremblay invita les adolescents à se présenter à la salle à manger où l'on commençait à servir le repas. Les tables furent prises d'assaut au milieu des inévitables bousculades. Les jeunes, affamés, se jetèrent goulûment sur la soupe aux pois, le jambon, l'omelette et les fèves au lard, le tout déposé dans de grands plats au centre de chaque table. Les crêpes au sirop et la tarte au sucre du dessert disparurent aussi rapidement que le reste.

Gilles et Sylvain Brisset avaient pris place au bout d'une grande table occupée déjà par certains de leurs élèves. Ils eurent la surprise de voir paraître devant eux Hélène Vallée.

— La belle Hélène est venue en autobus ? chuchota Gilles.

— Non. Elle a dû prendre son auto.

— Elle a l'air de chercher quelqu'un, nota Gilles, la voyant examiner les occupants de chaque table.

— Elle cherche probablement Desbiens, laissa tomber Brisset à voix basse, de manière à ne pas être entendu par ses voisins.

— L'orienteur ?

— Tiens, qu'est-ce que je te disais ? reprit le professeur de religion en indiquant du menton la directrice de niveau en train de se glisser sur un banc de bois, un peu plus loin, entre une élève et Michel Desbiens, l'un des deux orienteurs de Montaigne.

— Oh, oh…

— Tu n'avais rien remarqué ?

— Qu'est-ce que j'aurais dû remarquer ?

— Il se passe quelque chose entre les deux.

— Sérieux ?

— On dirait bien. Depuis environ trois semaines, elle ne vient plus dîner à la grande table avec les profs, dans la salle derrière les laboratoires.

— Je ne m'en suis pas rendu compte, étant donné que je mange la plupart du temps à mon bureau en corrigeant, commenta Gilles.

— En tout cas, il y en a plusieurs qui se sont aperçus qu'elle dînait en tête-à-tête avec Michel, dans son bureau, presque tous les jours. Et ils ferment la porte, si tu tiens à le savoir, précisa Brisset, avec un sourire égrillard.

— Elle n'est pas mariée, elle ?

— Divorcée, selon Jacqueline Saint-Onge.

— Et Desbiens ?

— Aucune idée. À mon avis, il doit être vieux garçon.

Après le repas, il restait moins de jeunes dans la salle. Beaucoup avaient envahi les sentiers du boisé, même si la plupart avaient oublié de se chausser en fonction de la boue et de la neige du sous-bois.

Vers trois heures, les surveillants commencèrent le rappel des adolescents. Le moment était venu de retourner en ville. Il fallut ratisser les sentiers et les environs de la cabane pour ramener tous les élèves dans le stationnement.

Avant qu'ils aient tous été rassemblés près des autobus, un chauffeur interpella Gilles.

— Dites donc, monsieur, vous pensez tout de même pas que je vais laisser monter ces deux élèves-là ? s'indigna l'homme en pointant deux adolescents visiblement éméchés dont le visage arborait une pâleur alarmante. Ils sont paquetés, pis ils vont être malades. Ils entrent pas dans mon autobus. Pas question.

L'enseignant, résigné, fit monter les autres élèves dans l'autobus et alla à la rencontre de la directrice de niveau qui se dirigeait vers sa voiture stationnée en retrait. Pour la première fois, il se décida à l'appeler par son prénom.

— Hélène, il y a deux élèves ivres et malades qu'un chauffeur ne veut pas laisser monter dans son autobus. Qu'est-ce qu'on fait ?

La jeune femme s'arrêta un instant, le temps de réfléchir à la question.

— Prends-les dans ton auto et ramène-les à la polyvalente. On va appeler les parents quand ils seront arrivés pour qu'ils viennent les chercher.

Avant même que Gilles, stupéfait de recevoir ainsi des ordres, ait pu répondre quoi que ce soit, Karl Dussault intervint :

— Il y en a un autre qui est malade, mentionna-t-il, en s'approchant d'Hélène Vallée. C'est Leduc. Ses chums disent qu'il a fumé du *pot* dans le bois. En tout cas, notre chauffeur ne veut pas le laisser monter, lui non plus.

Le sémillant quadragénaire était entouré de sa cour d'étudiantes. Gilles le connaissait peu parce qu'on ne le voyait qu'aux réunions d'enseignants où, d'ailleurs, il ouvrait rarement la bouche. D'habitude, il restait dans sa salle de classe, s'intéressant peu à la vie sociale du niveau.

— Il va falloir le ramener, lui aussi, trancha Hélène Vallée.

— C'est bien dommage, mais je n'en ramène aucun, déclara fermement Gilles. Mon auto n'est pas une ambulance. Si tu ne les prends pas dans la tienne, je ne vois pas pourquoi je le ferais.

La directrice fit comme si elle ne l'avait pas entendu, monta à bord de sa Toyota noire et démarra. Gilles était soufflé !

Les enseignants se concertèrent rapidement pour savoir que faire des trois délinquants.

— Je vais rester avec Provost, déclara Sylvain Brisset. On va appeler les parents et leur dire de venir les chercher. Je suis certain qu'ils vont apprécier. Qu'est-ce que t'en penses, Gilles ?

— Je suis d'accord.

— Moi, je resterais bien, s'excusa Gisèle Tremblay, mais je dois faire un rapport à la direction en revenant à la polyvalente.

Les autobus partirent, laissant derrière eux les trois élèves malades. Gilles resta dehors pour les surveiller tandis que Brisset téléphonait à leurs parents, dans la cabane.

Les deux enseignants ne virent arriver le premier d'entre eux qu'un peu après cinq heures. Le père était furieux, et il était impossible de savoir s'il était en colère contre son fils ou contre les surveillants. Il fit monter son garçon dans sa voiture sans ménagement en lui ordonnant de laisser la vitre baissée et quitta le stationnement sans un mot de remerciement.

Moins d'une heure plus tard, le père et la mère venus chercher les deux autres eurent à peu de choses près le même comportement.

— Du maudit bon monde, se gaussa Brisset alors qu'il montait dans la Chevrolet de son confrère. On aurait pu laisser leurs fils là. Mais non, on s'en est occupés comme des bons pères de famille, et pas un mot de remerciement. Merci, mon chien !

— En tout cas, ce qui est arrivé aujourd'hui me confirme que je déteste les sorties avec les élèves. Il se passe toujours quelque chose et on est responsables, commenta Gilles en démarrant.

— Est-ce que tu sais qu'aucune compagnie d'assurances ne te couvre si des parents décident de te poursuivre pour un accident survenu pendant une sortie ?

— Est-ce que c'est une blague ? s'enquit Gilles, incrédule.

— Non, non, c'est tout ce qu'il y a de plus sérieux. T'as pas entendu parler du professeur de Lesage qui a été poursuivi l'année passée par les parents d'un élève pour un accident arrivé durant une sortie de ski ? Les parents ont pris un avocat et ils l'ont accusé de négligence. Tu me croiras si tu veux, mais la commission scolaire s'en est lavé les mains. Elle n'avait aucune assurance pour protéger son surveillant. C'est lui qui a été obligé de se défendre à ses frais.

— Si c'est vrai ce que tu me racontes, je viens de participer à ma dernière sortie avec des élèves, promit Gilles. Après tout, personne ne peut me forcer à les accompagner à l'extérieur de l'école. Je suis payé pour enseigner, pas pour les emmener en villégiature.

Avant de quitter Gilles dans le stationnement de Montaigne, Brisset lui révéla qu'il allait déposer une plainte officielle auprès de la direction générale de la commission scolaire à propos du comportement peu professionnel de la directrice de niveau. À ses yeux, son départ précipité de la cabane à sucre sans se soucier du sort des trois élèves malades méritait d'être porté à l'attention de ses supérieurs.

— Tu n'es pas vraiment sérieux ! s'exclama Gilles, médusé par l'audace de son collègue.

— Si tu penses que je vais me gêner !

Il faut croire que le professeur de religion tint parole parce que trois jours plus tard, Hélène Vallée le fit venir à son bureau. À en juger par la violence de sa réaction, on avait dû lui passer un savon en haut lieu.

Quand il revint dans la salle des professeurs, Brisset se contenta de signaler à Gilles dans un demi-sourire :

— Je pense que notre directrice ne m'aime plus beaucoup. C'est drôle à dire, mais je crois être le seul à m'être fait engueuler dans toute cette histoire. Les élèves qui n'ont pas pu venir à la cabane parce qu'ils avaient apporté de la mari ou de la boisson dans leur sac ont été renvoyés chez eux. Pas de sanction. Pour nos trois malades, rien non plus. Il paraît qu'être malades les a assez punis.

Les jours suivants, Hélène Vallée bouda. De toute évidence, elle tenait Gilles pour responsable, autant que Brisset, de la réprimande qu'elle avait subie de la part de ses supérieurs hiérarchiques.

La dernière semaine de mars fut particulièrement harassante pour les enseignants. Les élèves, perturbés par les ultimes chutes de neige de la saison et par une météo maussade, étaient encore plus agités et indisciplinés que d'habitude. Les faire travailler en classe et obtenir leur attention exigeait des efforts constants et épuisants.

Hélène Vallée choisit le jeudi après-midi pour mettre fin à sa bouderie et tenir, une nouvelle fois, ce qu'elle appelait « une petite réunion » avec ses enseignants. Ceux-ci, fatigués par leur journée de cours, ne s'y rendirent qu'en protestant et en maugréant. Certains cherchèrent même à s'esquiver sur la pointe des pieds, mais la jeune femme, l'air décidé, se campa devant la porte de la salle des professeurs dix minutes avant la réunion pour empêcher toute tentative de fuite.

— Qu'est-ce qu'elle nous veut encore ? gémit Jean-Paul Rousseau en s'affalant sur une chaise, au fond de la salle.

— Je ne sais pas, répondit Michel Tondreau, mais c'est mieux d'être important.

— Moi, la polyvalente, je l'ai assez vue pour aujourd'hui, avoua Georges Martin en venant s'asseoir près d'eux.

Les enseignants entrèrent les uns après les autres dans la pièce sans se hâter. Jérôme Rivest, Gisèle Tremblay et Michel Desbiens furent les seuls à s'installer en avant, près du bureau où s'était assise Hélène Vallée, qui faisait comme si elle ne remarquait pas le mécontentement général.

Sylvain Brisset arriva dans la salle en coup de vent, chuchota quelques mots à l'oreille de la directrice de niveau avant de repartir aussi vite qu'il était venu.

— Ouais ! Il y en a qui ont la chance de s'en sauver, hein ! plaisanta Denis Casavant.

— Il a un rendez-vous avec monsieur Garand, se sentit obligée de justifier la femme.

Cette dernière attendit encore quelques instants, occupée à consulter des documents étalés sur son bureau pendant que les professeurs bavardaient, avant de se lever finalement pour aller fermer la porte. De retour à sa place, chacun put constater qu'elle comptait les enseignants afin de s'assurer que tout le monde était là. Apparemment satisfaite, elle prit enfin la parole.

— Je voulais d'abord vous prévenir que vous devrez remettre aux élèves, demain matin, un communiqué officiel de la commission scolaire concernant la nouvelle note de passage. Après une année complète de consultations, le ministère a décidé de hausser la note de passage à 60 %. Claudette vous laissera les feuilles à distribuer sur vos bureaux, dans la salle des professeurs, demain à la première heure.

— Quand est-ce que ça entrera en vigueur ? demanda Jérôme Rivest, sans la moindre trace d'agressivité.

— Dès cette année.

— Ça va râler dans les chaumières, prédit Georges Martin du fond de la salle.

— Une note de passage de 60 %, c'est bien plus logique que 50 %, qui signifie que l'élève ne maîtrise que la moitié de la matière, avança Gisèle Tremblay avec sagesse. Ça fait des années qu'on se bat pour qu'on revienne à 60 %.

— On n'a pas le temps de reprendre la discussion sur ce sujet, trancha Hélène Vallée. Il paraît que vous en avez longuement discuté durant les journées pédagogiques, l'an dernier, et que vous étiez très majoritairement pour ce changement.

— On l'est encore, indiqua Michel Tondreau. Le problème, c'est qu'on s'attendait à ce qu'on applique ça seulement en septembre prochain, pas quand les deux tiers de l'année sont passés.

— Ce n'est pas ma décision, se défendit la directrice. Je me contente de vous transmettre l'information.

Quelques conversations reprirent dans la salle de réunion, que la jeune femme fit cesser en rappelant sèchement les bavards à l'ordre.

— Bon, il nous reste un dernier point à régler : celui de la fin des cours.

Personne n'émit le moindre son.

— Depuis quelques semaines, je vous ai demandé à plusieurs reprises une plus grande ponctualité. On dirait que certains font exprès de toujours arriver à leur local quatre ou cinq minutes après la cloche. Par conséquent, quelques élèves disparaissent dans la nature et d'autres se chamaillent devant la porte de leur classe. Tout ça dérange les autres professeurs qui ont déjà commencé leur cours.

— Oui, c'est fatigant en maudit, admit Claude Loiselle qui devait être l'un de ceux qui s'étaient plaints d'être dérangés par les élèves d'un confrère ou d'une consœur en retard.

— Ça, c'est une chose, poursuivit Hélène Vallée, la mine sévère. Il y a pire ! Je ne vous apprends rien en vous disant que certains d'entre vous se sont fait une spécialité de laisser partir leurs élèves cinq et parfois même dix minutes avant la sonnerie.

— N'est-ce pas, Joseph ? renchérit Carlos Pereira en se tournant vers le professeur d'arts plastiques.

— Hein ? Quoi ?

— Il ne se sent pas visé, plaisanta Jacqueline Saint-Onge.

— Eille ! Je ne suis pas pire que Coulombe, Rousseau ou d'autres que je ne nommerai pas, protesta Joseph Comtois, outré d'être ainsi montré du doigt.

— Moi, en tout cas, quand mes élèves ont fini un travail, je ne les retiens pas pour rien en classe, l'appuya Jean-Paul Rousseau avec hauteur. Je les renvoie.

— Qu'est-ce que tu dirais de leur donner des travaux un peu plus longs ? suggéra Prosper Desjean, sarcastique.

— Ou de meilleures explications ? insista Andrée Jutras.

Un éclat de rire général souleva l'assistance. La directrice de niveau laissa passer cet accès d'hilarité avant de reprendre la parole.

— Quand des jeunes se mettent à circuler dans les couloirs cinq ou dix minutes avant la fin d'un cours, ils dérangent tout l'étage. Il faut que ça cesse. Si on se fie aux résultats scolaires, tous nos élèves, et je dis bien *tous* nos élèves, ont besoin de leurs cinquante minutes de cours.

— Pour une ou deux minutes de moins, franchement ! grommela Michel Tondreau.

— À la cloche ! s'écria Hélène Vallée, autoritaire. Et de grâce, pas d'enfantillage comme j'en vois depuis une semaine ou deux ! Je ne suis pas aveugle. Certains ouvrent leur porte de classe et s'étirent le cou pour vérifier si je suis dans les parages. Quand ils ne me voient pas, ils laissent filer leurs élèves.

— Il ne faut pas exagérer quand même, protesta Comtois qui se sentait probablement plus visé que ses collègues parce que sa classe était située au bout du long couloir, en face du bureau de la directrice de niveau.

— Je ne voudrais pas être forcée d'écrire des lettres de blâme qui iraient dans votre dossier, menaça-t-elle.

— Si je comprends bien, ajouta Georges Martin d'un ton sérieux, la direction a décidé, encore une fois, de contrôler les enseignants parce qu'elle ne parvient pas à contrôler les élèves. Elle refuse de vider la cafétéria durant les heures de cours, mais elle est prête à blâmer les profs s'ils laissent sortir les élèves deux minutes avant la fin de leur cours.

— Ça, c'est toi qui le dis, Georges, rétorqua-t-elle, agacée.

— Oui, c'est moi qui le dis, et tout le monde ici le pense.

Les murmures reprirent de plus belle dans la salle.

— Un dernier point, continua Hélène Vallée en haussant la voix. J'aimerais que vous cessiez de fumer lorsque vous vous déplacez dans les couloirs, surtout quand des élèves y circulent.

— Bon, voilà autre chose encore ! grommela Jean-Paul Rousseau, excédé. Et pourquoi ? la pressa-t-il avec son agressivité coutumière.

— Parce qu'une élève a été brûlée à un bras par la cigarette d'un professeur la semaine passée. L'enseignant n'en a même pas eu conscience. Il fumait en se rendant à sa classe et l'élève est passée trop près.

— Elle n'avait qu'à regarder où elle allait, riposta le professeur de mathématiques, de mauvaise foi.

— Voyons, Jean-Paul ! le réprimanda la directrice de niveau. On ferme déjà les yeux sur ceux qui ne se gênent pas pour fumer durant leurs cours, même s'ils savent très bien que c'est défendu. Le simple bon sens commande, au moins, de ne pas fumer au milieu d'une foule d'élèves excités, pressés de se rendre à leur local.

Cette dernière remarque marqua la fin de la réunion et les enseignants regagnèrent la salle des professeurs pour revêtir leur manteau.

— Moi, je vais fumer où je veux et il n'y a pas un maudit directeur qui va venir m'en empêcher, argua Rousseau, s'adressant à Georges Martin qui était en train de mettre ses couvre-chaussures.

⸻

Décidé à quitter les lieux, Gilles constata qu'il ne restait dans la salle que Sylvain Brisset, assis à son bureau. Il ne paraissait nullement pressé de rentrer chez lui.

— On voit bien que les célibataires sont indépendants, plaisanta Gilles. Pas de femme pour leur donner l'ordre de rentrer à la maison à la fin de leur journée de travail.

— C'est peut-être le seul avantage, reconnut Brisset en buvant une gorgée de café.

— Tu n'as pas l'air pressé de partir.

— Oui, oui, j'y vais, j'y vais...

— Tu as échappé à la réunion de la belle Hélène; tu es gâté, toi, railla Gilles en commençant à mettre son manteau qu'il avait posé sur le bureau de Gaétane Rioux en entrant dans la salle.

Un bref silence s'installa entre les deux hommes avant que Brisset se décide à parler à voix basse.

— Je te garantis que j'aurais aimé mieux aller à sa réunion qu'à ma petite rencontre avec Garand.

— Une affaire syndicale?

— Non. C'est un prof qui m'a demandé de l'accompagner au bureau de Garand la semaine dernière.

Le professeur de religion, soudainement embarrassé, ne savait pas s'il pouvait poursuivre. Il s'assura qu'ils étaient bien seuls dans la pièce.

— Garde ça pour toi. Dussault est dans la merde jusqu'au cou.

— Dussault, le prof de musique?

— Oui.

— Comment ça ? voulut savoir Gilles en se rasseyant, le manteau déboutonné.

— Lundi, il est venu me voir pour me demander d'être son témoin. Il avait reçu une convocation du directeur et il voulait que je l'accompagne. J'y suis allé, et Garand a semblé gêné que je sois présent à titre de représentant syndical.

— Qu'est-ce qu'il avait à reprocher à Dussault ? D'après les élèves, c'est un bon prof et il est pas mal populaire, non ?

— Peut-être un peu trop populaire, laissa tomber Brisset.

— Qu'est-ce que tu veux dire ?

— L'après-midi, Garand avait reçu la visite des parents d'une de ses élèves, Véronique Pelletier. La connais-tu ?

— Oui, elle est dans mon groupe 11.

— Elle a raconté à sa mère que Karl avait touché ses seins.

— Voyons donc ! C'est pas possible pendant un cours, devant tous les élèves, objecta Gilles.

— Pas durant un cours, justement. Le dernier jour 8, à la fin de l'après-midi, elle est venue en récupération. Ils étaient tout seuls dans sa classe. D'après la petite Pelletier, c'est là que ça s'est passé.

— Pourquoi le directeur n'a pas invité Dussault à venir rencontrer ses parents pendant qu'ils étaient dans son bureau ?

— C'est ce que Dussault lui a demandé.

Gilles l'interrogea du regard.

— Il paraît que le père et la mère ne voulaient pas lui voir la face.

— Et qu'est-ce que Dussault a dit à Garand pour se défendre ?

— Évidemment, il a nié. Il a juré que la fille était une menteuse et qu'elle avait tout inventé. Le problème, c'est que l'histoire est en train de faire le tour de la polyvalente...

— Pourquoi tenait-il à ce que tu sois là ? Ça ne le gênait pas ?

— Je pense qu'il imaginait que je prendrais sa défense. La petite Pelletier n'est pas un ange. J'ai discuté avec Garand une demi-heure pour lui faire comprendre qu'au fond, c'était la parole d'une élève qui avait des problèmes de comportement contre celle d'un professeur irréprochable, qui est ici depuis les débuts de la polyvalente.

— Alors ? Qu'est-ce que Garand a décidé, en fin de compte ?

— Rien. Il s'est contenté de dire à Dussault que les Pelletier l'avaient prévenu qu'ils allaient consulter un avocat et qu'ils avaient l'intention de le poursuivre. Garand a même ajouté que, dans ce cas-là, il était clair que la commission scolaire ne ferait rien pour le défendre.

— Rien ? Comment Dussault a pris ça ?

— Comme tu l'imagines. Il est devenu blanc comme un linge. J'ai essayé d'en discuter avec Garand, mais il s'est levé et m'a dit qu'il n'avait pas le temps parce qu'il avait un rendez-vous. Avant de sortir du bureau, Dussault a fini par monter sur ses grands chevaux et a promis d'envoyer une lettre recommandée aux Pelletier comme quoi il allait, lui aussi, les traîner en justice si jamais ils salissaient sa réputation sans preuve.

— C'est bizarre, je n'avais pas l'impression que Garand pouvait être aussi strict, confia Gilles, surpris.

— Moi, j'ai compris pourquoi à midi, enchaîna Brisset, la mine sombre.

— C'est-à-dire ?

— J'ai compris pourquoi Garand avait été aussi sec et peu humain envers Dussault. Il faut que ça reste entre nous, tu m'entends ? Il m'a fait venir à son bureau tantôt et m'a montré le dossier de Dussault. Depuis qu'il enseigne, c'est la quatrième plainte de cet ordre portée contre lui. D'après Garand, une fois ou deux, ça peut être un accident ou même un coup monté par des filles qui veulent se venger d'un professeur, mais quatre fois ! J'étais en maudit que Dussault m'ait embarqué dans ce bateau-là sans m'avoir mis au courant de ses… euh… antécédents. J'avais l'air fin de l'avoir défendu comme je l'ai fait.

— D'après toi, qu'est-ce qui va se passer maintenant ?

— Garand vient tout juste de me l'apprendre. C'est pour ça qu'il voulait me voir aujourd'hui, avant que je parte. Il a fait venir Dussault et lui a mis les points sur les I, seul avec lui, dans son bureau. C'est ce qu'il aurait fait si je n'avais pas été là, lundi. Je dois reconnaître qu'il a bien fait sa *job*. Il est allé voir le directeur du personnel parce que Boudreau voulait suspendre Dussault sans solde tant et aussi longtemps que la lumière n'aurait pas été faite sur toute l'affaire. Garand prétend qu'il a défendu son professeur, mais je pense qu'il a surtout pensé à la réputation de Montaigne. En tout cas, avant d'aller rencontrer son patron, il avait déjà obtenu que les Pelletier abandonnent l'idée de poursuivre Karl en leur promettant que ce genre d'incident, si incident il y avait eu, ne se reproduirait plus jamais à Montaigne.

— Et ils ont accepté ?

— Garand m'a dit qu'ils avaient compris que c'était la parole de leur fille contre celle de l'enseignant.

— Ouf !

— Après ça, il est parvenu à convaincre Boudreau de laisser une dernière chance à Dussault. En fin de compte, le marché est clair pour Dussault, et c'est ce que Garand voulait m'expliquer. Si jamais un pareil incident se reproduit, Karl prendra la porte. C'est ce que le bureau du personnel a décidé. C'est sa dernière chance. Il lui a même dit qu'avec son dossier, le syndicat ne le défendrait pas.

— Sais-tu que c'est intéressant, le travail de représentant syndical ? ironisa Gilles.

— Si tu veux ma *job*, tu peux la prendre n'importe quand, soupira Brisset. En tout cas, tu peux être certain que la prochaine fois qu'on me demandera d'être témoin, je serai un vrai témoin et je me fermerai la trappe. Comme ça, j'aurai peut-être l'air moins fou.

— C'est tout de même drôle que Dussault, avec toute son expérience, se fasse coincer dans une affaire comme ça, s'étonna Gilles en se levant, décidé à partir.

— Hostie ! jura Brisset. On dirait que certains courent après les problèmes. Combien de fois on nous a dit de toujours laisser la porte de la classe ouverte quand on rencontre un élève tout seul ? Ça ne sert à rien ; il y en a qui ne comprennent pas. On nous recommande – que dis-je : on nous ordonne – de ne jamais toucher à un élève, même pas une petite tape d'encouragement.

— Il faut croire que c'est parfois plus fort qu'eux, pour certains, argua Gilles, la tête déjà ailleurs.

— Bon. L'important, c'est que ça m'a l'air réglé, et il est temps que je rentre à la maison. En passant, je suis allé voir Louise Kelly chez elle, hier soir. Elle devrait revenir à l'école lundi prochain.

— Enfin, une bonne nouvelle ! se réjouit Gilles.

15
Un printemps mouvementé

Avec une bonne semaine de retard, le printemps 1979 s'installa enfin dans le sud du Québec. Du jour au lendemain, le mercure ne descendit plus sous le point de congélation la nuit et, la journée, un soleil radieux fit fondre les amoncellements de neige grise qui encombraient une partie non négligeable du stationnement de la polyvalente. Il suffit de quelques jours de temps doux pour transformer l'endroit en une sorte de parcours du combattant semé de petits lacs et de ruisseaux dissimulant souvent de la glace vive.

Bien sûr, l'arrivée du beau temps incitait les gens à l'optimisme et les rendait de bonne humeur. Dans la salle des professeurs, on parlait très peu de la nouvelle Loi de la protection de la jeunesse que le gouvernement Lévesque venait d'adopter et l'on discutait encore moins des qualités et des défauts de Claude Ryan qui venait d'être élu à la tête du Parti libéral. On aimait mieux s'entretenir de la mise en service de LG2, la fierté des Québécois, et, surtout, des chances de Joe Clark d'arracher le pouvoir aux libéraux de Pierre Elliott Trudeau lors des élections fédérales qui auraient lieu en mai. Certains étaient déjà prêts à parier sur les chances du Canadien de Montréal de remporter une autre coupe Stanley. Il faut dire que, menée par Guy Lafleur, Steve Shutt, Ken Dryden et Larry Robinson, la formation figurait depuis le début de la saison parmi les équipes de tête.

Le matin du 1er avril, Gilles eut la surprise de découvrir Claude Loiselle déjà assis à son bureau, alors qu'il était à peine sept heures trente.

— Veux-tu bien me dire ce que tu fais ici aussi tôt ? l'apostropha-t-il.

— J'avais quelque chose d'urgent à faire, lui confia son collègue avec une joie suspecte.

— Ça devait être vraiment important pour que tu arrives d'aussi bonne heure…

Loiselle ne releva pas la pointe, se leva et se rendit à l'îlot des professeurs de français.

— Viens voir, se contenta-t-il de lancer à Gilles, le regard pétillant, en lui faisant signe d'approcher.

Celui-ci ne se le fit pas dire deux fois et, la curiosité aiguisée, il suivit son homologue jusqu'à la distributrice d'eau placée près du bureau de Jérôme Rivest.

— Tu ne remarques rien ?

Gilles observa l'appareil sans rien déceler de particulier.

— Regarde mieux, lui conseilla le professeur d'anglais.

— Ah ben ! Elle est bonne celle-là ! s'exclama tout à coup Gilles. Comment ça se fait qu'il est là, lui ?

— Un 1er avril, tout est possible, répondit Loiselle, la mine réjouie. Je l'ai acheté hier soir.

Gilles venait de découvrir un poisson rouge bien vivant que son petit comique de collègue avait introduit dans la cruche d'eau de leur confrère avant de la reposer sur la distributrice. À première vue, le locataire de la cruche ne semblait pas intimidé par son nouvel environnement et nageait allégrement dans son aquarium improvisé.

— Attends de voir la tête de Rivest quand il va l'apercevoir, prédit Loiselle. Il va en faire une attaque. Personne ne peut boire une goutte de sa maudite eau, mais rien ne nous empêche de rire un peu.

— J'espère être là pour voir sa réaction, approuva Gilles, qui trouvait cette initiative franchement drôle.

— Ne dis surtout pas un mot de tout ça à personne, le somma Loiselle.

Ce matin-là, Gilles put apprécier à quel point son collègue buvait du petit-lait en racontant son mauvais tour partout dans Montaigne. Il avait ordonné à Gilles de se taire pour avoir le plaisir de prévenir tout le monde lui-même. Évidemment, jusqu'au début de l'après-midi, il y eut un ballet incessant de curieux dans la salle des professeurs de secondaire 3. Chacun venait jeter un coup d'œil plus ou moins discret à la cruche d'eau et à son poisson rouge avant de se retirer en riant sous cape. Même Raymond Garand et Henri-Paul Dubois montèrent à l'étage pour venir admirer le spectacle inusité.

Inutile de préciser qu'aucun enseignant du niveau ne voulait quitter la polyvalente avant que Rivest découvre le locataire de sa cruche.

Cependant, plus l'après-midi avançait, plus on s'impatientait. Loiselle craignait surtout de voir sa plaisanterie tomber à l'eau – c'était le cas de le dire – parce que sa victime ne se serait rendu compte de rien. Il se torturait l'esprit pour imaginer une façon d'amener le professeur de français à découvrir le poisson.

Au risque d'alerter Rivest, Loiselle ne l'avait pas quitté des yeux de toute l'heure du dîner. L'enseignant de français, lui, avait tout bonnement corrigé des copies près de sa distributrice sans rien remarquer. Sylvain Brisset et Gilles, qui n'avaient pas osé non plus quitter la pièce, n'en revenaient pas : Rivest n'avait rien vu, même s'il s'était servi deux grands verres d'eau durant son repas.

Finalement, la chance sourit au farceur au moment même où les professeurs allaient se résigner à quitter la polyvalente, à la fin de la journée. Gisèle Tremblay, la voisine de Rivest, perçut du coin de l'œil un vague mouvement à la surface de l'eau dans la cruche. Intriguée, elle abandonna son porte-documents sur son bureau et s'approcha de la distributrice en même temps que Jérôme Rivest entrait dans la salle des professeurs.

— Jérôme ! le héla sa collègue prise d'un fou rire, viens voir ! Il y a quelque chose dans ton eau.

La dizaine d'enseignants présents se figèrent instantanément, comme des chiens de chasse à l'arrêt. Alors qu'ils allaient désespérer de s'amuser aux dépens de Rivest, la chef de groupe, que personne n'avait songé un seul instant à mettre au courant, avait découvert le pot aux roses.

Quand Rivest fut assez près de la distributrice, elle se contenta de pointer du doigt le poisson rouge qui nageait lentement à la surface de l'eau.

— Regarde !

La vue de ce spectacle inédit médusa totalement Rivest.

— Ah ben, hostie ! Qu'est-ce que c'est que ça ? jura-t-il en oubliant un instant son langage châtié habituel.

Un éclat de rire général suivit son exclamation.

Sans tenir compte de ses collègues qui s'étaient approchés de la scène, il se pencha à la hauteur de la cruche, comme si le fait de regarder son locataire dans les yeux pouvait le faire disparaître.

— Comment il est entré là, lui ? s'impatienta Rivest, blanc de rage.

Sans attendre de réponse, il s'empara de sa cruche d'eau et alla d'un pas furieux la vider dans l'un des éviers de la salle voisine. Quelques instants plus tard, il quitta la salle des professeurs, les dents serrées, sans avoir prononcé un seul mot de plus.

— On dirait que notre Jérôme n'aime pas le poisson, ironisa Loiselle après son départ.

— Pourtant, on est vendredi, ne put s'empêcher d'ajouter Gilles.

Le lendemain, Jérôme Rivest plaça une nouvelle cruche d'eau sur sa distributrice et, apparemment, il ne chercha pas à identifier l'auteur de la farce dont il avait fait les frais. La nuit lui avait rappelé que le 1er avril était consacré à jouer des tours aux gens que l'on aime bien et que, finalement, sa cruche d'eau avait permis de resserrer les liens entre les différents membres du corps enseignant de la polyvalente. Ce matin-là, la bouffonnerie de la veille n'était déjà plus à l'ordre du jour et tout le monde était passé à autre chose. Georges Martin, un ardent péquiste, se faisait mettre en boîte par Sylvain Brisset, passé maître depuis longtemps dans l'art de mettre en colère son confrère, pour le plus grand plaisir des spectateurs.

— Le PQ a été élu surtout grâce au travail de ses bénévoles, et une grande partie de ces bénévoles-là, c'étaient des profs. Et c'est en refusant de signer notre nouvelle convention que ce maudit gouvernement-là nous remercie. Pour mettre fin à notre grève, il nous a proposé une entente de principe qu'on a acceptée. Puis, il est revenu sur sa parole pour demander "des modifications mineures", disait-il. Depuis, il ne se passe plus rien à la table des négociations. Il a décidé de nous comparer à des travailleurs du secteur privé et il trouve qu'on est déjà trop bien payés.

— On s'énerve trop vite, plaida le professeur de géographie. Lévesque n'est pas stupide. Nos demandes sont raisonnables ; il va nous donner ce qu'on veut, tu vas voir.

— Tu rêves, mon pauvre Georges ! Lévesque ne va rien nous donner et la preuve, c'est qu'il ne nous a rien proposé, même si presque tous les syndicats de la CEQ ont encore un mandat de grève valide de leurs membres. On n'aurait jamais dû rentrer en novembre, même quand il nous menaçait d'une loi spéciale.

À mon avis, la *gang* de Lévesque est pire que celle de Bourassa. Au moins, les libéraux étaient intelligents, eux autres…

— Tu dis n'importe quoi, commença à s'échauffer Martin.

— Moi, je te dis que le gouvernement de Ti-Poil va nous laisser faire la grève une autre fois pour récupérer le peu d'argent qu'il va finir par nous donner comme augmentation. Il est pire que le gouvernement libéral, tu vas voir, prédit Brisset en adressant un clin d'œil à Gaétane Rioux qui suivait la discussion sans y participer.

Martin allait répliquer de façon cinglante lorsque l'abbé Audet, l'aumônier de la polyvalente, entra dans la salle des professeurs.

— Bon, émit-il, est-ce que j'arrive juste à temps pour éviter que la chicane prenne entre vous deux ?

L'homme à l'air débonnaire dissimulait un regard vif derrière des lunettes à monture de corne. Son nez violacé laissait croire qu'il éprouvait un certain penchant pour les boissons alcoolisées. Ne portant ni la soutane ni le col romain, Henri Audet était un prêtre qui croyait en sa mission auprès des jeunes.

— Non, l'abbé, le rassura Brisset, désinvolte. J'essaye seulement d'entrer quelque chose dans sa tête dure de péquiste. Mais il n'y a rien à faire, il ne veut rien comprendre.

— Vous voulez nous parler ? questionna Germain Coulombe qui n'avait pas proféré un seul mot durant la discussion entre Brisset et Martin.

— Oui, à toi, à Sylvain et à Jacqueline, confirma l'aumônier en s'approchant de l'îlot occupé par les enseignants de religion. Je viens vous voir pour la Semaine sainte. Avez-vous des projets pour le Jeudi saint ?

— Non, répondit Jacqueline Saint-Onge après avoir consulté du regard ses deux confrères.

— Qu'est-ce que vous diriez de préparer et d'amener vos groupes à la confession pour aider nos jeunes à faire leurs Pâques ? proposa Henri Audet, enthousiaste. On pourrait faire ça mercredi, et jeudi, je pourrais dire la messe à l'agora, en bas.

— En avez-vous parlé à Hélène Vallée ? voulut vérifier Germain Coulombe.

— Oui, et elle m'a dit qu'elle laissait ça entre vos mains.

— Écoutez, l'abbé, expliqua Brisset, je ne pense pas que ce soit une bien bonne idée d'obliger tous les jeunes de secondaire 3 à aller se confesser et à assister à la messe. On n'a pas oublié ce qui s'est passé le mercredi des Cendres. Les trois quarts ont disparu en chemin entre la polyvalente et l'église... À mon avis, ça va être encore pire si on essaye de les traîner de force à la messe.

— Pas si on fait tout ici, rétorqua le prêtre.

Les professeurs de religion ressentaient un certain malaise, probablement parce qu'aucun des trois n'était pratiquant.

— Pourquoi ne pas utiliser votre salon de pastorale ? proposa Jacqueline Saint-Onge d'un ton conciliant. On pourrait annoncer aux élèves que vous êtes prêt à les confesser de telle heure à telle heure. Et jeudi, il y aurait une messe à laquelle chacun serait libre d'assister. Tout ça pourrait se dérouler au même endroit.

— Mais le salon de pastorale ne sera jamais assez grand ! protesta le prêtre.

— C'est encore drôle, commenta Coulombe.

Le salon de pastorale était une idée de l'aumônier. Il lui avait fallu lutter pendant deux ans pour obtenir de la direction qu'elle lui cède un local grand comme deux classes. Avec une patience infinie, le prêtre était parvenu à doter l'endroit de fauteuils et de tables basses. Quelques lampes et des rideaux avaient complété la décoration de la pièce. À son ouverture, en septembre, le salon avait d'abord connu un grand succès, en étant envahi par des élèves de tous les niveaux qui l'avaient rapidement transformé en une sorte de club social où ils aimaient se retrouver à la récréation et à l'heure du dîner. Puis, peu à peu, sa clientèle s'était raréfiée, probablement à cause de l'interdiction d'y fumer et d'y écouter de la musique à tue-tête.

En ce début de printemps, à la plus grande déception de l'aumônier, une douzaine d'adolescents seulement fréquentaient encore l'endroit.

— Ce n'était pas comme ça que je voyais les choses, admit le prêtre avec un dépit évident. Je trouvais le temps de Pâques idéal pour encourager les jeunes à renouer avec la pratique de leur religion. Je comptais sur vous pour les pousser dans cette voie.

— Aux autres niveaux, qu'est-ce que les professeurs de religion vous ont répondu ? l'interrogea Brisset.

— Vous êtes les premiers que je viens voir.

— Je suis sûr que ça ne marchera pas si on force les élèves, prédit Coulombe, l'air sceptique.

— Si vous confessez un après-midi, disons de une heure à trois heures, suggéra Jacqueline Saint-Onge, je pense que tous les professeurs vont accepter de laisser sortir les élèves qui voudront y aller. Ils seront d'accord pour la messe aussi, j'en suis sûre.

— Oui, ce serait une bonne idée de les laisser libres de choisir, approuva Brisset. Plusieurs vont préférer aller à la messe plutôt qu'assister à leurs cours.

— Bon, je vais faire la tournée des autres professeurs de religion. S'ils pensent la même chose que vous, c'est probablement ce que je ferai. Passez une bonne journée.

Puis, le prêtre sortit de la salle des professeurs, beaucoup moins enthousiaste qu'à son arrivée, quelques minutes plus tôt.

Assis à son bureau, Gilles ne dit pas un mot après la sortie de l'aumônier. Il ne pouvait s'empêcher de comparer la mentalité de Montaigne à celle de René-Goupil. Durant la Semaine sainte, l'aumônier était un homme particulièrement occupé. Une confession n'attendait pas l'autre et la messe du Jeudi saint, à laquelle participaient tous les élèves et tous les enseignants, avait toujours lieu dans le gymnase. « Évidemment, la clientèle de René-Goupil était beaucoup plus jeune, mais tout de même... », songea-t-il.

Finalement, après consultation, l'abbé Audet décida d'adopter la suggestion des professeurs de religion de secondaire 3. Par conséquent, il se limita à proposer aux élèves la confession et une messe au salon de pastorale. Certains adolescents s'y rendirent par conviction, d'autres – la plupart en fait – n'y allèrent que pour échapper à leurs cours ou pour amorcer les vacances pascales avant leurs camarades.

La semaine consacrée aux festivités du cinquième anniversaire de Montaigne commença sous un ciel plombé et un temps très frais, le tout agrémenté d'averses abondantes.

Le lundi matin, les enseignants d'arts plastiques furent soulagés de voir arriver les quelques dizaines d'élèves qui s'étaient engagés à venir monter et décorer les divers stands répartis dans plusieurs salles de la polyvalente et dans la cafétéria. Pendant que les concierges se démenaient pour faire disparaître les derniers graffitis qui ornaient encore certains murs de l'établissement, des professeurs sélectionnaient les travaux ou les démonstrations à présenter au public dès le lendemain matin.

Si l'on s'en tenait à la publicité publiée dans le journal du quartier ainsi qu'à la lettre que la direction de Montaigne avait fait parvenir aux parents la semaine précédente, la polyvalente allait ouvrir ses portes de dix heures du matin à neuf heures du soir, tous les jours, du mardi au jeudi. On attendait plusieurs centaines de visiteurs et il était évident que les autorités entendaient faire de cette fête une campagne de promotion pour attirer une clientèle plus nombreuse à Montaigne.

Pour leur part, les enseignants avaient reçu de leurs chefs de groupe respectifs un emploi du temps précis quant à leur présence au stand de leur matière.

À l'instar de beaucoup de ses collègues, Gilles en vint presque à considérer cette semaine comme des vacances. Il n'avait été assigné au stand du français que deux heures, le mardi après-midi, et Gisèle Tremblay ne lui avait rien demandé de plus, même s'il avait proposé ses services.

Le mardi matin, un peu avant l'ouverture officielle des stands, Montaigne était pratiquement méconnaissable. Tous les locaux ouverts au public avaient été soigneusement nettoyés. Pour encadrer la foule attendue, on avait pris la précaution d'engager deux agents de sécurité supplémentaires et une douzaine d'élèves de secondaire 5, des filles, avaient été transformées en hôtesses.

Durant ces jours de festivités, on ne peut pas dire que Montaigne fut prise d'assaut, compte tenu de la météo maussade, bien que le flot des visiteurs fût fort acceptable. D'ailleurs, ces derniers se montrèrent plutôt impressionnés par les réalisations des élèves fréquentant l'établissement.

Les célébrations connurent leur apogée le mercredi, en début de soirée, lorsqu'on accueillit le maire d'Anjou, ses conseillers, ainsi que le président de Des Érables et la plupart des commissaires. Chacun de ces messieurs était accompagné de son épouse.

Curieusement, la direction de Montaigne n'avait pas jugé bon de demander à tout son personnel d'être présent pour l'occasion. Malgré cela, les Provost confièrent la garde de leurs trois enfants à une jeune voisine pour pouvoir assister à la fête. Même si les enseignants n'étaient pas invités à participer au banquet strictement réservé aux personnalités invitées, Gilles tenait à ce que Mylène voie enfin Montaigne, où il travaillait déjà depuis près de neuf mois. La triste réalité, c'était que les motivations de Gilles n'avaient rien à voir avec le sentiment d'appartenance et encore moins avec la fierté. Il avait plutôt envie que sa conjointe puisse se faire une idée plus juste de cet endroit où il passait tant d'heures et peut-être un peu aussi de partager avec elle son amertume. Mylène, pour sa part, se faisait une joie de visiter l'école et se contenta d'apprécier ce très rare moment d'intimité avec son mari sans leurs enfants.

À l'arrivée du couple, l'agora était déjà remplie de visiteurs. Les invités de marque avaient pris place dans des fauteuils, sur la scène. Raymond Garand, debout derrière le micro, adressa un discours de bienvenue à toutes les personnalités et aux visiteurs, avant de faire l'éloge de son établissement. Le directeur de Montaigne insista lourdement sur les vertus des polyvalentes publiques qui, en dépit de quelques problèmes dus à leur gigantisme, représentaient la solution de l'avenir. Il vanta sans réserve la valeur et le dévouement de son corps professoral ainsi que la qualité de la formation qui était offerte dans son école. Il termina en décochant quelques flèches à l'endroit des collèges privés. Enfin, Garand invita l'auditoire rassemblé dans l'agora à apprécier la valeur des réalisations des jeunes qu'on leur avait confiés en visitant les divers stands.

Après les brefs discours de Bernard Thibault, maire d'Anjou, et d'Alphonso Manelli, président de la commission scolaire, Garand et ses invités quittèrent la scène sous les applaudissements polis des visiteurs.

Le directeur et ses adjoints se chargèrent de faire les honneurs de l'exposition à leurs invités pendant que la foule, pilotée par les hôtesses, visitait la polyvalente. Gilles et Mylène se dirigèrent vers le stand de français, tenu ce soir-là par Gisèle Tremblay et Jérôme Rivest. Quand il les aperçut, Gilles changea de direction, se contentant de leur faire un vague signe de la main avant de s'éloigner rapidement.

— J'aurais dû m'en douter aussi, murmura-t-il à sa femme, les sourcils froncés.

— Qu'est-ce qu'il y a ? l'interrogea-t-elle.

— Les deux maudits téteux se sont arrangés pour se faire bien voir, grommela-t-il entre ses dents. La Tremblay a organisé l'horaire pour être là avec Rivest quand les huiles viendraient visiter les stands. On ne sait jamais, ajouta-t-il, sarcastique, ça peut toujours servir…

Gilles entraîna son épouse vers les autres stands et ils assistèrent à quelques démonstrations. Celle des professeurs de sciences valait vraiment la peine.

Quand il croisa Georges Martin, Gilles lui présenta Mylène avant de lui demander où était passé tout le beau monde invité par Garand.

— Déjà dans la salle à manger des professeurs en train de se bourrer la face, répondit son collègue. Je ne te conseille pas d'essayer d'y mettre les pieds. René Martel a été placé devant la porte pour filtrer les gens.

— Oh, oh ! Ça m'étonnerait qu'il y ait des resquilleurs, alors ! s'exclama Gilles en riant.

— D'après lui, c'est tout un buffet, avec vin s'il vous plaît. Dommage que ça ne soit pas pour le bas peuple comme nous autres, ces bonnes affaires-là. En tout cas, il m'a dit que le fait qu'on ne soit pas invités prouve au moins qu'on n'est pas plus importants que les concierges et les agents de sécurité.

— S'il y a un banquet pareil, je commence à comprendre pourquoi Garand n'a pas obligé les professeurs à assister à l'ouverture officielle, ce soir, ironisa Gilles.

— Les seules exceptions sont les chefs de groupe, révéla Martin. Eux, ils vont pouvoir aller manger aux frais de la princesse.

— Bon, puisque c'est comme ça, on va continuer notre visite, décida Gilles. À plus tard.

Martin et Mylène se saluèrent timidement. Dès qu'il se fut éloigné, elle en profita pour faire remarquer à Gilles qu'il ne l'incluait guère dans la conversation et qu'elle se sentait plutôt exclue et mal à l'aise. Celui-ci protesta vaguement et la jeune femme, ne voulant pas gâcher sa soirée, fit comme si de rien n'était.

Bien que le bâtiment ait profité d'une bonne toilette, Mylène n'était pas particulièrement impressionnée par l'établissement. Son mari l'avait entraînée à l'étage, dans la salle des professeurs et dans sa salle de classe.

— On a l'impression d'être dans une prison, ne put-elle s'empêcher de confier à Gilles lorsque ce dernier verrouilla la porte de sa classe. Pas de fenêtres et des murs en blocs de ciment… À quoi ils ont pensé en construisant une école comme ça ?

— C'est l'idée brillante d'un architecte.

Après cette visite du mercredi soir, Gilles ne remit pas les pieds à Montaigne du reste de la semaine.

Le lundi matin suivant, toutes les traces des festivités avaient été soigneusement effacées. Gilles gara sa voiture dans le stationnement avec un peu de retard à cause d'un accident survenu à l'entrée du pont-tunnel Louis-Hippolyte-La Fontaine. Il se dirigeait d'un pas pressé vers la salle des professeurs, en songeant qu'il avait encore beaucoup de choses à régler avant la fin de l'année, quand René Martel l'apostropha à son entrée dans la polyvalente :

— Y a de quoi qui se passe à matin, confia le gardien, visiblement préoccupé.

— Quoi ? l'interrogea vivement l'enseignant, pressé d'aller préparer le matériel dont il aurait besoin pour son premier cours.

— Je le sais pas, mais je sens qu'il se prépare quelque chose. Il n'y a pas un élève ailleurs que dans la cafétéria et l'agora. Il me semble qu'ils crient moins fort que d'habitude. C'est pas normal.

— En tout cas, s'ils s'énervent moins, ce n'est pas parce qu'ils sont fatigués, plaisanta Gilles. Ils viennent d'avoir quatre jours de vacances.

À ces mots, l'enseignant se dirigea vers l'escalier qui conduisait à l'étage. Il ne s'arrêta qu'un instant à la salle des professeurs pour enlever son imperméable et prendre son courrier déposé dans son casier. Il salua ses collègues et se rendit dans sa classe.

Quelques minutes plus tard, il entendit la cloche annonçant le premier cours. Il ouvrit la porte de sa salle, prêt à accueillir ses premiers élèves de la journée. Des galopades et des cris allaient annoncer incessamment l'irruption des adolescents dans le couloir.

Les secondes s'égrenaient et rien ne se produisait. Gilles consulta sa montre, puis l'horloge murale. Trois minutes s'étaient écoulées depuis que la sonnerie avait retenti et il n'y avait toujours personne dans le corridor.

— Veux-tu bien me dire ce qui se passe ? se demanda-t-il tout haut en s'avançant de quelques pas dans le couloir.

Sans s'être consultés au préalable, Sylvain Brisset, Claude Loiselle, Georges Martin et Gaétane Rioux l'imitèrent quelques secondes plus tard. Tous les cinq s'avancèrent en même temps vers les larges baies vitrées qui permettaient de voir l'agora et l'immense cafétéria qu'elles surplombaient.

Près de deux mille adolescents y étaient entassés, l'air de boire littéralement les paroles d'élèves de secondaire 5. Gilles ne put s'empêcher de penser qu'il aurait bien aimé que son magnétisme agisse à ce point sur ses ouailles.

— C'est Couture et Paré, je les reconnais, ils sont membres du conseil étudiant, indiqua Brisset. Ils auraient pu attendre la récréation pour passer leur message.

— Avant la cloche, je suis allé me chercher quelque chose à la cafétéria, raconta Loiselle. Les élèves ne parlaient que du 60 %. Je suis certain que Couture et Paré sont en train de leur monter la tête.

— Je vous l'avais dit que ça ne passerait pas comme une lettre à la poste, cette histoire-là, leur rappela Martin.

Un énorme tumulte monta du rez-de-chaussée et des élèves se mirent à frapper sur les tables, produisant un bruit infernal.

— Regardez-moi ces têtes folles, lâcha d'un ton méprisant Andrée Jutras, qui avait fini par se joindre aux autres enseignants dans le couloir. Si les agents de sécurité ne s'en mêlent pas, ils vont se répandre partout et tout démolir.

Comme s'il l'avait entendue, Raymond Garand, retranché dans son bureau, livra un premier message par l'interphone. Le directeur enjoignait aux élèves de se diriger immédiatement vers leurs classes. Une immense clameur de défi fut l'unique réponse qu'il obtint.

Un premier groupe formé d'une centaine de têtes fortes força le « blocus » représenté par un des agents de sécurité, posté au pied de l'un des escaliers, et les élèves s'élancèrent en hurlant vers les étages. La digue était rompue et ils furent immédiatement imités par plusieurs centaines d'autres.

— Je pense qu'on est mieux de ne pas traîner dans le corridor, déclara Loiselle, se dirigeant déjà vers sa salle de classe.

Les autres s'empressèrent de faire même.

Quelques instants plus tard, le directeur reprit le micro pour appeler les jeunes au calme. Il les informa que les cours de la journée étaient annulés et exigea l'évacuation immédiate de l'école. Il pria aussi tous les professeurs d'exercer une étroite surveillance et d'accompagner les adolescents vers la sortie.

Pendant une dizaine de minutes, l'appel du directeur de Montaigne demeura sans effet. Bien peu d'enseignants osèrent sortir des salles des professeurs ou de leurs classes où ils s'étaient réfugiés.

En fait, ce fut l'arrivée des premières voitures de police devant les portes de la polyvalente qui décidèrent les élèves à fuir l'édifice par toutes ses issues. Ils laissèrent derrière eux des graffitis, des papiers déchirés et quelques portes sérieusement abîmées.

Quand le calme fut rétabli, les membres de la direction se réunirent dans la petite salle de conférence contiguë au bureau de Raymond Garand, laissant les enseignants à eux-mêmes.

La salle des professeurs de secondaire 3 était en émoi. Après être allés voir s'il y avait eu de la casse dans leur salle de cours, la plupart des professeurs étaient revenus s'asseoir à leur bureau, attendant avec impatience des explications et des instructions de la direction de Montaigne.

— Moi, je n'attendrai pas ici jusqu'à la Saint-Glinglin, décréta Jean-Paul Rousseau qui avait déjà mis son manteau. S'il n'y a pas d'élèves dans l'école, je n'ai rien à faire ici.

— Moi non plus, approuva Denis Casavant après avoir jeté un coup d'œil discret à Anne Leduc pour s'assurer qu'elle ferait la même chose que lui. Je ne pense pas que les élèves reviendront aujourd'hui.

— Ç'a tout l'air que Montaigne n'est pas la seule école à s'être vidée, leur apprit Sylvain Brisset. Je viens de téléphoner à Tougas, du syndicat. Les élèves des deux autres polyvalentes de la commission scolaire manifestent aussi. Ils sont même allés forcer les élèves des petites écoles comme Gabrielle-Roy, Bastien, René-Goupil et Saint-Jean-Baptiste à sortir.

— Bon, alors, qu'est-ce qu'on fait ? demanda Gaétane Rioux en regardant ses collègues.

— On n'a pas le choix, répondit Jérôme Rivest d'un air supérieur. Il faut attendre la décision de la direction.

— J'espère qu'ils ne vont pas prendre la journée pour "gestionner" ça, se moqua Michel Tondreau qui entrait dans la salle.

Une vingtaine de minutes plus tard, Raymond Garand annonça aux enseignants qu'ils pouvaient quitter les lieux : l'école fermait ses portes pour la journée.

Gilles ne se le fit pas dire deux fois et partit aussitôt. Il s'arrêta simplement pour échanger quelques mots avec son ami René Martel, mais le gardien était occupé à ramasser les débris laissés par les élèves un peu partout. Gilles le salua de la main et Martel haussa les épaules, l'air de dire : « C'est la vie... »

En montant dans sa voiture, l'enseignant eut une pensée pour René-Goupil. Brisset avait dit que les têtes brûlées du conseil étudiant s'étaient rendues jusque-là pour inciter les élèves à manifester. Gilles se demanda comment ça s'était passé. Il démarra en priant pour qu'il n'y ait pas d'accident sur le chemin du retour : il avait hâte de tout raconter à Mylène.

Le lendemain matin, Hélène Vallée, visiblement sur les nerfs, fit une rapide àpparition dans la salle des professeurs, quelques minutes avant le début du premier cours.

— Qu'est-ce que vous avez décidé au sujet du débrayage d'hier ? la questionna Sylvain Brisset.

— *Décidé* ?

— Oui, reprit-il avec impatience. Avez-vous prévu des sanctions pour les meneurs de la grève ? Pour ceux qui ont fait du vandalisme ? Je suis certain que des agents de sécurité et des professeurs en ont identifié quelques-uns.

— Il n'y aura pas de sanction, leur révéla la jeune femme sur un ton ferme. Ce n'est vraiment pas le moment de jeter de l'huile sur le feu.

— Tu ne penses pas que c'est presque une invitation à recommencer ? exposa Louise Kelly qui avait sûrement rêvé d'un retour plus calme à l'école après son long congé de maladie.

— Ce sont les consignes qui viennent de la direction générale, se borna-t-elle à répondre.

Apparemment, la discussion était close.

Ce matin-là, durant quelques minutes, on crut qu'on aurait droit à une répétition des événements de la veille, jusqu'à ce qu'on se rende compte que la majorité des élèves demeuraient obstinément dehors, dans le stationnement, même si une petite pluie froide tombait depuis le lever du jour.

— Une autre journée de congé, déclara Germain Coulombe en entrant dans la salle des professeurs. Ils sont dehors, devant les portes et autour des autos.

Je ne veux pas être prophète de malheur, mais j'ai l'impression que certains vont retrouver leur voiture abîmée quand ils vont partir...

Coulombe ne se donna même pas la peine d'enlever son manteau, persuadé qu'il allait retourner chez lui quelques minutes plus tard.

La première cloche sonna. À la surprise générale des enseignants résonna un bruit de cavalcade dans les escaliers et les élèves envahirent les couloirs pour se regrouper devant les portes des classes.

— Maudit, je pense qu'on va être pognés pour donner des cours aujourd'hui ! maugréa Jean-Paul Rousseau, dépité, après s'être aventuré jusqu'à la porte de la salle des professeurs. Ils sont tous là à nous attendre dans le corridor.

Les enseignants s'empressèrent de quitter la pièce pour se diriger vers leur classe. Gilles, comme toujours, était déjà sur place depuis près d'une demi-heure, occupé à préparer son matériel. Après l'entrée de ses élèves, il ne fit aucune allusion aux événements de la veille et entreprit de donner son cours comme d'habitude.

Seulement, c'était le calme avant la tempête. Alors qu'il s'apprêtait à corriger un exercice, des cris en provenance du couloir le firent sursauter. Sans se presser, Gilles se dirigea vers la porte et l'entrouvrit pour découvrir à l'extrémité du corridor une horde d'adolescents armés de bâtons, qui frappaient sur les murs et sur les portes des locaux. Ils hurlaient à leurs camarades de sortir.

Le directeur prit la parole à l'interphone pour demander à tous les enseignants de faire évacuer immédiatement leurs élèves des salles de classe et de les accompagner vers l'une des portes. Les cours étaient suspendus pour la journée.

La plupart des professeurs, soucieux de ne pas prendre un mauvais coup, se contentèrent d'inviter leurs élèves à partir et ne les suivirent pas. Ils attendirent que la meute ait quitté leur secteur pour se glisser furtivement dans les salles des professeurs.

— C'étaient des jeunes de l'école de réforme d'à côté, affirma Georges Martin. J'étais en bas, au secrétariat, quand ils sont entrés dans la polyvalente comme une bande de sauvages. Ils venaient sortir nos élèves… ben, ils ont réussi !

— Il va y avoir pas mal plus de casse qu'hier, prophétisa sombrement Gisèle Tremblay.

— La police doit être déjà arrivée, supposa Jérôme Rivest qui regardait dehors par l'une des baies vitrées de la salle. Les jeunes courent un peu partout. Venez voir ça !

Les enseignants se précipitèrent vers les fenêtres. Des centaines d'adolescents galopaient dans toutes les directions. Certains formaient des petits groupes à l'extrémité du stationnement, tandis que d'autres se dirigeaient vers l'arrêt d'autobus.

— Une autre journée de foutue ! se lamenta Gilles.

— On devrait aller voir en bas ce qui se passe, proposa Sylvain Brisset. Il ne doit pas rester beaucoup d'élèves dans la polyvalente.

Germain Coulombe, Georges Martin, Gaétane Rioux et Gilles décidèrent de l'accompagner. Dans l'escalier, ils rejoignirent la vingtaine d'enseignants des autres niveaux déjà rassemblés qui se rendaient au secrétariat général. Le gros Henri-Paul Dubois en sortait justement quand ils arrivèrent.

— La bande de petits crisses ! jura-t-il. Ils ne me démoliront pas mon école comme ça. Demain, je demande à la police de venir avant le commencement des cours. Comme ça, il n'y a pas un maudit *bum* de l'école d'à côté qui va semer le trouble ici. C'est les gars de Louis-Meilleur qui sont venus sortir nos élèves de force. Ils sont arrivés avec des bâtons.

— D'après ce qu'on dit à la radio, intervint une enseignante du cours professionnel, la plupart des écoles secondaires de la CECM se sont aussi vidées aujourd'hui.

— Il paraît que les jeunes vont aller manifester devant le ministère pour protester contre la note de passage à 60 % !

— Avec cette pluie-là, ça me surprendrait qu'ils soient bien nombreux à y aller, avança un autre enseignant.

— C'est écœurant, confia un professeur de sciences de secondaire 5 en affichant un air horrifié, c'est rendu que les élèves font exactement comme nous quand on veut une meilleure convention : ils font la grève.

Un éclat de rire général salua le trait d'esprit et le groupe se dispersa.

Finalement, le scénario de la veille se répéta : faute d'étudiants, l'école se vida de son personnel quelques minutes avant onze heures du matin.

La manifestation massive des élèves en colère prévue devant le ministère de l'Éducation se solda par un échec. Il n'y eut que quelques centaines d'adolescents qui vinrent crier des slogans ainsi que leur mécontentement aux autorités, devant les caméras de Télé-Métropole et de Radio-Canada. La pluie fine et l'attrait d'une journée de congé l'avaient emporté sur le militantisme. De toute évidence, le mouvement de contestation, privé de véritables chefs, s'essoufflait déjà.

Le vendredi matin, moins de la moitié des élèves se présentèrent à la polyvalente. Les enseignants devinèrent qu'ils étaient venus essentiellement parce qu'ils n'étaient pas parvenus à convaincre leurs parents du sérieux de leur cause.

Les quatre auto-patrouilles stationnées près des portes d'entrée semblèrent d'abord intimider les jeunes. Les adolescents, en majorité des élèves de secondaire 2 et 3, restèrent dehors jusqu'à la première cloche. Puis, à la vue de René Martel les invitant à entrer, ils s'enhardirent et pénétrèrent dans l'édifice sans faire trop de bruit, et ils se rendirent dans la salle où aurait lieu leur premier cours de la journée.

Si les jeunes présents à Montaigne avaient espéré être « obligés » de quitter la polyvalente à cause de manifestants venus de l'extérieur, ils durent faire le deuil de cette perspective. En fait, ce fut sûrement la journée la plus calme de l'année scolaire. Aucun contestataire ne se montra dans l'école.

Le lundi suivant, les derniers grévistes rentrèrent dans le rang et il ne fut plus question de rien. On s'efforça d'oublier les incidents malheureux des derniers jours. La note de passage à 60 % était établie. Le combat cessa, faute de combattants.

Le même jour, un épisode cocasse se produisit, dont la conséquence fut double : d'abord, il désorganisa encore un peu plus la vie du niveau pour la journée, et il resserra momentanément les liens entre les enseignants de troisième année du secondaire.

La cloche sonna la fin de la récréation à dix heures douze au lieu de dix heures quinze, si on se fiait à l'horloge murale de la salle des professeurs.

— Est-ce que c'est l'horloge qui est détraquée ou la cloche ? demanda Anne Leduc à Jérôme Rivest à l'instant où la plupart des enseignants se levaient.

— C'est vrai, ça ! constata Jean-Paul Rousseau. Il reste encore trois minutes à la récréation. Pourquoi cette maudite cloche a sonné ? Moi, je me fie à l'horloge, décréta-t-il, vindicatif, en se rasseyant. La récréation n'est pas finie.

Certains professeurs l'imitèrent. Évidemment, les élèves obéirent à la cloche et ils s'entassèrent dans un beau charivari aux portes des locaux. Ils attendirent que leurs enseignants se présentent.

Aux deux cours suivants, le même « décalage horaire » se reproduisit et la réaction des enseignants se généralisa : on avait décidé de s'en tenir à l'heure indiquée par l'horloge murale de la salle des professeurs, un point c'est tout.

Lorsque la cloche annonça le début du premier cours de l'après-midi, personne ne bougea dans la salle des professeurs. L'écart était encore plus prononcé que lors des cours du matin : il était maintenant de quatre minutes.

Soudain, Hélène Vallée, hors d'elle, apparut à la porte de la salle.

— Est-ce que je peux savoir ce qui vous prend ? cria-t-elle à la cantonade. La cloche a sonné depuis deux minutes et les élèves attendent devant les portes des classes.

Rousseau fut le premier à réagir.

— Regarde l'horloge, la somma-t-il sèchement. Il reste trois minutes avant le cours. C'est comme ça depuis le deuxième cours. Ta cloche déconne.

— C'est la cloche qui règle l'horaire de Montaigne, Jean-Paul, pas la pendule de votre salle des professeurs.

— Nous autres, on a décidé de suivre l'horloge, spécifia Georges Martin avec une joie mauvaise.

— Si c'est comme ça, je vais régler le problème, s'emporta la directrice de niveau, furieuse qu'on ose ouvertement lui tenir tête.

Sans plus attendre, elle saisit une chaise, la plaça juste sous l'horloge, y monta, s'empara de la pendule et la débrancha avant de redescendre.

— Maintenant, il n'y aura plus de problème, conclut-elle, les dents serrées. Vous allez pouvoir vous fier à la cloche.

L'horloge à bout de bras tel un trophée, Hélène Vallée prit la direction de la porte, accompagnée par les claquements sonores de ses talons.

— Bâtard, elle est en train de devenir folle, celle-là ! s'écria Claude Loiselle. Qu'est-ce qu'elle n'a pas digéré à midi ?

— On s'en sacre, répliqua Martin, avec un sourire en coin.

— Ça me donne une idée, fit Jacqueline Saint-Onge. Moi, je n'ai pas de cours à la première période.

Pendant que vous donnerez les vôtres, je vais installer un beau cadran solaire à la place de notre horloge disparue.

— Et ça va servir à quoi ? demanda Gaétane Rioux, au comble de l'étonnement.

— On n'aura qu'à dire qu'on se fie maintenant à notre cadran solaire, proposa la petite enseignante de religion, moqueuse.

La pièce se vida en un clin d'œil.

À la fin des cours, cet après-midi-là, les enseignants regagnèrent la salle des professeurs dans l'intention de ramasser des documents laissés sur leur bureau avant de quitter Montaigne. Ils purent admirer le magnifique carton rose pâle collé au mur, à l'endroit où était auparavant branchée l'horloge. Ils félicitèrent chaleureusement Jacqueline Saint-Onge pour son cadran solaire tout en se promettant de tirer le maximum de la plaisanterie dès le lendemain matin, à la reprise des cours.

Brusquement, ils virent la porte de la salle livrer passage à Hélène Vallée, suivie par le directeur et un homme qu'ils ne connaissaient pas. À voir les égards que Raymond Garand et leur directrice de niveau témoignaient à l'inconnu, il devait s'agir de l'un de leurs supérieurs hiérarchiques.

— Monsieur Boisvert, nous sommes dans la salle des professeurs de secondaire 3, annonça Hélène Vallée. Comme vous pouvez le voir, les cours viennent de prendre fin et les professeurs s'apprêtent à quitter la polyvalente.

Les enseignants cessèrent de s'agiter et attendirent la suite avec curiosité.

— Peut-on savoir qui est monsieur ? s'enquit Sylvain Brisset, un peu frondeur.

— Monsieur Paul Boisvert est le nouvel adjoint du directeur général de Des Érables. Il fait une courte tournée des écoles de la commission scolaire, expliqua Garand, gêné d'avoir oublié de présenter son invité.

Paul Boisvert adressa aux professeurs réunis un sourire assez contraint ; ses yeux n'avaient cessé de fureter dans la pièce pendant que le directeur s'adressait aux enseignants. Son regard s'arrêta brusquement sur le carton rose au-dessus duquel Jacqueline Saint-Onge avait pris la précaution d'indiquer le mot « horloge ».

— Bonjour, les salua-t-il finalement. Je remarque que vous n'avez pas d'horloge.

— Non, monsieur Boisvert, répondit Claude Loiselle pour les autres. On est tellement pauvres à Montaigne qu'il faut dessiner un cadran solaire pour savoir l'heure.

Il y eut quelques ricanements parmi les professeurs et le visage d'Hélène Vallée rougit brusquement.

— Comment ça ? s'étonna le nouvel adjoint du directeur général en haussant les sourcils.

— Vous pourriez demander à madame Vallée, suggéra Jean-Paul Rousseau, caustique.

Le cadre supérieur se tourna vers elle.

— Bien, euh… l'horloge était défectueuse. J'ai dû… l'envoyer à réparer, se justifia-t-elle en bafouillant.

— J'espère que la réparation ne sera pas trop longue, commenta le visiteur en lui adressant un regard inquisiteur. Ce doit être peu pratique de ne pas savoir l'heure exacte dans une école. Mesdames, messieurs, je vous souhaite une bonne fin de journée.

Là-dessus, l'homme sortit de la salle, suivi de près par Hélène Vallée et Raymond Garand.

Le lendemain matin, les enseignants prirent acte de la disparition du cadran solaire. Durant la nuit, leur horloge avait été miraculeusement réparée.

16
Des choix déterminants

Les élections générales déclenchées au début du mois de mai par le premier ministre Pierre Elliott Trudeau ne suscitaient pas grand intérêt au Québec. C'était peut-être une réaction à la position rigide et à l'attitude méprisante du chef du gouvernement fédéral à l'égard des aspirations d'un grand nombre de Québécois. Cela n'empêchait toutefois pas les plus politisés de prier pour que Joe Clark prenne le pouvoir à Ottawa.

À Montaigne, ces élections constituaient vraiment la dernière préoccupation des enseignants. En cette période de l'année, ils étaient tiraillés entre la nécessité de faire travailler des élèves de plus en plus récalcitrants et l'urgence de discuter du régime pédagogique qui prévaudrait dans leur polyvalente lors de l'année scolaire 1979-1980. Ils savaient tous fort bien que les décisions qu'ils allaient prendre auraient des effets non négligeables sur leur vie dès le mois de septembre suivant.

De plus, le second vendredi de mai était traditionnellement une journée très importante à la commission scolaire Des Érables. Dans toutes les écoles, on procédait ce jour-là à la nomination des chefs de groupe, à la répartition des tâches pour l'année suivante et aux commandes du nouveau matériel didactique. Si le choix des tâches et les achats de manuels ne posaient habituellement pas de problème, l'élection des chefs de groupe ne se déroulait pas sans heurt. Même si la plupart des enseignants prétendaient ne pas vouloir de cette charge, il en allait tout autrement en réalité.

À Montaigne comme ailleurs, on assistait à d'intenses jeux de coulisse et de multiples conciliabules se préparaient depuis quelques jours. Certains sondaient les intentions de leurs collègues. Ils cherchaient à connaître par tous les moyens combien de votes ils pouvaient espérer récolter s'ils présentaient leur candidature. Avec des mines de conspirateur, on chuchotait et on soupesait les chances de chacun d'obtenir le poste convoité secrètement.

La charge de chef de groupe procurait des avantages enviables à la personne qui la détenait. Tout d'abord, l'enseignant était libéré d'un quart de sa tâche en plus de recevoir une rémunération de mille deux cent cinquante dollars supplémentaires, ce qui n'était pas négligeable. En outre, il était consulté fréquemment par la direction et par le conseiller pédagogique. En échange, on s'attendait à ce que le chef de groupe fasse preuve d'initiative et administre sagement le budget de son département. Il était aussi appelé à animer certaines journées pédagogiques. Il entrait en fonction dès sa nomination et sa première tâche consistait à diriger, le jour même de son élection, la réunion durant laquelle les enseignants choisissaient leur tâche de l'année suivante.

Le jeudi midi, le mécontentement des enseignants de secondaire 3 devint palpable dès qu'ils découvrirent le court message écrit au tableau par Hélène Vallée : *Réunion des enseignants cet après-midi, à 16 h, au local 204.*

— Hostie ! blasphéma Georges Martin. Elle est malade ou quoi ? On a toute la journée de demain pour se réunir. Pourquoi faire une réunion à quatre heures ?

— Je viens d'aller le lui demander, rapporta Claude Loiselle. Il paraît que c'est urgent et que ça ne peut pas attendre à demain. Si ça peut vous consoler, Hélène m'a dit que les profs de tous les niveaux vont se réunir aussi à quatre heures.

— Toute une consolation, ça ! éclata Jean-Paul Rousseau. On crève de chaleur toute la journée dans cette maudite école et, en plus, il faut rester après les heures de cours...

— Pour la chaleur, j'ai appelé le syndicat, l'interrompit Sylvain Brisset.

— Alors ? fit Gaétane Rioux.

— Rien de changé. On ne peut pas renvoyer les élèves, à moins qu'il fasse vingt-sept degrés ou plus dans les classes.

— C'est à peu près la température de ma classe, estima Jérôme Rivest.

— Il faut que ce soit au moins cette température-là, sinon le syndicat dit qu'on est en tort si on renvoie les élèves. Ce qu'on peut faire, c'est apporter un thermomètre en classe et aussitôt qu'il indique plus de vingt-sept degrés, on sort après avoir prévenu la direction.

— Le gros Henri-Paul va encore me voir la face cet après-midi, promit Martin. Il va m'entendre. Depuis le début de la semaine, j'ai donné presque tous mes cours dehors, mais là, je suis fatigué des pique-niques. Passer des heures le derrière planté dans l'herbe, ça ne me fait pas rire pantoute.

Quelques-uns s'esclaffèrent à la remarque du professeur de géographie dont le caractère était toujours aussi explosif.

— Dis donc, Jérôme, en tant que membre du CPE, tu dois bien avoir une idée du sujet de la réunion de cet après-midi, l'interpella Jacqueline Saint-Onge.

— Pas la moindre, marmonna l'enseignant de français avant de replonger dans la lecture d'un livre ouvert sur son bureau.

— Moi, je finis à deux heures et demie, indiqua Michel Tondreau. Que le diable l'emporte avec sa réunion ! À la fin de mon cours, je pars.

— Ça me fait rien, Michel, répliqua Loiselle, mais je pense que tu cours après les problèmes si tu ne viens pas à sa réunion. Tu sais aussi bien que moi qu'elle prend les présences.

— Je m'en sacre ! Il fait trop chaud. J'ai juste une envie dans ce temps-là, c'est de boire une bière bien froide.

À quatre heures, la vingtaine de professeurs de secondaire 3 attendaient avec impatience le début de la réunion imposée par leur directrice de niveau dans le local 204. On étouffait dans la pièce.

Hélène Vallée entra, flanquée de Claudette Labonté. Lorsqu'elle esquissa le geste de fermer la porte derrière elle, Denis Casavant, assis au fond, lui demanda:

— Pourrais-tu laisser la porte ouverte? On crève ici.

La jeune femme suspendit son geste et vint s'asseoir derrière le bureau sans émettre de commentaire.

— Des absents, Claudette? questionna-t-elle.

— Un seul: Michel Tondreau.

La directrice toussota pour obtenir un silence relatif et entreprit aussitôt d'expliquer la raison de la réunion.

— Je sais que vous préféreriez ne pas être ici, seulement je n'avais pas le choix parce que je dois vous mettre au courant de deux nouvelles très importantes. Tout d'abord, monsieur Garand va nous quitter en juin.

— Il prend sa retraite? s'informa Louise Kelly, surprise.

— Non, il a eu une promotion. Il est nommé responsable de tous les directeurs d'école de la commission scolaire. Nous n'avons appris sa nomination que ce matin.

— Est-ce qu'on sait qui va le remplacer? l'interrogea Sylvain Brisset.

— Son remplaçant ne sera désigné que la semaine prochaine. Bon, ça, c'est la première information. Si je n'avais eu qu'elle à partager, j'aurais pu attendre demain… sauf que nous avons appris aujourd'hui une excellente nouvelle. La commission scolaire a enfin accepté que nous ayons en septembre prochain trois éducateurs-conseillers. Il y en aura un pour les classes de secondaire 2, un pour celles de secondaire 3 et un autre en 4 et 5. On m'a dit que vous essayiez d'en avoir depuis trois ans. C'est fait : c'est accepté.

Des applaudissements nourris et des exclamations enthousiastes ponctuèrent cette dernière phrase d'Hélène Vallée qui ne put s'empêcher de sourire.

— Ce nouveau poste va changer le choix de tâches et peut-être même le choix des chefs de groupe prévus demain matin. Il y a sûrement des enseignants intéressés par ce travail, supposa-t-elle en laissant planer son regard sur l'assemblée.

— Il faudrait d'abord savoir en quoi il consiste, ce travail, émit Jean-Paul Rousseau qui avait conservé sa veste et son nœud papillon à pois malgré la chaleur qui régnait dans la pièce.

— L'éducateur-conseiller devra être un enseignant expérimenté qui appuiera le travail du directeur de niveau, répondit immédiatement la jeune femme. Son rôle sera de l'aider à faire respecter la discipline et à établir des liens entre l'école et les parents.

— Maudit ! Il ne restera plus rien à faire au directeur de niveau, fit remarquer Georges Martin assez fort pour être clairement entendu de tous. Si j'ai bien compris, toute la *job* sale, c'est l'éducateur-conseiller qui va se la taper.

La directrice le gratifia d'un regard hostile.

— Ce que je veux savoir, insista Rousseau, c'est jusqu'où va aller l'autorité de l'éducateur-conseiller.

— Je ne comprends pas très bien ta question, fit-elle.

— Comme on a l'air de vouloir en faire un policier, j'aimerais savoir s'il va avoir le pouvoir de suspendre un élève, par exemple.

— Non, trancha Hélène Vallée. La suspension relève de l'autorité du directeur de niveau.

— Bon. Si j'ai bien compris, notre éducateur-conseiller va surtout s'occuper de la discipline sans pouvoir punir.

— Jean-Paul, reprit-elle, excédée, ce qui attend l'éducateur-conseiller, c'est un travail d'équipe avec son directeur pour mieux prendre en charge les cas problèmes du niveau. Un TRAVAIL D'ÉQUIPE ! Il faut que l'éducateur-conseiller s'entende très bien avec moi, de manière à ce qu'on ne se marche pas sur les pieds tout le temps.

— Ton chien est mort, Jean-Paul, annonça Claude Loiselle du fond de la classe où il était installé à côté de Louise Kelly.

Un éclat de rire secoua l'assistance.

— Je suppose que l'éducateur-conseiller sera totalement libéré d'enseignement ? intervint Prosper Desjean.

— Oui. Monsieur Garand nous a même dit cet après-midi qu'il verrait à ce que chacun des éducateurs-conseillers ait un petit bureau près de celui du directeur de niveau.

— OK. Maintenant que tout le monde a bien compris ce qu'aura à faire l'éducateur-conseiller, est-ce qu'on pourrait passer au vote ? suggéra Denis Casavant.

— J'allais le proposer, déclara sèchement Hélène Vallée. Y a-t-il d'autres questions ?

Il n'y en eut aucune. Les conversations avaient repris dans la salle. La directrice de niveau se leva et s'approcha du tableau.

— S'il vous plaît ! dit-elle en élevant la voix. Encore quelques minutes de patience !

Le calme revint progressivement.

— Quels sont ceux qui souhaitent occuper le poste d'éducateur-conseiller en septembre prochain ? lança-t-elle en promenant son regard sur la vingtaine d'enseignants assis devant elle.

Gisèle Tremblay leva immédiatement la main.

— Moi.

Hélène Vallée nota son nom au tableau.

— Quelqu'un d'autre ?

— Moi, s'écria Prosper Desjean.

— Moi aussi, se proposa Karl Dussault.

— D'autres personnes intéressées ?

Aucun autre candidat ne se fit connaître.

— Claudette a préparé des bulletins de vote. Elle va vous les passer. Nous avons trois candidats : Gisèle, Prosper et Karl.

Deux minutes suffirent pour procéder au vote. Claudette Labonté et Hélène Vallée dépouillèrent rapidement le scrutin.

— Bon, voici les résultats du vote, annonça la directrice en s'emparant de la craie laissée sur le rebord du tableau. Karl : deux votes. Prosper : sept votes. Gisèle : quatorze votes. L'an prochain, notre éducatrice-conseillère sera donc Gisèle.

Quelques applaudissements saluèrent l'élection de l'enseignante d'expérience qui se leva pour remercier ses collègues. Karl Dussault applaudit, lui aussi, un sourire obligé aux lèvres.

— Ne nous fais pas un discours trop long, la supplia Jean-Paul Rousseau. Nous autres, on a hâte de partir !

— Ne t'en fais pas, Jean-Paul, le rassura Gisèle Tremblay en souriant. Ta femme n'aura même pas à réchauffer ton souper. Je vous remercie d'avoir voté pour moi. Avec votre aide, j'espère être en mesure de vous être utile l'an prochain.

Hélène Vallée fut la première à se lever. Elle fut imitée par tous les professeurs qui se précipitèrent hors de la salle, impatients de quitter la polyvalente.

Le lendemain, les enseignants arrivèrent à Montaigne sous une pluie battante. La nuit précédente, un fort vent d'ouest s'était levé et de lourds nuages s'étaient accumulés. Au lever du jour, la pluie s'était mise à tomber, apportant enfin une fraîcheur bienfaisante.

Quand Gilles entra dans la salle des professeurs, il n'y trouva que Sylvain Brisset, la tête plongée dans son armoire, apparemment en train de chercher un document.

— As-tu couché ici ? plaisanta Gilles.

— Presque, répondit son confrère en claquant les portes de son armoire métallique cabossée. Si on a de l'ouvrage aujourd'hui, il vaut mieux le faire de bonne heure parce que les réunions vont nous prendre presque toute la journée.

— Pourquoi ce serait si long que ça ?

— Attends de voir. Tu n'as jamais participé à un choix de tâches à Montaigne, toi ! Tu vas t'apercevoir que ce n'est jamais facile de satisfaire tout le monde.

— Oui, j'imagine. En passant, qu'est-ce que tu penses de la nomination de Gisèle ?

— Bof… C'était arrangé avec le gars des vues.

— Comment ça ?

— C'est évident que sa grande amie, la belle Hélène, lui a fait savoir bien avant hier qu'on avait enfin des éducateurs-conseillers et qu'elle était taillée pour le poste. Je pourrais te gager un dix que ta chef de groupe bien-aimée avait déjà informé Rivest et d'autres qu'elle aimerait obtenir le poste et qu'elle comptait sur leur appui. Elle ne laisse rien au hasard, la Tremblay. Elle sait se placer les pieds et flatter dans le sens du poil ceux qui peuvent lui être utiles.

Gilles ne jugea pas à propos de poursuivre la conversation et en resta là.

Quelques minutes plus tard, Gaétane Rioux arriva dans la salle en compagnie de Joseph Comtois, Claude Loiselle et Louise Kelly. Lorsque Gaétane Rioux vint s'asseoir à ses côtés après être allée chercher une tasse de café dans la pièce voisine, Gilles ne put s'empêcher de l'interroger.

— Dis donc, Gaétane, est-ce que Gisèle t'avait mentionné avant hier après-midi qu'elle aimerait être éducatrice-conseillère ?

Sa consœur eut un instant d'hésitation avant de lui avouer :

— Elle m'en a vaguement parlé la semaine passée, mais rien n'était encore sûr. Pourquoi veux-tu savoir ça ?

— Pour rien. Par simple curiosité, esquiva Gilles, en train de mettre de l'ordre dans les travaux qu'il entendait corriger au fil des réunions de la journée, s'il en avait le temps.

Pendant que ses mains triaient les feuilles, l'enseignant réfléchissait. Il se sentait à vrai dire un peu mortifié. Apparemment, Gisèle Tremblay ne le considérait pas comme étant assez digne de confiance pour lui avoir parlé du poste d'éducateur-conseiller qu'elle convoitait. Elle ne lui avait pas demandé son soutien. De là à le considérer comme un adversaire, il n'y avait qu'un pas. Si elle se méfiait de lui, cela laissait présager des relations difficiles l'année suivante quand elle occuperait son nouveau poste.

Tandis qu'il pensait à toutes les conséquences déplaisantes que cela risquait d'entraîner, les enseignants de secondaire 3 intégraient, les uns après les autres, la salle des professeurs. Ceux qui n'avaient pas de bureau dans la salle – les professeurs d'éducation physique, de musique et d'arts et communications, par exemple – se contentaient de traverser la pièce pour aller s'approvisionner en café dans la salle voisine.

On sentait chez les enseignants une fébrilité et une nervosité peu coutumière. Seuls les plus anciens échappaient à la tension ambiante. Quelques minutes plus tard, on connaîtrait le nombre d'inscriptions d'élèves prévues à Montaigne pour le mois de septembre suivant et, par conséquent, le nombre de professeurs dans chacune des matières dont les services seraient requis. Évidemment, les plus jeunes allaient être les premiers à faire les frais d'une éventuelle baisse de la population étudiante. Le spectre des suppressions de postes planait, comme chaque année. Si les moins anciens ne parvenaient pas à protéger leur emploi, ils allaient être soumis au ballottage et ne connaître qu'au milieu du mois de juin à quel niveau et dans quelle école ils allaient travailler l'année suivante.

Gilles avait encore en tête toute la gamme de sentiments par laquelle il était passé en début d'année quand il avait vécu l'expérience. Les plus malchanceux allaient probablement se retrouver en disponibilité, obligés de faire de la suppléance pour conserver leur emploi à la commission scolaire.

La cloche mit fin à la réflexion de Gilles. La voix de Raymond Garand résonna ensuite dans l'interphone, invitant les enseignants à se réunir dans les locaux qui leur avaient été assignés sur la feuille de convocation.

Gaétane Rioux et Gilles sortirent de la salle des professeurs quelques instants après Jérôme Rivest. La femme mit la main sur le bras de son confrère en désignant Rivest d'un signe de tête.

—Je suppose que tu sais que Gisèle a parlé à la plupart des profs de français pour qu'il la remplace comme chef de groupe.

Gilles se retint à temps de lui dire que Rivest serait sûrement son dernier choix tant il ne tolérait pas sa façon d'agir en solitaire.

— Première nouvelle, nota-t-il d'une voix neutre. Non, elle n'est pas venue me voir.

— Tu dois bien deviner pour quelle raison?

— Non, avoua-t-il, intrigué.

— Je suis certaine qu'elle pense que le poste t'intéresse. Elle sait que tu étais chef de groupe de français à René-Goupil.

— Es-tu folle ? J'étais chef de groupe dans une petite école, pas dans une polyvalente. Je ne connais presque personne à Montaigne. J'ai bien assez d'essayer de contrôler mes groupes sans m'embarquer là-dedans, se défendit Gilles.

— De toute façon, tu peux être certain qu'il y a deux ou trois profs de 4 et de 5 qui veulent le poste. On va le savoir dans quelques minutes, prédit Gaétane Rioux avec assurance en entrant dans le local 216 où la plupart des professeurs de français de la polyvalente étaient déjà installés.

Gilles trouva une place libre au centre de la pièce et s'assit pour découvrir ce que Gisèle Tremblay était en train d'écrire au tableau vert. Très concentrée, la chef de groupe transcrivait ce qui était noté sur une feuille qu'elle tenait dans sa main gauche. Le premier tiers du tableau était déjà couvert par les noms des seize professeurs de français de Montaigne. De toute évidence, ceux-ci avaient été numérotés selon l'ancienneté des enseignants. À côté, Gisèle Tremblay avait inscrit ce qu'elle appelait les « boîtes », c'est-à-dire les tâches. Il en existait dix-sept. À côté de chacune, elle prenait soin de tracer une ligne sur laquelle le nom de l'heureux élu apparaîtrait bientôt.

Lorsqu'elle eut terminé son travail, elle déposa délicatement la craie qu'elle avait utilisée et fit face à ses collègues qui se turent instantanément.

— Avant de passer au choix des tâches pour l'an prochain, annonça-t-elle, la tradition veut qu'on élise d'abord le chef de groupe. Il ou elle pourra ensuite prendre ma place et diriger le reste de la réunion. Comme je serai éducatrice-conseillère l'année prochaine, je n'ai pas à voter ni à choisir un poste. Je partirai donc tout de suite après l'élection.

Personne n'émit d'objection.

— Y a-t-il quelqu'un parmi vous qui veut proposer un nom ?

— Oui, moi, se manifesta Odette Lachance, une enseignante de secondaire 2. J'aimerais proposer Jérôme.

— Tiens, la grande amie de Gisèle vient de parler, chuchota Gaétane Rioux à l'oreille de Gilles. Elle a dû lui faire la leçon ce matin.

— Une autre candidature ?

— Je propose Raymond Crevier, annonça Pierre Tourangeau, un enseignant de secondaire 4 aux cheveux frisottés.

Gisèle Tremblay nota les deux noms au tableau avant de demander :

— Un autre nom ?

Plusieurs enseignants se dévisagèrent pour voir si quelqu'un manifestait de l'intérêt pour le poste.

— Bon, s'il n'y a personne d'autre, je vous propose de passer au vote immédiatement, émit la chef de groupe en s'emparant d'une liasse de papiers vierges posés sur le bureau devant elle.

Gilles décida de voter pour Raymond Crevier. Il ne le connaissait pas bien, mais il avait apprécié ses interventions et sa façon énergique de s'opposer à la conseillère pédagogique lors de l'unique rencontre de l'année avec cette dernière. Il préférait cela aux manières doucereuses de Jérôme Rivest. Avec un peu de chance, Crevier indisposerait assez Pierrette Maisonneuve pour qu'elle limite au maximum ses visites à Montaigne l'année suivante.

Quelques minutes plus tard, le dépouillement du scrutin le réjouit: Raymond Crevier obtint treize des dix-sept voix. Rivest applaudit la nomination du nouveau chef de groupe, même si son visage trahissait sa déception.

Gisèle Tremblay félicita du bout des lèvres le candidat élu à qui elle tendit cérémonieusement la clé de l'armoire du matériel de français. Elle quitta ensuite la salle, aussitôt remplacée par Crevier. Ce dernier ne perdit pas de temps à prononcer un long discours.

— Je vous remercie de votre confiance, se borna-t-il à déclarer. Si vous n'êtes pas satisfait de moi, je suppose que vous allez me le faire savoir et m'envoyer promener, poursuivit-il, un sourire aux lèvres.

— T'as tout compris ! approuva Gaétane Rioux en riant.

— Bon, maintenant que c'est clair, passons à ce qui nous intéresse vraiment : notre charge de travail en septembre prochain. Vous savez que nous aurons une tâche de plus à pourvoir, celle de Gisèle.

Une rumeur parcourut la salle.

— En plus, il ne faut pas oublier que pas mal d'inscriptions peuvent s'ajouter durant l'été et qu'il est toujours possible que de nouveaux groupes soient formés, indiqua Crevier, optimiste.

— En septembre dernier, rappela Jérôme Rivest, l'air sombre, on a plutôt un groupe de moins que ce qui avait été annoncé en secondaire 3...

— On verra bien, le coupa Crevier. Bon, Gisèle a inscrit au tableau votre nom selon votre ancienneté et les dix-sept tâches prévues en français. Je vous rappelle que les boîtes ne peuvent être décomposées. On prend la tâche telle qu'elle est ou on la laisse à un autre.

Le cœur de Gilles se mit soudainement à battre plus vite. Il venait de se rendre compte que son nom était placé avant celui de Jérôme Rivest, au dixième rang, juste après celui de Gaétane Rioux. S'il n'y avait pas eu erreur de la part de Gisèle Tremblay, cela signifiait qu'il avait plus d'ancienneté que son confrère et qu'il pourrait choisir avant lui. C'était presque trop beau pour être vrai. Il se pencha vers Gaétane Rioux en train de prendre des notes sur une feuille.

— Gaétane, est-ce qu'il y a une erreur? Comment se fait-il que Rivest soit aussi loin sur la liste d'ancienneté?

— Tu oublies qu'il a travaillé sept ans au ministère. Ces années-là ne comptent pas.

Une bouffée d'espoir submergea Gilles devant cette explication. S'il ne se trompait pas, sa consœur allait probablement choisir quatre groupes d'élèves forts de secondaire 3, lui laissant ainsi les coudées franches pour s'emparer de la tâche 10, c'est-à-dire trois groupes moyens et un groupe faible. Rivest allait devoir se contenter de l'une des deux tâches restantes constituées chacune par un groupe moyen et trois groupes faibles. La quatrième tâche irait à un nouvel enseignant qui occuperait le poste laissé vacant par Gisèle Tremblay.

Raymond Crevier laissa quelques minutes aux enseignants pour se faire une idée de la charge de travail qu'ils aimeraient avoir l'année suivante avant de commencer par la professeure détenant le plus d'ancienneté, Monique Lévesque. Cette dernière choisit quatre groupes d'élèves forts de secondaire 5.

— Tu vas voir que les groupes de 4 et de 5 vont être les premiers choisis, murmura Gaétane Rioux à Gilles. En haut, ils forment une petite *gang* de snobs qui se pensent sortis de la cuisse de Jupiter. Chaque année, ils s'arrangent pour rester toujours ensemble. Il n'y a que Crevier qui est parlable. Les autres nous regardent toujours un peu de haut.

Les minutes suivantes donnèrent raison à l'enseignante. Les huit professeurs détenteurs du plus grand nombre d'années d'expérience choisirent tous les groupes de quatrième et cinquième secondaire sans aucune hésitation. À ces deux niveaux, il ne restait plus qu'un groupe de Raymond Crevier qui demeurait libre quand vint le tour de Gaétane Rioux de parler.

— Je prends la tâche numéro 13, dit-elle à Crevier.

Toutes les têtes se tournèrent d'un seul mouvement vers elle. On semblait surpris par son choix.

— La tâche numéro 13 ? Tu vas avoir quatre groupes de secondaire 2, Gaétane, lui fit remarquer le nouveau chef de groupe.

— Je sais, Raymond. C'est celle-là que je prends.

Crevier inscrivit le nom de Gaétane Rioux à côté de la tâche choisie et il passa au suivant: Gilles Provost.

Ce dernier mit un moment avant de se rendre compte de la chance inespérée qui se présentait à lui. Durant les dernières minutes, il s'était secrètement réjoui à l'idée d'avoir des classes moyennes en septembre puisqu'il avait la chance de choisir avant Rivest et que Gisèle Tremblay n'était plus là. Il avait imaginé que Gaétane Rioux s'empresserait de prendre les quatre groupes forts de secondaire 3, lui laissant la voie libre pour les groupes moyens. Là, avec le départ de sa collègue en secondaire 2, c'était la porte ouverte vers les groupes forts, la crème du niveau.

— Je choisis la tâche 9, annonça Gilles en jetant un rapide coup d'œil à Jérôme Rivest dont les traits venaient subitement de s'affaisser.

Crevier se tournait vers le tableau pour inscrire le nom de Gilles vis-à-vis de la tâche 9 quand la voix de Rivest s'éleva.

— Un instant, Raymond, intervint-il avec son air supérieur habituel. Je pense qu'on doit tenir compte aussi de la stabilité au poste, si je me fie à la convention collective.

— Comment ça, Jérôme ?

— Je me dis que la simple justice veut que l'enseignant qui a le plus d'expérience à un niveau puisse choisir en premier.

— À moins de me tromper, la stabilité au poste n'entre en ligne de compte que si deux enseignants ayant la même expérience convoitent le même poste. Ce n'est pas le cas ici. D'après mes informations, Gilles a trois ans d'expérience de plus que toi. Il passe donc avant toi.

— Je vais m'informer auprès du syndicat après la réunion, signala Rivest, sèchement.

Crevier regarda Gilles, comme s'il s'attendait à ce qu'il laisse à son confrère le poste qu'il venait de choisir.

— Je voudrais faire remarquer, exposa Gilles sans s'adresser à quelqu'un en particulier, que lorsque je suis arrivé à Montaigne en septembre, j'ai pris le poste dont personne ne voulait. On s'est dépêchés de me donner quatre groupes faibles, sans tenir compte de mon ancienneté. Personne n'a proposé d'alléger ma tâche, même si c'était ma première année en secondaire 3. Je n'ai donc aucun remords à prendre les groupes forts l'an prochain.

Cette remarque jeta un froid dans l'assemblée. La réunion se poursuivit encore près d'une demi-heure avant que tous les enseignants aient choisi leur tâche. Jérôme Rivest opta finalement pour la tâche 10, trois groupes moyens et un groupe faible. C'était la charge de travail la moins difficile parmi celles qui restaient. Paule Durand, une jeune enseignante de secondaire 2, délogée de son niveau par Gaétane Rioux, dut se contenter d'un groupe moyen et de trois groupes faibles de secondaire 3. Il resterait un poste identique au sien à combler.

— On pourrait au moins uniformiser les tâches, suggéra Rivest lorsque tous les enseignants eurent choisi leur poste.

— Qu'est-ce que tu veux dire par là ? voulut savoir le chef de groupe.

— Je trouve illogique de mêler dans une tâche des groupes moyens et des groupes faibles. Pourquoi ne pas mettre que des groupes moyens dans la tâche 10 et les groupes faibles dans la 12 ?

— Parce que, comme je l'ai déjà dit, la direction n'acceptera pas d'ouvrir les "boîtes". En plus, Jérôme, il me semble qu'assommer quelqu'un avec quatre groupes faibles, ce n'est pas tellement humain, non ?

— Ça ne touche pas au poste de Paule Durand, plaida Rivest.

— Peut-être pas, sauf que quelqu'un va venir prendre la tâche libre, et celui-là aurait quatre groupes faibles.

Des murmures désapprobateurs s'élevèrent dans la salle, si bien que Rivest n'osa pas insister plus longtemps.

À onze heures trente, Raymond Garand rappela à l'interphone aux chefs de groupe de laisser la répartition des postes à sa secrétaire dès la fin de leur réunion.

Crevier rassembla les documents épars sur son bureau avant d'inviter les enseignants à aller dîner. Il leur demanda de préparer un inventaire de tous les volumes contenus dans l'armoire de leur classe ainsi que leur commande de matériel pédagogique. Il passerait voir chacun dans sa salle de cours au milieu de l'après-midi.

Le visage fermé, Rivest fut le premier à quitter la réunion sans saluer personne. En sortant de la pièce, Gilles le vit entrer dans le secrétariat où Hélène Vallée et Claudette Labonté étaient en grande conversation.

— Comme ça, tu changes de niveau, dit Gilles à Gaétane Rioux qui marchait à ses côtés dans le couloir.

— Oui. J'ai eu trop de misère cette année avec mes groupes. Même si ça fait six ans que j'enseigne en 3, je ne m'habitue pas. Les élèves sont de plus en plus difficiles chaque année. Ce n'est pas pour rien que personne ne veut enseigner à ce niveau-là. J'en ai parlé à mon mari qui enseigne en 2 depuis quinze ans et, selon lui, c'est bien plus facile. Je vais essayer en septembre.

— T'as vu l'air de Rivest quand j'ai choisi les groupes forts ? laissa tomber Gilles.

— Pauvre Jérôme, c'est pas sa journée ! Non seulement il ne sera pas le chef de groupe de français, mais en plus, il va être pris avec des groupes difficiles l'année prochaine.

— Pas si difficiles que ça, quand même, protesta Gilles. Il a trois groupes moyens et un seul groupe faible. Il aurait pu avoir pire.

Gilles décida de se débarrasser de son inventaire avant le dîner. Il lui fallut moins d'une demi-heure pour dresser la liste des manuels et des dictionnaires contenus dans l'armoire du local 208. Il avait encore vingt *Narration* de Geslin, quinze dictionnaires *Larousse* de 1970 et dix vieux *Bescherelle*. Disposer d'aussi peu de volumes pour des groupes de plus de trente adolescents avait passablement compliqué son travail tout au long de l'année. De plus, les ouvrages étaient tous en très mauvais état et auraient eu besoin d'être restaurés depuis longtemps.

Lorsqu'il revint dans la salle des professeurs, Gilles n'y rencontra que Claude Loiselle, qui finissait son repas, assis à son bureau. Tout heureux d'avoir de la compagnie, le professeur d'anglais voulut savoir s'il avait déjà mangé.

— Non. Je viens de terminer mon inventaire. Où sont passés tous les autres ?

— La plupart sont partis dîner à la brasserie. Je suppose que les autres sont en bas, dans la salle à manger des profs, répondit Loiselle.

Gilles ne demanda pas à son confrère pourquoi il ne s'était pas joint à l'un des groupes. Il savait depuis longtemps qu'on évitait sa compagnie parce que ses sarcasmes incessants avaient le don d'exaspérer tout le monde. En le tenant à l'écart, on lui faisait payer sa façon mesquine de rapporter des ragots sur les gens qu'il côtoyait. En somme, si on le tolérait, cela ne dépassait guère les limites de la salle des professeurs.

— As-tu entendu parler de l'élection du chef de groupe en mathématiques ? le questionna Loiselle.

— Non.

— Il paraît que ça a brassé pas mal. J'ai l'impression que Rousseau n'est pas près de pardonner à Denis ce qu'il lui a fait.

— Qu'est-ce que Casavant a fait ?

— Il s'est présenté contre lui pour avoir le poste.

— Et puis ?

— Il l'a eu. Quand Rousseau est entré dans la salle des profs après l'élection, il avait l'air d'avoir envie de manger ses bas.

— Voyons, c'est pas si grave que ça !

— Si Jean-Paul n'avait pas pris ça tant à cœur, tu peux être certain qu'il serait ici en train de jouer aux cartes avec Denis, Coulombe et Tondreau. Il était si enragé qu'il a sacré son camp chez lui aussitôt après la répartition des tâches.

— Il va finir par se calmer, prédit Gilles en sortant d'un sac de papier brun les sandwichs préparés par Mylène.

— Vous autres, en français, il paraît que ça n'a pas été facile non plus ?

— Qu'est-ce qui te fait croire ça ?

— J'ai entendu Rivest se lamenter auprès de Gisèle Tremblay tout à l'heure. Il paraît que tu lui as volé son poste ? lui relata-t-il, dévoré par la curiosité.

— Voyons, Claude, tu sais bien que c'est impossible ! J'ai seulement pris la tâche à laquelle mon ancienneté me donnait le droit.

— En tout cas, Jérôme a l'air de l'avoir mal pris.

— Je ne peux rien y faire, laissa tomber Gilles.

La discussion était close.

Après le repas, Gilles alla s'installer dans sa classe. Une fois qu'il eut dressé la liste du matériel qu'il désirait obtenir pour la rentrée scolaire, il prépara ses cours de la semaine suivante en attendant la visite de Raymond Crevier. Lorsque ce dernier passa vers trois heures, il lui remit sa liste et lui montra le contenu de son armoire en déplorant l'état du matériel.

— D'après Garand, cette année, ce ne sera pas encore le tour du français, annonça le nouveau chef de groupe. Il m'a dit que c'est celui des arts et communications d'avoir droit à un gros budget. Il faut les équiper avec des caméras et installer un studio ainsi qu'une chambre noire.

— Vendette et Lépine sont chanceux.

— Tu peux le dire.

Ces deux enseignants, qu'on ne voyait que lors des réunions, boudaient ostensiblement la salle des professeurs. On les connaissait peu et ils ne cherchaient pas à fraterniser avec leurs collègues. Ils avaient installé leur bureau dans une petite pièce tranquille, au bout du couloir, à proximité de leurs salles de classe. Les enseignants des autres matières ne les appréciaient pas particulièrement, surtout parce qu'ils avaient une nette tendance à « déstructurer » leurs cours pour toutes sortes de raisons. Il n'y avait vraiment qu'à Montaigne qu'on pouvait tolérer qu'un professeur ne garde en classe que trois ou quatre de ses trente-quatre élèves pour leur enseigner une notion après avoir envoyé les autres adolescents se perdre dans la nature.

— À quand notre tour ? l'interrogea Gilles.

— Il paraît que l'an prochain, on va avoir droit au magot pour l'achat de dictionnaires et peut-être d'autres livres.

Avant de quitter la pièce, Crevier rassura son confrère :

— Tu peux être certain qu'en septembre, tu vas avoir trente-quatre dictionnaires et trente-quatre *Geslin*. Ça, je peux te le garantir. Je ne sais pas encore comment je vais m'y prendre, mais Henri-Paul Dubois est mieux de débloquer le budget nécessaire pour acheter au moins les livres qui nous manquent et remettre en état ceux qui sont trop abîmés.

À trois heures trente, Gilles décida que sa semaine était terminée. Tout son travail était achevé, et ses cours planifiés pour la semaine suivante. Il allait s'engager dans l'escalier pour descendre au rez-de-chaussée quand Hélène Vallée le héla depuis le bureau de sa secrétaire.

— Gilles ! Un instant, s'il te plaît.

« Qu'est-ce qu'elle me veut ? » se demanda l'enseignant, agacé d'être retardé un vendredi après-midi.

— Monsieur Garand voudrait te voir une minute avant ton départ, le prévint-elle. Je t'ai cherché cet après-midi, mais je ne t'ai vu nulle part, ajouta-t-elle sur un ton de reproche.

— J'ai passé mon après-midi dans ma classe à travailler, la rabroua Gilles, irrité par la remarque.

— Le directeur devrait être dans son bureau, indiqua-t-elle, comme si elle n'avait pas entendu son explication.

— Merci.

L'enseignant descendit les marches en grommelant et s'arrêta au secrétariat général, devant le bureau de Michelle Larose.

— Bonjour, madame. Il paraît que monsieur Garand veut me voir, mentionna-t-il à la femme au long visage mince.

— Ce ne sera pas long, assura-t-elle en saisissant son téléphone pour demander à son supérieur s'il désirait toujours le recevoir.

Puis, en lui désignant la porte du bureau à sa droite, elle invita Gilles à entrer. Pour la première fois de l'année, il pénétrait dans le bureau du directeur de Montaigne.

La pièce de taille moyenne était meublée d'un vaste bureau en teck et d'une petite table entourée d'une demi-douzaine de chaises. Des rideaux beiges assez poussiéreux habillaient l'unique fenêtre et empêchaient le soleil d'envahir les lieux.

Raymond Garand leva la tête des documents qu'il était en train de consulter.

— Assieds-toi, Gilles, le salua-t-il avec bonne humeur. Je vais essayer de ne pas te retarder trop longtemps.

L'enseignant prit place dans l'un des deux fauteuils disposés devant le bureau du directeur.

— On n'a pas eu l'occasion de se rencontrer très souvent cette année, commença Garand en reculant un peu son fauteuil. Je sais que tu as fait du très bon travail avec tes groupes faibles. Gisèle Tremblay, comme Hélène Vallée, n'arrête pas de dire à quel point tu es exigeant et efficace avec tes élèves. Les étudiants faibles de secondaire 3 n'ont jamais eu d'aussi bons résultats. On voit que tu as le tour avec eux.

Devant ces compliments, une sonnette d'alarme résonna dans la tête de Gilles. Si on lui passait de la pommade, c'était pour lui demander quelque chose. Il décida de laisser venir et d'attendre les explications.

— Merci, je fais de mon mieux, se contenta-t-il de répondre, un peu mal à l'aise devant ces éloges.

— Tu as l'air de te plaire à Montaigne, enchaîna Garand. Ce n'est pas le cas de ton confrère Rivest.

« Bon, nous y voilà ! » songea Gilles.

— Je ne sais pas si tu connais bien Jérôme, continua le directeur, mais c'est un homme extrêmement sensible, dont la santé est assez fragile. Ses nerfs ne sont pas très solides. C'est quand même un excellent professeur qui ne compte pas ses heures et qui a à cœur la réussite de ses élèves. En avoir d'autres comme toi et lui dans cette polyvalente aiderait sûrement à améliorer la réputation de Montaigne.

Le directeur attendait visiblement une réaction de son interlocuteur, mais elle ne vint pas.

— Je ne te cacherai pas qu'il est venu me voir en compagnie de votre directrice de niveau après la répartition des tâches. Ce pauvre Jérôme était complètement bouleversé. Il en tremblait. Il m'a dit qu'il était absolument incapable d'enseigner à des élèves faibles. En fait, je pense qu'il n'a pas la moindre idée de la façon de s'imposer à des groupes semblables. Il prétend qu'il n'aura jamais la patience de leur enseigner.

— Je comprends. Je suis bien placé pour le savoir.

— Il dit qu'il n'est vraiment efficace qu'avec des élèves forts.

— Comme n'importe quel professeur, laissa tomber Gilles. La vie est bien plus facile et agréable quand on a affaire aux élèves les plus doués, non ?

— C'est certain, c'est certain… Bon, je ne tournerai pas plus longtemps autour du pot, annonça le directeur en consultant sa montre. Rivest voudrait que tu acceptes de changer volontairement de tâche avec lui l'an prochain.

— Seulement ça ! ne put s'empêcher de s'exclamer l'enseignant.

— Selon lui, toi, tu es capable de venir à bout des groupes faibles, et les groupes moyens de sa tâche ne te poseraient aucun problème.

— Si ça ne vous fait rien, monsieur Garand, on va régler le problème une fois pour toutes. À midi, Rivest a laissé savoir qu'il appellerait le syndicat pour s'informer au sujet de la stabilité au poste. Je suppose que, s'il est venu vous voir, c'est que le syndicat lui a dit qu'il avait tort. Est-ce que je me trompe ?

Le directeur prit un instant avant de répondre. De toute évidence, il ne s'attendait pas à une telle résistance.

— Non, tu as raison. C'est l'ancienneté qui prévaut. Seulement ça, ce sont les règles. On peut toujours se montrer humain.

— C'est ce que j'aurais souhaité quand je suis arrivé ici en septembre et que j'ai vu que Rivest avait pris les quatre groupes forts en me laissant les pires. À aucun moment, il n'a proposé de m'aider pour le matériel ou la préparation des cours. Il avait les plus beaux groupes, l'unique salle de cours de français avec une fenêtre et les manuels en meilleur état.

— Mais…

— Je pense que c'est à mon tour d'avoir les beaux groupes et vous pouvez être certain que je ne les lui laisserai pas. Il lui restera son local avec une fenêtre et les manuels pour se consoler. La justice ne va pas toujours dans le même sens. Et puis, entre nous, il aurait pu essayer de venir m'en parler avant de vous demander d'intervenir.

— Bon, si c'est comme ça... Je ne peux pas te forcer à changer de tâche, regretta Garand en se levant pour lui signifier que l'entrevue était terminée.

Embarrassé, Gilles le remercia de l'avoir reçu et quitta le bureau.

Quand il monta à bord de sa Chevrolet, il ne restait plus qu'une demi-douzaine de voitures dans l'immense stationnement de la polyvalente. Il demeura longtemps assis au volant, incapable de se décider à mettre le moteur en marche.

Il était passablement secoué par la rencontre qu'il venait d'avoir avec son directeur. Il était furieux contre Rivest qui avait fait des pieds et des mains pour le forcer à renoncer à un poste auquel son ancienneté lui donnait droit. Ce qui l'agaçait le plus dans tout ça était le fait que la directrice de niveau avait pris fait et cause pour Rivest en intercédant en sa faveur auprès de Garand. Il se serait attendu à cette prise de position de la part de Gisèle Tremblay, une amie de l'enseignant; mais de la part d'Hélène Vallée, il avait du mal à l'accepter.

En démarrant, Gilles regretta de ne pas avoir de vrais amis à Montaigne parmi les autres professeurs qu'il côtoyait maintenant depuis presque un an. Il aurait aimé pouvoir se confier plus souvent, partager ce qu'il éprouvait avec ses collègues et trouver un peu de réconfort lors des moments difficiles.

Il se rendait compte que si le métier était le même dans toutes les écoles, quelle que soit leur taille, tout ce qui concernait la vie d'enseignant en dehors des cours était fort différent dans une polyvalente. Il retirait néanmoins une certaine fierté de son année passée à Montaigne et des réels progrès de ses élèves, auxquels il s'était attaché plus qu'il ne l'aurait cru.

17
L'heure des bilans

Pendant toute la fin de semaine, Gilles se sentit tiraillé entre l'impression d'avoir déplu à la direction de Montaigne et le plaisir d'avoir obtenu une tâche plus facile pour l'année suivante. Son état se comparait à celui qui avait été le sien juste avant qu'il commence à la polyvalente, en septembre 1978. Mylène et les enfants, comme au début de l'année, firent les frais de son humeur massacrante. Cependant, à présent qu'il était bien en selle sur le plan professionnel, la femme de Gilles se montra moins compatissante et ne se priva pas de lui dire ce qu'elle pensait vraiment.

Elle le connaissait bien et se doutait qu'il était un peu responsable de son isolement à l'école. Il n'avait pas suffisamment cherché à établir de bonnes relations avec ses nouveaux collègues et devait désormais consacrer plus de temps à son intégration, s'il voulait trouver l'épanouissement qu'il souhaitait. Elle ne manqua pas d'ajouter que ce n'était pas à sa famille de subir les conséquences des frustrations accumulées au fil de la semaine. Son conjoint réagit comme à son habitude:

il se renfrogna et ne participa pas aux activités familiales de la fin de semaine.

Le lundi matin, Gilles, qui avait longuement réfléchi à sa situation à la polyvalente, ne remarqua ni le soleil éclatant ni l'odeur des lilas qui embaumait l'air près de sa maison. Il fut le premier à pénétrer dans la salle des professeurs.

Quelques minutes plus tard, la chance lui sourit : Sylvain Brisset arriva à son tour. Le professeur de religion n'était pas à proprement parler un ami, quoique leurs relations fussent très chaleureuses. Après l'avoir salué, Gilles prit la décision de lui raconter son entrevue avec Raymond Garand, le vendredi après-midi précédent.

— Ah, ben, j'ai mon voyage ! s'indigna Brisset. Es-tu sérieux ? Rivest a du front tout le tour de la tête d'aller pleurer sur l'épaule du directeur pour garder les groupes forts !

— Peut-être, mais moi, je me sentais mal de dire non à Garand, avoua Gilles.

— Tu n'as pas à lui faire de cadeau, décréta Brisset avec force. La convention collective n'est pas faite pour les chiens ! Tu es plus ancien que Rivest, tu as le droit de choisir la tâche que tu veux avant lui ; un point, c'est tout.

— Oui, mais je me suis mis quatre personnes à dos d'un seul coup, expliqua Gilles. Garand, Vallée, Tremblay et Rivest vont m'en vouloir à mort d'avoir refusé.

— Ne t'énerve pas avec ça. Garand ne t'en voudra pas longtemps : il s'en va. Pour ce qui est d'Hélène, ça n'a aucune importance. Elle ne peut rien contre toi si tu fais bien ton travail. D'ailleurs, elle n'avait même pas à se mêler de ça ; ça ne la regarde pas. Pour Gisèle, c'est encore moins grave. Elle va avoir tout intérêt à bien s'entendre avec toi, comme avec tous les profs du niveau, si elle veut rester longtemps éducatrice-conseillère. Rivest ? On n'en parle même pas. Il n'a que ce qu'il mérite.

— Il va y avoir un drôle de climat dans la salle des profs… Rousseau en veut à Casavant parce qu'il a eu le poste de chef de groupe. Jérôme et Gisèle ne me parleront certainement plus.

— À ça, tu peux ajouter que Tondreau a une dent contre Jacqueline Saint-Onge, révéla Brisset. Il paraît que la semaine passée, elle a encouragé des élèves à aller se plaindre à la direction parce qu'ils racontaient que leur prof de maths sentait l'alcool à plein nez.

Il y eut un bref silence.

— En plus, n'oublie pas Georges qui ne peut pas voir Loiselle en peinture, reprit Brisset. Tu sais, ce n'est pas dramatique. Les vacances vont arranger pas mal de choses. Je suis certain qu'au mois de septembre, tout le monde va avoir eu le temps de se reposer, de se calmer, et tout va nous paraître beaucoup moins grave qu'aujourd'hui.

— Je l'espère, sinon ça va être invivable, conclut Gilles au moment où Gaétane Rioux franchissait la porte de la salle en compagnie de Mary Bello et d'Étienne Marquis, les professeurs d'anglais.

Il ne restait que deux semaines et demie avant les vacances et Gilles avait découvert depuis le début du mois de mai un phénomène qu'il n'avait jamais connu auparavant: plus les examens de fin d'année approchaient, moins les élèves se présentaient en classe.

Les locaux étaient à moitié vides alors qu'il voyait régulièrement des jeunes étendus sur les pelouses ou en train de s'amuser dehors lorsqu'ils auraient dû assister à leurs cours. Ça l'exaspérait, lui qui déployait des efforts inouïs pour qu'ils réussissent leur année, d'en voir certains profiter de vacances prématurées.

Quand Gilles en parlait dans la salle des professeurs, beaucoup de ses collègues donnaient l'impression de trouver la situation normale. À deux reprises, il était même allé voir Hélène Vallée pour solliciter son intervention sans que ses visites soient suivies d'une quelconque amélioration.

Il se risqua même à s'en plaindre à Mylène, un soir, mais le regard que sa femme lui lança le convainquit rapidement qu'il avait intérêt à laisser ses problèmes de l'école à Montaigne.

Au début de la troisième semaine du mois, Gilles crut savoir comment retenir en classe la majorité de ses élèves. Il se lança alors à corps perdu dans la préparation et l'impression de quinze longs travaux de révision.

Le mercredi matin suivant, il adressa aux adolescents un message sans équivoque en leur montrant une table surchargée de feuilles fraîchement imprimées, placée devant le tableau vert.

— Demain matin, nous commençons la grande révision de l'année. J'ai ici des travaux qui vont représenter 50 % de la note de votre dernier bulletin. Grâce à eux, vous pouvez encore sauver votre année et, surtout, produire un bon examen de français à la mi-juin. Ces quinze travaux-là, c'est un contrat de révision.

— Un contrat de révision ? C'est quoi ça ? l'interpella Mélanie Perron, une élève du groupe 11.

— Laisse-moi finir, tu vas comprendre, répondit-il. Tous ces travaux doivent être exécutés. Ils seront corrigés au fur et à mesure que vous les ferez. En d'autres mots, vous allez travailler très fort, et je vais en faire autant. Vous n'aurez droit à une note que si vous les remettez tous, sans exception. S'il vous en manque un seul – je dis bien *un seul* – parce que vous vous êtes absentés sans motivation sérieuse, vous aurez zéro, même si vous avez bien fait les quatorze autres travaux.

— C'est pas juste ! se plaignit un élève.

— Peut-être, rétorqua-t-il, mais c'est le contrat. Tu fais tout ou tu ne fais rien.

Des protestations s'élevèrent, mais Gilles réussit assez vite à obtenir de nouveau le silence.

— La bonne nouvelle, c'est que ces travaux ne sont pas difficiles puisque vous aurez droit à toutes vos notes pour répondre aux questions, poursuivit-il. Sauf qu'ils sont longs et demandent pas mal de temps. C'est pourquoi je vous préviens : si vous avez l'intention de manquer un seul cours d'ici le 9 juin, je vous conseille d'arrêter aujourd'hui même de vous présenter en classe. Vous aurez zéro de toute façon. Dans ce cas-là, je vous souhaite tout de suite de bonnes vacances et on se reverra en septembre prochain quand vous reprendrez votre secondaire 3. Si vous avez des amis qui sont en train de se faire bronzer la bedaine sur le terrain de la polyvalente, passez-leur le message. S'ils ne sont pas ici demain matin, tant pis pour eux. Ici, il n'y aura que celles et ceux qui veulent réussir leur année.

On entendit des murmures dans la classe, que l'enseignant fit cesser en reprenant la parole.

— En passant, je vous conseille aussi d'être très ponctuels. Si à votre arrivée en classe, la porte du local est déjà fermée, ne frappez pas pour que je vienne vous ouvrir ; ça sera inutile. Vous serez alors considérés comme absents et en vacances.

Jusqu'au lendemain matin, Gilles pria pour que son coup de bluff fonctionne. Il savait très bien qu'il pourrait être critiqué par la direction si elle apprenait qu'il avait incité les élèves à abandonner leurs cours de français. Mais que faire d'autre ? Il avait au moins une certitude en prenant le chemin de sa classe, ce matin-là : les élèves qui seraient présents auraient la ferme intention de travailler dur jusqu'à leur dernier cours.

À la fin de la journée, l'enseignant avait retrouvé tout son entrain. Les adolescents avaient répondu massivement à son défi : il n'y avait que deux absents dans chacun des groupes et le « contrat de révision » fut amorcé avec enthousiasme.

Avant de rentrer chez lui, il fit un détour par le fleuriste. Quand il arriva, Mylène était en train d'arracher les mauvaises herbes sur le parterre, devant la maison. Il stationna sa voiture dans l'entrée de garage et alla à sa rencontre, le bouquet caché derrière son dos. Elle leva les yeux vers lui et essuya la sueur qui dégoulinait sur son front. Lorsqu'elle vit les fleurs, son visage s'éclaira d'un sourire radieux, réjouissant Gilles qui se promit de revoir plus souvent le visage de la femme qu'il aimait illuminé par la joie.

Tout au long des deux semaines suivantes, les cours de Gilles auraient pu servir de modèle tant il y régnait une activité fébrile. Le plus étonnant demeura la fréquentation des récupérations en français les après-midi des jours 4 et 8. Alors que la plupart des locaux de ses collègues étaient désertés par les élèves ces jours-là, le sien était pris d'assaut par tous les jeunes désireux de rattraper un retard dans la réalisation du contrat de révision.

Un après-midi, Hélène Vallée finit par être intriguée par tous ces élèves qui prenaient le chemin de la salle de cours de Gilles. Plantée au centre du secrétariat, elle tergiversa longtemps avant de se décider à aller voir sur place ce qui se tramait. Quand elle s'arrêta devant la porte ouverte du local 208, elle constata que les trente-cinq pupitres de la classe étaient occupés par des adolescents en train de travailler. Elle ne put s'empêcher de demander à l'enseignant la raison de l'assiduité de ces élèves.

— Sont-ils en retenue ?

— Non. Ils sont venus réviser. Ils manquaient de temps en classe.

— Il n'y a pas à dire, avec le beau temps qu'il fait, il faut qu'ils soient décidés, laissa-t-elle tomber, étonnée par le spectacle de toutes ces têtes penchées sur des questionnaires.

La directrice de niveau ne put que féliciter le professeur de français pour son travail, puis elle reprit le chemin de son bureau, à la fois surprise et satisfaite de Gilles et de ses élèves.

Quelques jours avant la période d'examens, chaque enseignant reçut un épais document lui indiquant ses surveillances. L'analyse de cet emploi du temps suscita quelques commentaires assez acerbes.

— Comment se fait-il que les profs d'éducation physique et d'arts plastiques aient le même nombre de surveillances que les autres ? s'indigna Gaétane Rioux sans s'adresser à quelqu'un en particulier. Ils devraient surveiller plus que nous ; ils n'ont pas d'examens à préparer et à corriger.

— Je suis bien d'accord, approuva Jérôme Rivest, sortant pour une rare fois du mutisme boudeur dans lequel il se cantonnait depuis le jour du choix des tâches. Remarque que je ne prêche pas pour ma paroisse ; je n'ai pas de surveillance à faire parce que j'ai fait partie du CPE toute l'année. Seulement, il me semble qu'un professeur de français devrait avoir moins de surveillances que les autres parce que ses corrections sont beaucoup plus longues…

— Woh, là, Jérôme ! l'interrompit Claude Loiselle. Tu sauras qu'on en donne aussi, des compositions, en anglais, et on ne demande pas un traitement de faveur pour ça, nous autres.

— Ce n'est pas la même chose, répliqua Rivest, sur un ton dédaigneux.

— Explique-moi donc la différence, le somma Louise Kelly.

Rivest ne sut que répondre et renonça à poursuivre la discussion.

— En tout cas, leur apprit Sylvain Brisset, tous ceux qui n'ont pas participé à un comité cette année ont sept heures de surveillance. J'ai vérifié.

— Ce qui m'enrage, avoua Gisèle Tremblay, c'est que ça fait trois ans qu'on demande à la direction de placer au moins l'examen de composition française au début de la session pour nous donner le temps de le corriger. Les notes doivent être remises le 21. Mais non ! Encore une fois, ils l'ont placé le 17. Trois jours pour tout corriger, ce n'est pas assez.

— Va te plaindre à Hélène, lui suggéra Loiselle avec une certaine malice. D'habitude, toi, elle t'écoute quand tu lui demandes quelque chose.

L'ancienne chef de groupe braqua un regard noir sur son collègue avant de se replonger dans la consultation des horaires d'examens.

Les cours ne devaient prendre fin officiellement que le 9 juin, à trois heures quarante. En réalité, ils se terminèrent la veille, parce que les élèves de chacun des groupes devaient, à tour de rôle, faire le ménage de leurs casiers. Les appelés faisaient un tel tapage dans les couloirs qu'il devint rapidement impossible de donner un cours. Les adolescents présents en classe n'aspiraient qu'à descendre à leur tour au rez-de-chaussée pour participer au grand ménage et étaient incapables de se concentrer sur un quelconque travail.

Quand Gilles accompagna son groupe 12 au rez-de-chaussée, il sursauta en découvrant l'état de la salle des casiers. Même si les concierges avaient pris soin de disposer de nombreux bacs à déchets près de chacune des sorties, la pièce ressemblait à un vaste dépotoir. Le sol était jonché de papiers, de bouteilles et d'autres débris. Beaucoup de jeunes se contentaient de jeter par terre le contenu de leur casier avant d'en refermer bruyamment la porte.

Finalement, de guerre lasse, un bon nombre d'enseignants laissèrent aller leurs élèves. En quelques minutes, des centaines d'adolescents euphoriques envahirent les corridors et les classes pour aller saluer une dernière fois – et, parfois, remercier – leurs professeurs. Pour eux, l'année scolaire était terminée. Il ne restait plus que les examens qui allaient débuter le lundi suivant. Durant près de deux heures, la polyvalente fut livrée aux élèves qui criaient, couraient et s'interpellaient. Une atmosphère de fête régnait. Lorsque sonna l'heure du dîner, les couloirs se vidèrent progressivement et la marée humaine reflua vers la cafétéria et l'agora.

La direction ne sut jamais si les événements qui se produisirent ce jour-là furent spontanés ou le fruit d'une préparation secrète. Mais tout laissa croire qu'il y avait eu préméditation, même si on ne put jamais arrêter les coupables.

À midi pile, comme répondant à un signal, des centaines d'adolescents se mirent à se poursuivre et à se bombarder avec toute la nourriture qui leur tombait sous la main. En quelques instants, l'enfer sembla se déchaîner. À l'intérieur et à l'extérieur de Montaigne, les élèves hurlaient en s'arrosant de boissons gazeuses, en s'aspergeant de ketchup et de moutarde, et en se lançant des sandwichs, des salades et des yogourts. Certains étaient repoussants tant leurs vêtements étaient maculés. En peu de temps, les sols et les murs de la polyvalente furent éclaboussés de nourriture.

Étienne Marquis, descendu se procurer un sandwich à la cafétéria, assista sans le vouloir au début de l'émeute. Le professeur d'anglais s'empressa de monter à l'étage pour prévenir ses collègues.

— De vrais débiles ! Tu risques de glisser et de te casser une jambe juste en montant l'escalier tellement c'est gluant partout.

— On ferait peut-être mieux de verrouiller la porte de notre salle des profs, suggéra Jacqueline Saint-Onge. Il ne manquerait plus que quelques imbéciles viennent nous lancer de la nourriture ici.

Germain Coulombe s'empressa de fermer la porte de la salle à double tour, et les enseignants de secondaire 3 se contentèrent d'attendre la suite des événements, aucun ne voulant être impliqué dans ce désordre insensé.

Pendant ce temps, au rez-de-chaussée, le combat faisait rage. Si les élèves plus âgés se défendaient contre les attaques des lanceurs de projectiles, les plus jeunes tentaient de fuir vers l'arrêt d'autobus. Cependant, la plupart des chauffeurs refusèrent de laisser monter des adolescents aussi sales.

Dépassés par les événements, les agents de sécurité ne savaient plus où donner de la tête. Ils faisaient pourtant de leur mieux pour repousser la horde déchaînée vers les sorties.

Avant que la direction se décide à intervenir en demandant aux enseignants de venir prêter main-forte aux gardiens, il ne restait pour ainsi dire plus personne à l'intérieur des murs de Montaigne. Le brouhaha, qui n'avait peut-être duré qu'une dizaine de minutes, laissa des dégâts importants.

La mine abattue, certains enseignants accompagnèrent les directeurs dans leur tournée.

— Tu parles d'une maudite bande de sauvages ! ne put s'empêcher de rugir Henri-Paul Dubois en constatant les dommages.

Raymond Garand et ses adjoints paraissaient fortement secoués.

— Une chance qu'ils ne sont pas montés aux étages ! fit observer une enseignante de secondaire 4.

— Il n'aurait plus manqué que ça ! grogna Dubois, les dents serrées. Je ne sais pas comment on va faire pour nettoyer tout ça pour demain, nota-t-il à l'intention de Garand, comme si les autres n'existaient plus.

— Appelle la commission scolaire et dis-leur que tu as besoin de concierges supplémentaires, décida le directeur. On se servira de la petite caisse pour les payer.

— Est-ce qu'on a attrapé des coupables ? s'informa Hélène Vallée en se tournant vers René Martel qui accompagnait le groupe.

— On en a attrapé trois, mais ils disent qu'ils n'ont fait que se défendre, lui rapporta le gardien, l'air peu convaincu. On les a envoyés au secrétariat général. Ils sont tellement sales qu'ils donnent mal au cœur.

— Bon, je vais les voir, annonça Garand, déterminé. On va les suspendre. Mais pour les examens, c'est une autre histoire.

— J'ai l'impression qu'on va devoir répondre à pas mal de parents qui vont appeler quand leurs enfants vont leur raconter cette histoire, déplora le directeur de secondaire 2.

— Ils vont sûrement se plaindre des vêtements sales de leurs enfants et dire qu'on n'est pas capables de contrôler nos élèves, présuma Hélène Vallée.

Le chef de l'établissement, après un bref silence, s'adressa à la douzaine d'enseignants présents ainsi qu'à ses adjoints :

— En tout cas, la leçon est claire. L'année prochaine, il faudra placer tous les professeurs en surveillance les derniers jours de classe.

— Qu'est-ce qu'on va faire pour les petites fêtes prévues demain à certains niveaux ? s'enquit le directeur de secondaire 4.

— Annulées, décréta abruptement Garand avant de quitter le groupe pour prendre la direction du secrétariat général.

— Bâtard ! s'écria Georges Martin. Je ne l'ai jamais vu aussi en maudit. Je n'aimerais pas être dans la peau des trois oiseaux qui l'attendent au secrétariat.

Inutile de dire qu'aucun élève ne se présenta en classe l'après-midi, que les enseignants occupèrent en grande partie à commenter les derniers événements.

Le vendredi matin, la polyvalente n'accueillit que des groupes épars d'adolescents, probablement venus constater l'ampleur des dégâts causés par la bataille de nourriture. Officiellement, les enseignants devaient être en classe ce jour-là pendant qu'un groupe de concierges de l'extérieur s'affairait à effacer les traces de la manifestation de la veille.

Le matin même, la directrice de secondaire 3 avait donné l'ordre aux professeurs de respecter leur emploi du temps habituel et d'être présents en classe pour répondre aux dernières questions des élèves en difficulté qui se présenteraient. En fait, très peu d'entre eux eurent à donner des explications. Ils se bornèrent à discuter à bâtons rompus avec les rares adolescents qui se rendirent à la polyvalente. Les plus curieux d'entre eux cherchèrent surtout à en apprendre plus sur ce qui s'était passé la veille. Mais, étrangement, personne n'avait l'air de savoir comment tout avait commencé.

Le ciel était gris et une lourde humidité rendait tout effort pénible en ce lundi matin. Les élèves entraient dans la polyvalente avec des mines de condamnés. René Martel, campé devant les portes d'entrée, scrutait les adolescents en affichant son air des mauvais jours. Il ne se donnait même pas la peine de répondre aux timides salutations de quelques jeunes. Comme les autres agents de sécurité, il avait reçu des directives très strictes de son supérieur, Henri-Paul Dubois. Il devait signaler tout ce qui lui semblerait louche.

Lorsque Gilles arriva à Montaigne, il constata que presque tous les dégâts causés par les élèves le jeudi précédent avaient été nettoyés. Par contre, l'air était irrespirable dans le vaste bâtiment de deux étages parce qu'on avait arrêté la climatisation le vendredi après-midi pour ne la remettre en marche que le matin même.

— On va être bien en classe ce matin, lança Gilles, sarcastique, à Sylvain Brisset en le rejoignant à la porte de la salle des professeurs.

— Ça ne durera peut-être pas longtemps, prédit ce dernier. On surveille l'examen de géographie de Georges, ce matin. Tu commences à le connaître. Même s'il a demandé quatre-vingt-dix minutes pour son examen, je suis prêt à te gager que la plupart des élèves vont avoir fini après trente minutes. À dix heures, nos classes vont être vides. Tu vas voir.

— C'est ça qui m'énerve. Il n'y a rien de plus pénible que d'avoir à surveiller un groupe dont les trois quarts des élèves ont fini leur examen en quelques minutes.

— Laisse-les partir, lui conseilla Brisset. Si Hélène Vallée te le reproche, tu n'auras qu'à dire que tous les élèves avaient fini bien avant le temps. Le professeur n'avait qu'à préparer un examen plus long.

— Tu peux être sûr que c'est ce que je vais faire. Déjà que je ne trouve pas drôle d'avoir à attendre le 17 pour pouvoir corriger mon examen de français ! Après aujourd'hui, il va me rester trois surveillances jusqu'à ce jour-là. Je vais trouver le temps long.

— Peut-être, mais tu es chanceux ; tu ne surveilles que des groupes de 3. Ça pourrait être pire.

— C'est-à-dire ?

— Tu pourrais avoir à surveiller des élèves de 2, de 4 ou de 5 que tu ne connais pas. Moi, en tout cas, c'est ce que je déteste le plus.

À la fin de la matinée, Claude Loiselle entra dans la salle des professeurs en affichant un air joyeux après avoir laissé à la secrétaire les copies de l'examen qu'il venait de surveiller.

— T'as bien l'air de bonne humeur, remarqua Louise Kelly.

Sylvain Brisset, Joseph Comtois, Jean-Paul Rousseau et Gilles levèrent la tête en même temps pour regarder le nouvel arrivé.

— Mets-en ! s'exclama-t-il. J'ai surveillé l'examen de mathématiques d'une classe de secondaire 4. Je n'ai jamais vu une pareille bande de tricheurs. J'en ai pris trois en flagrant délit. Vous vous souvenez du petit Dufour qui n'arrêtait pas de nous faire enrager l'année passée ? Lui, il avait écrit des formules sur ses poignets. Vous auriez dû voir la crise qu'il m'a faite quand je l'ai expulsé. Ensuite, j'en ai attrapé deux autres qui échangeaient des réponses sur des boulettes de papier qu'ils laissaient tomber exprès par terre et qu'ils poussaient avec leurs pieds vers l'autre. Eux aussi : dehors.

— Ça commence bien, se moqua Louise Kelly.

— Le plus drôle a été la figure de Cardin, le directeur de secondaire 4 et 5, quand je suis allé lui raconter ce qui s'était passé. On aurait dit qu'il m'en voulait presque de le déranger avec ça. Ça ne m'étonnerait pas qu'il n'impose aucune sanction. En tout cas, j'ai laissé un message à Paquet, le prof de maths de 4, pour l'avertir que trois de ses élèves avaient triché pendant son examen.

— Tu as bien fait, décréta Rousseau.

— Moi, si j'en prends un à copier, confia Brisset, je ne perds pas de temps à aller discuter avec la direction. J'expulse le coupable et son examen va directement à la poubelle. En passant au secrétariat, je laisse un rapport écrit. Point final. Toutes mes explications sont sur le rapport. Si jamais la belle Hélène me fait la moindre remarque là-dessus, vous pouvez être certains que je descendrai tout de suite rencontrer son patron pour avoir une petite explication. Je ne suis pas un bouffon planté pour rien devant une classe.

Ses collègues approuvèrent bruyamment sa prise de position.

À une heure trente, Gilles alla surveiller un groupe d'une trentaine d'élèves durant leur examen de sciences.

Lors de la distribution des questionnaires, l'enseignant de français se rendit compte qu'il s'agissait d'un simple examen objectif de cent questions. Le type d'examen dont Gilles avait horreur parce qu'il se prêtait trop facilement à la tricherie.

Après avoir déambulé lentement entre chacune des rangées de pupitres pour s'assurer que personne n'avait de documents interdits en sa possession, le surveillant alla se poster au fond de la salle. Il savait depuis longtemps que cette pratique avait le don d'énerver les adolescents parce qu'ils ne pouvaient savoir où il regardait. En vérité, Gilles ne fixait personne en particulier. Il évitait surtout soigneusement de scruter trop souvent l'horloge murale parce que le temps ne lui en paraîtrait que plus long.

Il n'était installé à son poste que depuis cinq minutes tout au plus quand deux coups discrets produits par un crayon heurtant un pupitre attirèrent son attention. S'il n'y avait pas eu un tel silence dans la salle, il ne les aurait probablement jamais remarqués. Quelques secondes plus tard, il perçut trois « toc » successifs.

Alerté, le surveillant leva les yeux, essayant de repérer la provenance de ce qui ressemblait à un signal. Il n'eut pas à chercher longtemps. Il entendit un autre coup sec sur sa gauche. Au même moment, Gilles saisit un mouvement rapide de la tête d'une élève qui semblait l'avoir épié en catimini. Il ne broncha pas et feignit de n'avoir rien vu, convaincu que cette fille était la source des sons. Quatre coups en rafale résonnèrent.

Un doute subsistait dans l'esprit de l'enseignant. Il pouvait encore s'agir de gestes nerveux et mécaniques d'un élève en proie au stress. Gilles admira l'inventivité des tricheurs. Personne ne pourrait jamais prouver qu'il y avait eu tricherie. Aucun papier ni écrit ne permettrait de le démontrer devant la direction. Dans le pire des cas, le surveillant ne pouvait que demander à l'adolescent bruyant de cesser de déranger ses voisins.

Gilles décida de s'asseoir derrière un pupitre libre au fond de la classe et sortit un crayon de sa poche. Puis, il attendit, les oreilles aux aguets. Quand l'élève entreprit de heurter une nouvelle fois son bureau avec son crayon, le surveillant décida de l'imiter en ajoutant un ou deux « toc » à ceux qu'elle avait produits. Sur le coup, il n'y eut aucune réaction dans le groupe et personne ne tourna la tête vers l'arrière.

Trois nouveaux coups, que le surveillant, sourire aux lèvres, fit immédiatement suivre par deux autres. Cette fois, quatre têtes se tournèrent simultanément vers le fond de la classe, à la recherche de la source du bruit. L'enseignant se contenta de dévisager les curieux jusqu'à ce qu'ils se résignent à continuer leur examen.

Une dernière tentative de l'équipe de tricheurs entraîna la même réaction de Gilles et sema la confusion dans leurs rangs.

Finalement, même le surveillant se lassa de ce petit jeu et il finit par se rendre au tableau vert à l'avant de la salle où il écrivit :

A = 1 coup, B = 2 coups, C = 3 coups,
D = 4 coups et E = 5 coups.
Bravo !

Évidemment, il n'y eut plus aucun autre « toc » audible jusqu'à ce que l'examen soit terminé. Lorsque Gilles recueillit les copies à la fin du temps réglementaire, il adressa son plus beau sourire à l'adolescente qui avait imaginé aider ses camarades en frappant sur son pupitre. Cette dernière, le visage fermé, se contenta de lui tendre sa copie sans rien dire avant de quitter la salle.

Gilles ne mentionna à personne ce petit intermède réjouissant.

La semaine suivante, les enseignants de secondaire 3 ne se croisèrent qu'occasionnellement, au gré des examens à surveiller. Après sa première journée de surveillance, Gilles ne revint à Montaigne qu'une seule fois avant le 17, jour où il devait surveiller son dernier examen et prendre possession des copies de celui de français que ses élèves avaient passé le matin même. Ce jour-là, il regretta que ses deux filles soient d'âge scolaire. Si elles avaient été plus jeunes, il aurait pu aller s'installer au chalet avec toute sa petite famille et y corriger les travaux de ses élèves. Il dut plutôt se résoudre à s'enfermer dans son bureau, au sous-sol, pour effectuer cette tâche.

Le matin du 21 juin, les professeurs entrèrent sans se presser. Leur tenue vestimentaire relâchée ainsi que le peu d'empressement qu'ils manifestaient à reprendre leur tâche prouvaient à quel point ils se sentaient déjà en vacances.

Il avait plu, la nuit précédente, et la brise matinale chassait les derniers nuages et charriait des effluves d'herbe coupée. À son arrivée dans le vaste stationnement de Montaigne vers huit heures trente, Gilles trouva que la polyvalente avait presque l'air abandonné. Ses centaines d'élèves l'avaient soudainement désertée. Aucun groupe tapageur d'adolescents ne cherchait à attirer l'attention de quelques filles aguichantes. Il n'y avait aucune bousculade près des portes. Un calme étrange avait remplacé les cris, les interpellations et les rires habituels. On ne percevait que les bruits lointains de la circulation en provenance du boulevard Provencher.

Après avoir franchi les portes, Gilles ne vit que René Martel qui semblait le seul être vivant dans tout le rez-de-chaussée, tant il régnait un lourd silence à l'intérieur de l'imposant bâtiment.

— Tu dois te sentir tout seul, taquina-t-il l'agent de sécurité en passant. Au moins, tu ne pourras t'engueuler avec personne.

— Tu sauras que je ne suis pas tout seul, répliqua ce dernier. Il y a déjà un paquet de profs qui doivent être occupés à jacasser un peu partout dans la polyvalente. On le sait bien : c'est tout ce que vous savez faire, vous autres.

C'est en s'esclaffant que Gilles monta à l'étage où il découvrit un couloir passablement encombré par les pupitres et les chaises que les concierges avaient sortis de plusieurs classes avant d'entreprendre d'en laver les planchers à grande eau. Le ménage de l'été avait déjà commencé. Des odeurs d'eau de Javel et d'autres produits avaient envahi les lieux. Gilles se rendit alors compte qu'il ne pourrait pas s'installer dans sa classe pour y travailler puisque c'était l'une de celles qu'on avait vidées de ses meubles.

À son entrée dans la salle des professeurs, un coup d'œil au tableau lui apprit le programme de sa dernière matinée de travail de l'année: *Jugement de maîtrise et réunion générale à la bibliothèque à compter de 10 h 30.*

René Martel avait exagéré: Gilles était le premier arrivé dans la salle des professeurs, du moins dans celle de secondaire 3. Il en profita pour entreprendre une dernière vérification des notes de ses élèves et remplir trois feuilles de jugement de maîtrise avant d'aller remettre le tout au secrétariat.

Dix minutes plus tard, Jérôme Rivest apparut dans la pièce. Il ne le salua pas. Il s'assit à son bureau et tira un registre de notes de son porte-documents en affichant un air renfrogné. Tout dans sa physionomie disait qu'il n'avait pas encore digéré la perte de ses groupes forts aux mains de son jeune confrère. Depuis le choix des tâches, à la mi-mai, Rivest l'avait évité soigneusement et il ne lui avait plus adressé la parole. «Qu'il aille au diable!» songea Gilles.

Puis, peu à peu, ses autres collègues arrivèrent et s'installèrent derrière leur bureau pour procéder, à leur tour, au jugement de maîtrise de certains de leurs élèves. La plupart des enseignants avaient horreur de cet exercice de haute voltige avec les notes qui se situaient entre 55 % et 59 %. La commission scolaire exigeait d'eux qu'ils examinent de près chacun des cas pour voir s'il n'y aurait pas moyen de gonfler la note des plus méritants et, ainsi, leur permettre de passer au niveau supérieur en septembre.

— Moi, des jugements de maîtrise, je n'en fais pas, déclara Sylvain Brisset sur un ton frondeur en repoussant les formulaires que Germain Coulombe lui tendait. C'est injuste envers ceux qui ont travaillé toute l'année pour avoir leur 60 %. Si un élève a 59 %, il reste avec son 59 %. Je ne le fais pas passer. La note de passage est 60 % ? Eh bien, il n'avait qu'à faire l'effort d'avoir 60 % !

— Toi, combien en fais-tu passer ? demanda Gaétane Rioux à Gilles.

— J'ai trois élèves qui ont vraiment bien travaillé toute l'année et qui méritent d'avoir une chance. J'en ai une quinzaine d'autres qui vont venir meubler nos groupes faibles de secondaire 3 l'année prochaine, et ce ne sont pas les plus faciles. Il y a de drôles de numéros là-dedans.

Ce disant, Gilles jeta un bref regard à Rivest assis en face de lui. Il remarqua en exultant que ce dernier avait été saisi d'une sorte de brève convulsion nerveuse en entendant sa dernière observation. À le voir tordre frénétiquement les extrémités de sa longue moustache, Gilles eut l'impression d'avoir fait mouche.

— Une quinzaine ? Ce n'est pas beaucoup pour quatre groupes faibles, observa Brisset.

— C'est tout de même pas mal de monde, répliqua Gilles. Mais je n'ai pas de remords. La plupart de ces élèves ont passé l'année à s'absenter et à paresser. Ils n'ont que ce qu'ils méritent. J'ai corrigé tellement de travaux cette année que leur donner 1 % de plus serait comme leur faire cadeau d'une dizaine de travaux qu'ils n'ont pas voulu faire. Non, merci.

— Tu as raison, l'encouragea le professeur de religion. Personne ne peut nous forcer à faire passer un élève s'il n'a pas la note requise.

— Remarquez que ça ne fera pas de bien beaux groupes de secondaire 3 l'an prochain, intervint Germain Coulombe qui n'avait encore rien dit.

— Pour moi, ça n'entre pas en ligne de compte, indiqua Gilles. Surtout qu'il est possible que je retourne enseigner à des groupes de secondaire 1 à René-Goupil en septembre.

En entendant ces paroles, Rivest faillit laisser tomber le crayon qu'il tenait. Subitement, son visage se transforma. Il exprima un profond soulagement mêlé d'espoir.

— Comment ça ? voulut savoir Gaétane Rioux.

— Le directeur de René-Goupil m'a téléphoné hier soir pour m'annoncer que les inscriptions à son école étaient en hausse cette année. Il m'a dit qu'il aurait un poste pour moi en français si je souhaitais revenir.

— Qu'est-ce que tu lui as répondu, si ce n'est pas indiscret ?

— Que je lui donnerais ma réponse avant qu'il parte en vacances, à la fin de la semaine prochaine.

— Tu aimais René-Goupil, pas vrai ?

— J'ai toujours enseigné là depuis que j'ai commencé. On a un beau groupe de professeurs, une vraie famille. Bien sûr, je dois reconnaître que Montaigne m'offre d'autres défis et qu'enseigner en secondaire 3 me plaît plus que je ne l'aurais imaginé.

La réplique de Gilles fut interrompue par l'interphone. Raymond Garand rappela aux enseignants de laisser leurs feuilles de notes et les formulaires de jugement de maîtrise au secrétariat de leur niveau avant de se présenter à la bibliothèque où se tiendrait une courte réunion, cinq minutes plus tard. Il les invita aussi à apporter le classeur gris contenant les règlements de la polyvalente ainsi que leurs clés, le tout devant être remis ce matin-là.

À la fin du message, un concert de raclements de pieds de chaise sur le linoléum et de claquements de tiroirs de bureau retentit brusquement. Les professeurs s'étaient levés dans l'intention de se rendre à la bibliothèque pour la dernière fois de l'année.

Gilles avait déjà enlevé de l'un des tiroirs de son bureau le classeur contenant les règlements et retiré de son trousseau les deux clés appartenant à la polyvalente. Il sortit de la salle des professeurs derrière Claude Loiselle et Sylvain Brisset. Tous les trois se joignirent à plusieurs dizaines d'enseignants qui avaient envahi le couloir, pressés d'en finir avec l'ultime réunion avant les vacances.

— C'est dommage que les élections n'aient lieu que la semaine prochaine, fit remarquer Loiselle sur un ton guilleret. La polyvalente est toujours choisie comme bureau de vote et les cours sont suspendus ce jour-là.

— On se reprendra aux élections provinciales suivantes, Claude, plaisanta Brisset. La semaine prochaine, Trudeau va probablement être réélu et il va encore nous faire suer au moins quatre autres années.

— Je ne suis pas prêt à dire ça, soutint Loiselle. Les journaux pensent que Joe Clark a ses chances.

Les trois hommes entrèrent en même temps dans la bibliothèque éclairée par le soleil qui filtrait généreusement par les larges baies vitrées. Ils prirent place au bout d'une longue file d'attente devant une table derrière laquelle officiaient trois secrétaires.

— Sacrifice ! marmonna Gilles, on voit que les vacances sont proches. C'est la première fois que je vois les profs de Montaigne aussi rapides à faire ce que le directeur leur a demandé.

— Ne te fais pas d'illusions, commenta Brisset en riant. À Montaigne, si tu veux avoir ton chèque de paye de vacances, il faut que tu aies remis tes clés et ton classeur.

Le professeur de religion disait la vérité. Après avoir rendu ses effets, chaque enseignant signait la feuille de paye avant de recevoir le chèque qui allait lui permettre de survivre pendant les dix semaines suivantes. Fait étrange, chacun faisait le même geste en prenant possession de l'enveloppe remise par une secrétaire : il s'éloignait de quelques pas de ses compagnons et ouvrait discrètement son enveloppe pour s'assurer que le montant inscrit sur le chèque correspondait bien à la somme attendue.

— Pas de surprise, j'espère ? s'informa Loiselle en revenant vers ses deux confrères.

— Non, lui confirmèrent-ils tous les deux.

— Tu te souviens de Leroux, l'an dernier, Sylvain ? Il y avait eu une erreur sur son chèque de paye des vacances. C'était un chèque de deux piastres et demie…

Apparemment, il aurait fallu qu'il aille trois fois au bureau de la commission scolaire pour faire corriger l'erreur. Ça ne s'est réglé qu'à la mi-juillet.

Le niveau sonore de la pièce s'était progressivement élevé. On sentait l'excitation des vacances dans l'air. Les enseignants déjà installés aux longues tables interpellaient joyeusement celles et ceux qui patientaient encore dans la file. On plaisantait et on faisait des remarques sur les tenues plutôt estivales de certains.

Debout à l'avant et à l'écart, Raymond Garand et ses adjoints étaient en grande discussion avec un inconnu, un robuste quadragénaire à la chevelure poivre et sel qui écoutait attentivement ce qu'on lui disait. Sa mâchoire carrée, mise en relief par un mince collier de barbe, laissait deviner une énergie peu commune. De temps à autre, il examinait de ses yeux gris la centaine d'enseignants qui occupaient la bibliothèque.

Quelques minutes plus tard, Garand se rendit compte que les secrétaires avaient terminé leur travail et que les tables où elles étaient installées avaient été désertées. Il se dirigea alors lentement vers celle où était posé un micro. Ses adjoints le suivirent et l'inconnu vint s'asseoir à sa droite.

Le directeur demanda aux professeurs de prendre place et attendit qu'un silence – tout relatif – se fasse dans la salle.

— Pour une cinquième année, le bateau vient de rentrer à bon port, malgré les quelques tempêtes qu'il a dû essuyer au fil des derniers mois. Cette année encore, je m'estime chanceux d'avoir pu compter sur un équipage fidèle qui m'a aidé à traverser toutes les intempéries et…

— Ah non ! Pas encore le capitaine Bonhomme, se plaignit Loiselle à mi-voix pour faire rire ses voisins.

Il ne rata pas son coup. Quelques ricanements s'égrenèrent autour de lui.

— … à compter d'aujourd'hui, un nouveau capitaine prend la barre de Montaigne et j'espère que vous lui apporterez tout votre soutien. Monsieur Pierre Gauthier a été désigné pour prendre en main la direction de notre polyvalente. Ses talents d'administrateur et de meneur d'hommes sont bien connus. Je suis certain qu'il saura diriger Montaigne avec succès…

Pendant que Raymond Garand vantait les qualités de son successeur et dressait un bilan de ses réalisations à la polyvalente, Gilles tendait l'oreille pour saisir ce que Sylvain Brisset confiait à une enseignante assise à la table voisine.

— Gauthier est bien connu au syndicat, expliquait-il à voix basse. Il était directeur de Sainte-Flavie, une petite école de Montréal-Est. Il va s'apercevoir qu'il y a une méchante différence entre sa petite école et une polyvalente. En tout cas, j'ai entendu dire qu'il est strict et à cheval sur les règlements. Il ne ressemble pas à Garand. C'est peut-être l'homme qui va remettre un peu d'ordre à Montaigne.

— J'ai une amie qui enseigne à Sainte-Flavie, raconta la femme. Elle m'a raconté que les profs, là-bas, n'ont pas pleuré quand ils ont appris qu'il partait. Il paraît qu'il peut être pas mal chien quand il veut.

— On verra bien, conclut Brisset.

— Les commissaires auraient pu nommer une femme comme directrice de Montaigne, murmura Jacqueline Saint-Onge en se tournant vers la table où étaient assis Gilles, Brisset et Loiselle.

— Arrête ça, toi, lui enjoignit le professeur d'anglais avec une grimace significative. On en a assez d'endurer la belle Hélène sans en ajouter une autre, non ?

Gilles ne suivit pas plus le reste de l'échange entre ses deux collègues que la fin de la brève allocution de Raymond Garand. Depuis la veille, il ne songeait qu'à l'appel d'Adrien Pomerleau, le directeur de René-Goupil. Il avait passé la nuit à retourner la question dans tous les sens, incapable de fermer l'œil. Il ne faisait que penser à la proposition de son ancien directeur d'école. Il avait une décision importante à prendre, une décision qui allait engager son avenir. Il en avait discuté avec Mylène afin de partager sa réflexion avec quelqu'un. Sa femme l'avait écouté calmement peser le pour et le contre en lui rappelant que la décision lui revenait et qu'elle le soutiendrait, quel que soit son choix.

Curieusement, Gilles était déchiré. Si on lui avait proposé un poste à René-Goupil quelques mois auparavant, il n'aurait pas hésité une seule seconde. Il y serait retourné, même à genoux. Mais contre toute attente, alors que l'année s'achevait, il se demandait s'il ne regretterait pas Montaigne. Et avec un nouveau directeur qui semblait vouloir remettre de l'ordre...

Lorsqu'il reprit pied dans la réalité, l'ex-directeur de Montaigne venait de s'asseoir après avoir invité son successeur à s'adresser pour la première fois à ses enseignants. Nullement intimidé par la centaine de paires d'yeux qui le scrutaient, l'homme saisit le micro et se leva.

—Je sais que vous n'avez qu'une hâte: celle de partir profiter d'un repos bien mérité. Je veux uniquement vous dire que je suis heureux de prendre la tête de Montaigne parce qu'il s'agit d'un beau défi à relever. Je suis conscient que je n'y arriverai pas sans votre collaboration. À votre retour en septembre, nous aurons beaucoup de pain sur la planche. Nous aurons d'abord à nous préparer à accueillir des classes de secondaire 1 dans notre polyvalente dans un an, même si beaucoup de parents s'opposent encore à ce projet.

Cette nouvelle suscita un choc dans l'assemblée. La plupart des professeurs présents n'avaient encore jamais entendu parler de cette possibilité.

—C'est devenu inéluctable, poursuivit Pierre Gauthier en se tournant vers Raymond Garand qui fit un signe de tête affirmatif. Les petites écoles secondaires sont appelées à disparaître dans un avenir très proche. Par ailleurs, je ne vous cache pas que nous aurons probablement à réévaluer, dès le début de l'année, notre régime pédagogique des jours 4 et 8 qui a connu des ratés importants. De plus, nous nous pencherons aussi sur les problèmes d'encadrement des élèves...

Les murmures dans la salle reprirent de plus belle.

—Ne vous inquiétez pas, temporisa le nouveau directeur en élevant la voix pour retenir quelques instants encore l'attention de l'auditoire, je m'accorderai d'abord quelques semaines pour analyser la situation au début de l'année. Vous serez consultés avant que je prenne des décisions importantes. Bon, assez parlé de travail ! Je vous souhaite de faire le plein d'énergie durant l'été et de nous revenir en grande forme à la fin de vos vacances, conclut Gauthier en affichant un mince sourire assez peu chaleureux.

Des applaudissements polis saluèrent la fin du discours du nouveau directeur. Sans perdre un instant, Lorraine Beaulieu, la présidente du comité social de la polyvalente, s'approcha de la table derrière laquelle étaient assis les directeurs. Claude Loiselle alla rejoindre près de la porte de la bibliothèque les autres membres du comité qui avaient entrepris de remplir de vin des dizaines de verres en plastique.

La présidente chuchota quelques mots aux directeurs avant de s'emparer du micro :

— Si vous le permettez, nous aimerions remettre à monsieur Garand un souvenir de son passage parmi nous. Avant cela, je voudrais céder la parole au président du CPE, Réal Bélanger.

— J'espère qu'il va faire ça court, le Réal, chuchota Sylvain Brisset en se penchant vers Gilles. Je n'ai pas envie de passer la journée à moisir ici. En plus, il commence à faire pas mal chaud.

Gilles consulta sa montre. Il était déjà un peu plus de onze heures. La veille, il avait chargé le coffre de sa voiture avec tout ce dont sa petite famille aurait besoin pour les prochaines semaines au chalet. Il ne restait qu'à y déposer une boîte de nourriture. Mylène et les trois enfants l'attendaient à midi. Il avait promis d'être là sans faute. Il connaissait assez le sens de l'organisation de sa femme pour savoir que les enfants étaient déjà prêts à monter à bord du véhicule.

Réal Bélanger vint rejoindre la présidente. Il prit le micro qu'elle lui tendait et fit face à l'assemblée après s'être écarté un peu pour que l'auditoire puisse bien voir Raymond Garand. L'enseignant ajusta ses lunettes, puis sortit quelques feuillets de la poche de son veston. Il remercia l'ex-directeur pour tous les efforts qu'il avait consacrés à faire de Montaigne une polyvalente respectable. À titre de premier directeur de l'établissement, il avait su vaincre de multiples obstacles. Bélanger s'appliqua ensuite à souligner ses qualités d'administrateur et de grand pédagogue.

Cinq minutes plus tard, lorsque le président du CPE replia ses notes sur une dernière envolée, l'assemblée se leva poliment pour applaudir son ancien directeur.

Enfin, Lorraine Beaulieu tendit à Garand un gros paquet enrubanné.

— De la part de tout le personnel de Montaigne, monsieur le directeur, lui précisa-t-elle en lui remettant le paquet.

Pendant un instant, Garand se battit avec le papier argenté et le ruban, sous le regard amusé de ses adjoints et de son successeur. Finalement, il brandit une toile encadrée représentant un paysage. Visiblement ému, l'homme remercia l'assistance et promit de ne jamais oublier les personnes avec lesquelles il avait travaillé pendant ces cinq années.

— Le comité social invite maintenant tout le monde à venir boire une coupe de vin à la santé de notre ancien directeur, de notre nouveau directeur et, aussi – il ne faut pas les oublier –, à nos vacances, claironna la présidente du comité social avant de reposer le micro sur la table.

Tous se levèrent et se dirigèrent sans se presser vers les deux tables sur lesquelles les membres du comité avaient déposé le vin. Gilles en profita pour aller saluer le nouveau directeur avant de partager rapidement un verre avec ses collègues.

— Bon, ben... Moi, je vais vous quitter, s'excusa-t-il auprès de Sylvain Brisset, Jean-Paul Rousseau et Michel Tondreau qui venait de se joindre à eux.

Il leur tendit la main.

— Je vous souhaite de belles vacances.

— Tu ne bois pas une dernière coupe avant de partir ? lui proposa Brisset.

— Je n'ai pas le temps. Ma famille m'attend pour partir au chalet.

— Alors, as-tu une idée de ce que tu vas décider pour l'année prochaine ? le questionna le professeur de religion.

— Après avoir écouté notre nouveau directeur, je pense que mon idée est faite. Je vais rester avec vous à Montaigne. Gauthier vient de dire que les petites écoles secondaires risquent de disparaître. Je serais bien bête de retourner à René-Goupil alors que je commence à m'habituer à la polyvalente. En plus, avec un nouveau directeur, les choses risquent de changer ici et ça me plaît bien.

— J'en connais un qui va être pas mal déçu, commenta Tondreau en désignant Jérôme Rivest qui, debout un peu plus loin, avait déjà entrepris d'entrer dans les bonnes grâces du nouveau directeur.

— Il n'est pas obligé de le savoir tout de suite. S'il pense que je pars, ça lui fera peut-être passer de meilleures vacances. On verra tout ça en septembre, pas vrai ?

À ces mots, Gilles salua ses collègues et se dirigea vers la porte de la salle en se faufilant difficilement entre les groupes de professeurs qui trinquaient. Il descendit au rez-de-chaussée et sortit de Montaigne. Une bouffée de chaleur l'assaillit quand il posa le pied dehors. Sans un regard pour l'édifice qu'il venait de quitter, l'enseignant se dirigea vers sa Chevrolet dont il déverrouilla une portière. Après avoir baissé les vitres pour aérer un peu l'habitacle, il démarra. Puis, il s'attarda à l'immense bâtiment de brique brune dont les murs aveugles étaient si peu accueillants.

— Je ne sais pas si je finirai par m'habituer un jour, se dit-il pour lui-même en secouant la tête.

Table des matières

Suivez-nous

Achevé d'imprimer en octobre 2015
sur les presses de l'imprimerie Marquis-Gagné
Louiseville, Québec